Nachtlicht

Bezoek onze internetsite www.awbruna.nl
voor informatie over al onze boeken en softwareproducten.

Peter Robinson

Nachtlicht

A.W. Bruna Uitgevers B.V., Utrecht

Oorspronkelijke titel
A Dedicated Man
© 1988 by Peter Robinson. Published by
arrangement with Lennart Sane Agency AB.
Vertaling
Valérie Janssen
Omslagontwerp
Room Concept & Design, Naarden-Vesting
© 2005 A.W. Bruna Uitgevers B.V., Utrecht

ISBN 90 229 8997 6
NUR 305

Voor Jan

'Ze hadden gelijk, mijn lief, al die stemmen hadden gelijk
En nog steeds; dit land is niet het heerlijke thuis dat het lijkt,
Noch is de vredige rust de historische stilte van een plek
Waar iets voor eens en altijd is afgehandeld...'

W.H. Auden, *In Praise of Limestone*

1

Toen de zon zo hoog was gerezen dat hij boven de leistenen daken aan de overkant van de straat uit kwam, kroop het licht tussen een kier in Sally Lumbs gordijnen door en viel het op een pluk goudblond haar die over haar wang lag gekruld. Ze droomde. Minotaurussen, bankbedienden, gazellen en trollen dartelden door de schuren, maisonnettes en gotische paleizen van haar slaap. Toen ze een paar uur later wakker werd, was het enige wat haar was bijgebleven echter het verontrustende beeld van een kat die over een hoge muur met glasscherven zijn weg zocht. Dromen. De meeste vergat ze meteen weer. Ze hadden totaal niets te maken met het andere soort dromen, die veel belangrijker waren en die ze ook kon oproepen wanneer ze niet sliep. In deze dromen had ze eindexamen gedaan en was ze toegelaten tot de Marion Boyars Academy of Theatre Arts. Daar studeerde ze voor actrice, model en visagist, want Sally was nuchter genoeg om te beseffen dat ze dan wellicht niet over het acteertalent van een Jessica Lange of een Kathleen Turner beschikte, maar dat dit nog niet hoefde te betekenen dat ze geen plekje kon veroveren in het randgebeuren van de glamourwereld.

Toen Sally zich eindelijk bewoog, was de zonnestraal allang naar de vloer naast haar bed verschoven, waar hij lichtstrepen tekende op de slordige hoop kleren die ze daar de avond ervoor had neergegooid. Ze ving het getik van borden en bestek beneden in de keuken op en de doordringende geur van gebraden vlees dreef langzaam haar kamer binnen. Ze stond op. Het zou verstandig zijn om zo snel mogelijk naar beneden te gaan en met de groenten te helpen voordat haar moeders irritante kreet – 'Het staat op tafel!' – haar hierboven bereikte, bedacht ze. Door bereidwillig uit zichzelf een handje mee te helpen kon ze hopelijk een diepgaand onderzoek naar haar late thuiskomst van de avond ervoor voorkomen.

Sally staarde naar zichzelf in de lange spiegel van haar oude, eikenhouten kledingkast. Hoewel er nog een beetje babyvet rond haar heupen en op haar dijen lag, zou dat snel genoeg verdwijnen. Over het geheel genomen had ze een mooi lichaam, vond ze. Haar borsten waren perfect. De meeste mensen complimenteerden haar natuurlijk met haar lange, zijdeachtige haar, maar zij hadden haar borsten niet gezien. Kevin wel. De vorige avond nog had hij ze gestreeld en gezegd dat ze prachtig waren. De vorige avond hadden ze het bijna gedaan en Sally wist dat het de volgende keer, binnenkort, echt zover zou zijn. Ze keek ernaar uit met een mengeling van angst en verlangen die volgens de tijdschriften en boeken die ze had gelezen in hun verzengende passie en lust snel zou overgaan in extase.

Sally raakte met de punt van haar wijsvinger haar tepel aan en voelde een tinteling in haar lendenen. De tepel werd hard en ze liep met een vuurrood hoofd bij de spiegel vandaan om zich aan te kleden.

Kevin was goed. Hij wist hoe hij haar moest opwinden; al vanaf het begin van de zomer speelde hij voorzichtig met de grenzen van haar begeerte. Hij had ze telkens weer een klein stukje verder opgerekt en binnenkort zou het hele gebied van hem zijn. Hij was jong, net als Sally, maar wist toch blijkbaar instinctief hoe hij haar genot kon schenken, zoals ze dacht dat een ervaren, oudere man dat zou weten. Ze geloofde zelfs dat ze echt een beetje van Kevin hield. Zodra er echter iemand anders op haar pad kwam – iemand die volwassener, rijker en mondainer was, en helemaal thuis was in de opwindende, hippe wereldsteden – tja, Kevin was in zijn hart natuurlijk maar een doodgewone boerenknul.

Gekleed in een designspijkerbroek en een effen wit T-shirt trok Sally de gordijnen open. Toen haar ogen aan het felle licht gewend waren, zag ze dat het een stralende ochtend in Swainsdale was. Een paar pluizige schapenwolkjes – eentje was net een teddybeer en een andere net een krab – schoven in een zacht briesje langs de felblauwe hemel. Ze staarde langs de brede, noordelijke helling van de vallei, waarop het diepe groen hier en daar werd onderbroken door donkere heidestruiken en stukken kalksteen, naar de hoge, steile wand van Crow Scar en merkte daar iets vreemds op. Aanvankelijk kon ze niet zien wat het was. Toen ze haar ogen tot spleetjes kneep en zich concentreerde, zag ze, verspreid over de helling net boven de oude weg, vijf of zes blauwe stippen die zich in een soort patroon voortbewogen. Ze legde een vinger tegen haar lippen, dacht even diep na en fronste haar wenkbrauwen.

In het 24 kilometer verderop gelegen Eastvale, de grootste stad in de Dale, keek iemand anders ook verlangend uit naar de zondagse lunch van mals gebraden vlees met Yorkshire Pudding. Inspecteur Alan Banks lag plat op zijn buik in Brians kamer naar een elektrisch treintje te kijken dat door bochten, over bruggen, langs seinpalen en onder bergen van papier-maché door zoefde. Brian zelf was in het park aan het fietsen, maar Banks deed allang niet meer alsof hij alleen maar met treinen speelde vanwege van zijn zoon en had inmiddels ruiterlijk toegegeven dat hij deze bezigheid zelfs ontspannender vond dan een warm bad.

Hij hoorde de telefoon in de gang overgaan en enkele seconden later riep zijn dochter Tracy naar boven: 'Het is voor jou, pap!'

Toen Banks naar beneden liep, rook hij de heerlijke geur die vanuit de keuken kwam en het water liep hem in de mond. Hij bedankte Tracy en pakte de hoorn op. Het was brigadier Rowe, de dienstdoende balieagent van het regionale hoofdbureau van Eastvale.

'Het spijt me dat ik u stoor, inspecteur,' zei Rowe, 'maar we zijn zojuist gebeld door agent Weaver uit Helmthorpe. Blijkbaar heeft een boer daar uit de omgeving vanochtend in een van zijn weilanden een stoffelijk overschot ontdekt.'

'Vertel verder,' spoorde Banks hem aan, onmiddellijk een en al oor.

'De man zei dat hij op zoek was naar een vermist schaap en dat hij toen bij een muurtje op een lichaam is gestuit dat daar begraven lag. Weaver vertelde dat hij een of twee stenen heeft opgetild en dat het inderdaad om een stoffelijke overschot gaat. Het ziet ernaar uit dat iemand hem zijn hersens heeft ingeslagen.'

Banks voelde het bekende verkrampte gevoel in zijn maag dat hij altijd had wanneer informatie over een nieuwe moord hem bereikte. Hij had zich een jaar geleden vanuit Londen hiernaartoe laten overplaatsen, omdat hij de eindeloze spiraal van zinloos geweld daar spuugzat was, maar was er al snel achter gekomen dat het er hier in het noorden net zo erg, zo niet erger, aan toeging. De zaak-Gallows View had Sandra en hem beiden in emotioneel opzicht volledig uitgeput, maar daarna waren ze gelukkig in rustiger vaarwater beland. Sinds dat onderzoek hadden slechts een paar inbraken en één geval van fraude zijn aandacht opgeëist en hij was werkelijk gaan geloven dat moorden, gluurders en gewelddadige tieners in Eastvale eerder uitzondering waren dan regel.

'Zeg maar tegen Weaver dat hij zo veel mogelijk mannen uit de omgeving optrommelt en met hen teruggaat naar de plek om het hele gebied met tape af te zetten. Ik wil dat ze direct een systematische zoektocht uitvoeren, maar verder moet iedereen een afstand van tien meter tot het lichaam bewaren. Begrepen?' Het laatste waaraan hij behoefte had was een half dozijn platvoeten dat de paar vierkante meter waarop ze de meeste kans hadden om aanwijzingen te vinden vertrapten.

'Zeg hun dat ze alles wat ze vinden in gemarkeerde enveloppen moeten stoppen,' vervolgde hij. 'Ze zouden bekend moeten zijn met de procedure, maar het kan geen kwaad om hen er nog even op te wijzen. En ik bedoel letterlijk alles. Gebruikte condooms, noem maar op. Neem contact op met brigadier Hatchley en dokter Glendenning. Vraag hun om onmiddellijk daar naartoe te gaan. Dat geldt eveneens voor een fotograaf en een team van de technische recherche. Oké?'

'Jawel, inspecteur,' antwoordde Rowe. Hij wist dat Jim Hatchley hoogstwaarschijnlijk zoals altijd op zondag rond lunchtijd in The Oak een glas bier zat te drinken en dat Banks er bijzonder veel genoegen in schepte om dat pleziertje te verpesten.

'Ik neem aan dat de hoofdinspecteur al op de hoogte is gesteld?'

'Ja. Hij was degene die zei dat ik u moest bellen.'

'Dat kan ook bijna niet anders,' mopperde Banks. 'Ik kan me niet voorstellen dat hij zíjn zondagslunch wil overslaan.' Hij zei het echter met goedmoedige spot en genegenheid. Van alle nieuwe collega's was hoofdinspecteur Gristhorpe degene die hem het meest had gesteund en aangemoedigd tijdens zijn moeizame overstap van de stad naar het platteland.

Banks hing op en schoot zijn versleten bruine jack met stukken op de ellebogen aan. Hij was een kleine man met donker haar, had uiterlijk veel weg van de Welshmen met hun oude Keltische voorvaderen en bezat niet direct de lichaamsbouw die men bij een politieman zou verwachten.

Toen hij gereed was om te vertrekken, kwam Sandra, zijn vrouw, uit de keuken gelopen. 'Wat is er?' vroeg ze.

'Zo te horen een moord.'

Ze veegde haar handen af aan haar blauwgeruite schort. 'Dus je lunch niet mee?'

'Sorry, liefje. Dat gaat nu niet.'

'En ik neem aan dat het absoluut geen zin heeft om iets voor je warm te houden?'

'Waarschijnlijk niet. Ik koop wel ergens een sandwich.' Hij kuste haar vluchtig op de lippen. 'Maak je geen zorgen, ik bel je zodra ik weet wat er precies aan de hand is.'

Banks reed in zijn witte Cortina in westelijke richting langs de rivier door de Dale. Hij had recht op een dienstwagen met chauffeur, maar vond het juist heerlijk om zelf te rijden en gaf er tijdens een onderzoek vaak de voorkeur aan om in zijn eentje te rijden. Zijn onkostenvergoeding compenseerde de kosten die hij daardoor maakte ruimschoots.

Met één oog op de weg en één hand aan het stuur zocht hij tussen de chaotische verzameling cassettebandjes op de passagiersstoel tot hij het bandje had gevonden dat hij zocht en hij schoof dit in de cassetterecorder.

Hoewel hij hardnekkig volhield dat zijn liefde voor operamuziek tijdens de afgelopen winter niet was verminderd, moest hij toch toegeven dat hij momenteel steeds meer naar Engelse gezangen en koormuziek luisterde. Het was een verandering waar Sandra volledig achter stond; ze had toch al nooit veel opgehad met opera en Wagner was voor haar echt de laatste druppel geweest. Nadat ze ten slotte zelfs zover was gegaan dat ze een van zijn cassettes met een magneet had bewerkt – het bandje met *Trauermusik beim Tode Siegfrieds* erop, herinnerde Banks zich bedroefd – drong de boodschap tot Banks door. Luisterend naar Ian Partridges vertolking van Dowlands *I Saw My Lady Weepe* reed hij verder.

Net als de grotere, veel bekendere Yorkshire Dales loopt Swainsdale min of meer van west naar oost, met een kleine afbuiging naar het zuiden, totdat het riviertje de Swain zich bij de Ouse voegt. Bij de oorsprong vlak bij Swainshead hoog in het Penninisch Gebergte is de Swain slechts een dun stroompje glinsterend helder water, dat op weg naar beneden in de richting van de Noordzee met behulp van gletsjers en geologische verschuivingen echter een prachtige, lange vallei heeft uitgehold die bij de Vale of York steeds breder wordt. De grootste stad, Eastvale, met zijn prachtige Normandische kasteel, ligt op de oostelijke grens van de Dale en kijkt uit over weelderig begroeide, vruchtbare velden. Op een heldere dag zijn in de verte de Hambleton Hills en de North York Moors zichtbaar.

Hij kwam langs Lyndgarth, dat op de noordelijke heuvelflank vlak bij de ruïne van Devraulx Abbey lag, en door het rustige Fortford, waar op een heuveltje vlak bij het centrum nog steeds opgravingen werden verricht naar de overblijfselen van een Romeins fort. Voor hem verrees aan de rechterkant de lichte, kalkstenen boog van Crow Scar en toen hij dichterbij kwam, zag hij dat de plaatselijke politie al bezig was een door onregelmatige stapelmuurtjes begrensd weiland te doorzoeken. De kalksteen glansde fel in het zonlicht en de muurtjes stonden scherp tegen het gras afgetekend, als parelkettingen op een smaragdgroen fluwelen kussen.

Om op de plaats delict te komen, moest Banks door Helmthorpe heen rijden, een marktplaatsje dat in het midden van de Dale lag; daar moest hij bij de brug rechts afslaan en Hill Road in rijden, en vervolgens nogmaals naar rechts om op de smalle weg te komen die slingerend in noordoostelijke richting tot ongeveer halverwege de heuvelflank omhoog kroop. Het was een wonder dat het weggetje ooit was geasfalteerd, waarschijnlijk een gebaar naar het toenemende toerisme, vermoedde Banks. Het voorspelde helaas weinig goeds voor bandensporen, bedacht hij somber.

Omdat hij nu eenmaal meer gewend was aan de stad dan aan het platteland, schaafde hij zijn knie toen hij over het lage muurtje klom en struikelde hij vervolgens enkele keren over de stevige graspollen in het weiland. Ten slotte bereikte hij buiten adem de plek zo'n vijftig meter hoger op de helling waar een man in uniform, agent Weaver nam hij aan, stond te praten met een verweerde oude man.

Naast de muur die van noord naar zuid liep lag, losjes bedekt met een laag aarde en stenen, het stoffelijke overschot. Een deel van de laag was verwijderd, waardoor duidelijk was te zien dat het een man betrof. Het hoofd lag naar één kant gebogen en toen Banks naast hem neerknielde, zag hij dat het haar aan de achterkant samenklitte door het bloed. Hij onderdrukte snel het misselijke gevoel dat naar boven kwam en maakte in gedachten snel een lijst van aantekeningen over de plaats delict. Toen hij weer opstond, werd hij getroffen door het scherpe contrast tussen de prachtige, serene dag en het dode lichaam aan zijn voeten.

'Is er veel van zijn plek gehaald?' vroeg hij aan Weaver, nadat hij voorzichtig weer over de tape was gestapt.

'Vrijwel niets, inspecteur,' antwoordde de jonge agent. Zijn gezicht was bleek en zijn adem rook zuur, wat erop wees dat hij waarschijnlijk aan de andere kant van het muurtje had overgegeven. Niet meer dan logisch, dacht Banks bij zichzelf. Dit was waarschijnlijk de eerste dode die de knul had gezien.

'Meneer Tavistock hier,' – Weaver gebaarde naar de boer – 'zegt dat hij alleen de stenen bij het hoofd heeft weggehaald om te kunnen zien waaraan zijn hond zat te krabbelen.'

Banks wierp een blik op Tavistock, wiens grimmige gezichtsuitdrukking verraadde dat hij wel vaker met de dood te maken had gehad. Waarschijnlijk een ex-soldaat en zeker oud genoeg om in twee wereldoorlogen te hebben meegevochten.

'Ik was op zoek naar een van mijn schapen,' zei Tavistock in zijn trage

Yorkshire-accent, 'en toen zag ik dat die muur was beschadigd. Ik dacht dat een gedeelte was ingestort.' Hij zweeg even en wreef over zijn stoppelige kin. 'Een Bessthwaite muur die instort, dat kan haast niet. Dat ding staat daar al sinds 1830. Maar goed, Ben hier begon als een razende te graven. Eerst dacht ik dat het niets was, maar toen...' Hij haalde zijn schouders op, alsof daarmee alles was gezegd.

'Wat deed u toen u eenmaal doorhad wat het was?' vroeg Banks.

Tavistock krabde langs zijn rimpelige hals en spuugde op het gras. 'Ik heb even gekeken, meer niet. Ik dacht dat het misschien een schaap was dat door iemand was gedood. Dat gebeurt wel vaker. Toen ben ik naar huis gerend,' – hij wees naar een boerderij die ongeveer een kilometer verderop stond – 'en heb ik Weaver hier gebeld.'

Banks had zo zijn twijfels over dat 'gerend', maar hij was blij dat Tavistock zo snel had gehandeld. Hij draaide zich om, gaf de fotograaf en het team van de technische recherche enkele aanwijzingen, trok vervolgens zijn jas uit en stond tegen de warme stenen muur aan te wachten totdat de experts hun werk hadden gedaan.

Sally gooide met een klap haar mes en vork neer, en riep tegen haar vader: 'Omdat ik met een jongen heb gewandeld, wil dat nog niet zeggen dat ik een slet of een snol of wat dan ook ben!'

'Sally!' kwam mevrouw Lumb tussenbeide. 'Schreeuw niet zo tegen je vader. Zo bedoelde hij het helemaal niet en dat weet je best.'

Sally staarde haar ouders nijdig aan. 'Nou, zo kwam het anders wel over.'

'Hij wilde je alleen maar waarschuwen,' ging haar moeder verder. 'Je moet een beetje voorzichtig zijn. Sommige jongens maken misbruik van meisjes. Vooral van zo'n knap ding als jij.' Ze zei het met een mengeling van trots en vrees.

'Jullie hoeven echt niet te doen alsof ik nog een klein kind ben, hoor,' zei Sally. 'Ik ben zestien.' Ze wierp een medelijdende blik op haar moeder, keek nogmaals kwaad naar haar vader en concentreerde zich toen weer op haar bord.

'*Aye*,' zei meneer Lumb, 'en tot je achttiende doe je wat wij zeggen. Zo zijn de regels.'

Sally zag de man die tegenover haar zat als de oorzaak van al haar problemen en uiteraard paste Charles Lumb perfect in de rol die zijn dochter hem had toebedeeld: de ouderwetse, bekrompen boerenpummel wiens enige argument tegen alles wat nieuw en interessant was, luidde: 'Wat goed genoeg was voor mijn vader en diens vader voor hem, is ook goed genoeg voor jou, jongedame.' Hij was enorm conservatief, wat ook wel te verwachten was van iemand wiens familie al ontelbare generaties lang in de streek woonde. Charles Lumb was een traditionalist die vaak zei dat de Dale die hij had gekend en liefhad langzaam aan het verdwijnen was. Hij besefte heel goed dat jongeren alleen iets van hun leven konden maken door weg te trekken en dat vervulde hem met grote droefheid. Hij was ervan overtuigd dat binnenkort zelfs de bewoners van de dorpen in de Dales aan de National Trust, English Heritage of de Open Spaces Society zouden toebehoren. Als dierentuinwezens zouden ze dan worden betaald om hun wonderlijk ouderwetse gewoonten te beoefenen in een soort levend museum. Het kostte Lumb, die de kleinzoon van een meubelmaker was en bij een melkfabriek in de omgeving werkte, moeite om de dingen anders te zien. De oude ambachten stierven langzaam uit omdat ze niets meer opleverden en dat er nog één kuiper, één smid en één wagenmaker waren die het hoofd wél boven water konden houden, was slechts te danken aan de toeristen.

Lumb, een Yorkshire-man in hart en nieren, had echter nogal eens de neiging om zijn dochter uit te dagen en te plagen op een manier die door een ambitieus jong meisje als Sally gemakkelijk veel te serieus kon worden opgevat. Hij kon de absurdste opmerkingen en ideeën over haar hobby's en dromen met zo'n vlakke stem te berde brengen, dat het iedereen vergeven moest worden als ze de goedmoedige, spottende humor erachter niet hoorden. Als hij minder sarcastisch was geweest en zijn dochter minder zelfzuchtig, hadden ze zich wellicht beiden gerealiseerd dat ze eigenlijk dol op elkaar waren.

Charles Lumb had echter graag gezien dat zijn dochter haar gezonde verstand wat meer gebruikte. Ze was een slimme meid die gemakkelijk een plekje had kunnen krijgen aan een van de universiteiten en misschien wel dokter of advocaat had kunnen worden. In elk geval heel wat gemakkelijker dan het in zijn tijd was geweest, bedacht hij peinzend. Maar nee, ze moest en zou naar die belachelijke Academy, en hoe hij ook zijn best deed, hij kon met de beste wil van de wereld niets waardevols ontdekken aan een opleiding waarbij je leerde hoe je gezichten moest beschilderen en in badpakken rond paraderen. Als hij had gedacht dat ze het in zich had om een groot actrice te worden, zou hij haar wellicht wat meer hebben gesteund. Maar daar had hij een hard hoofd in. Misschien zou de tijd hem leren dat hij het mis had. Dat hoopte hij maar. Het zou anders heel wat zijn om haar op televisie te zien.

Nadat ze een paar minuten had zitten mokken, bracht Sally het gesprek op een ander onderwerp. 'Hebben jullie die mannen op de heuvelhelling gezien?' vroeg ze. 'Ik vraag me af wat ze daar doen.'

'Die zijn waarschijnlijk naar iets op zoek,' antwoordde haar vader, die zich nog niet helemaal van hun ruzie had hersteld, droogjes.

Sally schonk geen aandacht aan hem. 'Ik had de indruk dat het politiemensen waren. Je kunt de knopen op hun uniforms zien glanzen. Ik ga er na het eten even een kijkje nemen. Er staat al een hele massa mensen langs de weg.'

'Als je er maar voor zorgt dat je vóór middernacht weer thuis bent,' zei haar moeder. De lucht was enigszins geklaard en de rest van de maaltijd verliep betrekkelijk rustig.

Sally wandelde via de weg die langs de heuvelflank liep naar boven en sloeg voorbij de cottages rechts af. Ze liep met snelle passen, dansend en handenvol droog gras vastgrijpend, dat ze hoog in de lucht wierp.

Een aantal auto's blokkeerde de weg langs het weiland en wat vanaf een afstandje op een flinke mensenmenigte had geleken, bleek in werkelijkheid slechts een tiental nieuwsgierige toeristen te zijn met camera, rugzak en wandelschoenen. Het was open terrein, bijna allemaal heidevelden, wist Sally, ondanks de stapelmuurtjes die kriskras over het land stonden waardoor het net leek of er enige orde in was aangebracht. De muurtjes waren oud en alleen enkele boeren uit de omgeving herinnerden zich nog wie ze hadden gebouwd.

Het was drukker op het weiland dan ze voorzover ze zich kon herinneren ooit eerder op zo'n afgelegen plek had meegemaakt. Mannen in uniform kropen door het hoge gras, en de omgeving bij de muur was met stokken en tape afgezet. Binnen in de magische cirkel stonden drie mannen, één met een camera, één met een zwarte tas en één, een kleine, pezige man, met een bruine jas over zijn schouder geslagen, die zo te zien de leiding over het gebeuren had. Sally's ogen waren zo goed dat ze zelfs de kleine zweetplekken onder zijn armen kon zien.

Ze vroeg aan de wandelaar van middelbare leeftijd die naast haar stond wat er allemaal aan de hand was en de man vertelde haar dat hij dacht dat er een moord was gepleegd. Natuurlijk. Dat moest haast wel. Ze had zoiets dergelijks eens op televisie gezien.

15

Banks wierp een blik op de weg achter hem. Hij had in een flits iets zien bewegen, maar het was slechts het blonde haar van een meisje geweest waarop het zonlicht was weerkaatst. Dokter Glendenning, de lange, grijsharige patholoog, had in ledematen geported en zijn thermometer in lichaamsopeningen gestopt, maar was nu klaar en stond, met een sigaret bungelend in een mondhoek, allerlei berekeningen te maken in zijn rode opschrijfboekje, mompelend dat het een vrij warme avond was geweest.

Het was maar goed dat twee mensen van de technische recherche eerst de berm langs de weg hadden onderzocht, bedacht Banks met een blik op de toeschouwers. Ze hadden niets gevonden – geen remsporen of bandensporen op het asfalt – maar het had er veel van weg dat iets of iemand vanaf de weg naar het weiland was gesleept.

Glendenning bevestigde dat het slachtoffer ergens anders om het leven was gebracht en daarna op deze geïsoleerde plek was gedumpt. Dat zou de nodige problemen opleveren. Als ze niet wisten waar de man was vermoord, wisten ze ook niet waar ze moesten beginnen met het zoeken naar de moordenaar.

De dokter veranderde al pratend nog iets in zijn kolommen met cijfers en Banks snoof de buitenlucht op, intussen nogmaals bedenkend dat het een veel te fijne dag was en een veel te mooie plek voor zo'n onaangename gebeurtenis. Zelfs de jonge fotograaf Peter Darby, die het lichaam vanuit elke denkbare hoek fotografeerde, merkte op dat hij op een dag als deze normaal gesproken ergens in alle rust plaatjes stond te schieten van Rawley Force of met zijn macrolens inzoomde op bloemblaadjes in de hoop dat een bij of vlinder lang genoeg zou blijven stilzitten om hem scherp te stellen en af te drukken. Hij had al eerder stoffelijke overschotten gefotografeerd, wist Banks, en was dus wel aan de onplezierige kanten van het vak gewend. Desondanks bleef het toch iets heel anders dan vlinders en watervallen.

Glendenning keek op van zijn opschrijfboekje en kneep zijn ogen halfdicht tegen de zon. Een centimeter as dwarrelde op de grond en Banks merkte dat hij zich stond af te vragen of de goede man misschien ook met een sigaret in zijn mond operaties uitvoerde en de as dan in de incisie liet vallen. Het was uiteraard ten strengste verboden om te roken op een plaats delict, maar niemand had ooit het lef dit tegen Glendenning te zeggen.

'Het was een warme avond,' zei hij met zijn door nicotine aangetaste stem waarin nog altijd een zangerig Schots accent doorklonk tegen Banks. 'Ik kan geen nauwkeurige inschatting maken van het tijdstip van overlijden.

Het is echter hoogstwaarschijnlijk dat het na zonsondergang gisteravond en vóór zonsopgang vanochtend is gebeurd.'

Daar schieten we verdomme veel mee op, zeg, dacht Banks bij zichzelf. We weten dus niet wanneer hij is vermoord, alleen dat het afgelopen nacht op een niet nader aangeduid tijdstip moet zijn gebeurd.

'Sorry,' voegde Glendenning eraan toe toen hij de uitdrukking op Banks' gezicht zag.

'U kunt er ook niets aan doen. Verder nog iets?'

'Een klap op zijn achterhoofd, als ik zo vrij mag zijn om het omslachtige medische jargon naar lekentermen te vertalen. Vrij hard, ook. Zijn schedel is als een eierschaal gebarsten.'

'Enig idee wat er als wapen is gebruikt?'

'Het gebruikelijke stompe voorwerp. Wel iets met een scherpe rand, zoals een moersleutel of een hamer. Op dit moment kan ik helaas niet specifieker zijn, maar het is in elk geval geen baksteen of stuk rots geweest. Daar zijn de wondranden te glad voor en ik heb ook geen stofdeeltjes gezien. Na de autopsie volgt uiteraard een volledig rapport.'

'Is dat alles?'

'Ja. Als jullie klaar zijn met de foto's kun je hem naar het mortuarium laten brengen.'

Banks knikte. Hij droeg een agent in uniform op om een ambulance te regelen en Glendenning pakte zijn spullen in.

'Weaver! Brigadier Hatchley! Kom even hier,' riep Banks en hij sloeg de twee mannen gade toen ze naar hem kwamen toe gelopen. 'Enig idee wie de dode man is?' vroeg hij aan Weaver.

'Jawel, inspecteur,' antwoordde deze. 'Harry Steadman. Hij woont hier in het dorp.'

'Getrouwd?'

'Ja.'

'Dan kunnen we maar beter even bij zijn vrouw langsgaan. Hatchley, zou jij met meneer Tavistock willen meegaan om bij hem thuis een officiële verklaring op te nemen?'

Hatchley knikte traag.

'Is er een fatsoenlijke pub in Helmthorpe?' vroeg Banks aan Weaver.

'Ik ga meestal naar The Bridge, inspecteur.'

'Hoe is het eten daar?'

'Niet slecht.'

'Goed.' Banks keek naar Hatchley. 'Jij ontfermt je over Tavistock en wij gaan naar mevrouw Steadman. Daarna gaan we samen iets eten in The Bridge. Oké?'

Hatchley stemde ermee in en sjokte weg met Tavistock.

De kans dat ze nog thuis rosbief konden gaan eten was nu definitief verkeken. Totdat de zaak was opgelost, zouden ze sowieso vrijwel niet meer thuis kunnen eten. Banks wist uit ervaring dat wanneer een moordonderzoek eenmaal op gang was er geen tijd zou zijn om het even iets rustiger aan te doen en een paar uurtjes vrij te maken voor zijn gezin. De misdaad zou een enorme invloed uitoefenen op maaltijden, persoonlijke verzorging en slaap; hij overheerst alle gesprekken en werpt een onzichtbare barrière op tussen de politieman en zijn gezin.

Hij keek naar het lager gelegen dorp dat schots en scheef om een bocht in de rivier lag uitgespreid. De grijze, leistenen daken glinsterden in de zon en de klok op de vierkante kerktoren wees halfeen aan. Met een zucht gaf hij Weaver een knikje en ze liepen samen naar de auto.

Ze passeerden de kleine menigte, negeerden de voorzichtige vragen van de plaatselijke journalist en stapten in de Cortina. Banks haalde de cassettes die op de passagiersstoel lagen weg, zodat Weaver naast hem kon plaatsnemen.

'Vertel me eens wat je over Steadman weet,' zei Banks, terwijl hij achteruit door een poortje reed en keerde.

'Hij woont hier nu ongeveer anderhalf jaar,' vertelde Weaver. 'Hij kwam daarvoor regelmatig hier op vakantie en heeft zijn hart aan deze streek verpand. Nadat hij een fortuin had geërfd van zijn vader heeft hij zich hier gevestigd. Daarvoor was hij universitair docent in Leeds. Hoogopgeleid, maar niet verwaand. Begin veertig, zo'n een meter tachtig lang, peper- en zoutkleurig haar. Zag er nog best jong uit. Ze wonen in Gratly.'

'Ik dacht dat je had gezegd dat ze in het dorp woonden.'

'Komt in wezen op hetzelfde neer,' legde Weaver uit. 'Ziet u, Gratly is maar een gehucht, een paar oude huizen langs de kant van de weg. Er is niet eens een pub. Maar nu er steeds meer nieuwe huizen langs de helling worden gebouwd, liggen die twee zo dicht bij elkaar dat je ze bijna niet meer van elkaar kunt onderscheiden. De bewoners staan er echter op dat de naam behouden blijft. Om zich onafhankelijk te blijven voelen, vermoed ik.'

Toen Banks langs de heuvel omlaag reed in de richting van de brug, wees

Weaver naar de helling tegenover hen aan de overkant van de rivier en hij merkte op: 'Dat is Gratly.'

Banks zag een rij nieuwe huizen, waarvan een aantal nog in aanbouw was; daarachter strekte zich een kale vlakte van ongeveer honderd meter breed uit tot aan een kruispunt dat werd geflankeerd door oudere cottages.

'Ik zie wat je bedoelt,' zei Banks. Gelukkig leverde de aannemer smaakvol werk af door het ontwerp van de oorspronkelijke huizen te volgen en dezelfde, uit de omgeving afkomstige steensoort te gebruiken.

Weaver kletste verder, ongetwijfeld in een poging om de herinnering aan de aanblik van zijn eerste stoffelijke overschot uit zijn hoofd te verdrijven. 'Bijna alle nieuwe huizen in Helmthorpe staan aan deze kant van het dorp. Aan de oostkant zult u geen nieuwbouw aantreffen. Sommige bijdehante dorpelingen zeggen dat dit komt doordat het dorp vanuit het oosten is opgebouwd. Vikings, Angelsaksen, Romeinen en noem maar op. Natuurlijk vind je daar tegenwoordig niets meer van terug, maar de bebouwing breidt zich inderdaad bijna alleen in westelijke richting uit.' Hij dacht even na over wat hij zojuist had gezegd en voegde er toen glimlachend aan toe: 'Zoveel wordt er trouwens niet bijgebouwd.'

Hoewel Banks grote belangstelling had voor de geschiedenis van de streek, raakte hij de draad van Weavers betoog kwijt toen hij over de lage, stenen brug reed en de High Street van Helmthorpe overstak. Hij vloekte inwendig. Het was zondagmiddag en uit wat hij om zich heen kon zien, maakte hij op dat dit het tijdstip was om de auto te wassen. Op de oprit voor hun garage stonden mannen met opgestroopte mouwen en emmers schuimend sop. Autodaken glinsterden in de zon, en water droop van portieren en bumpers. Gepoetst chroom scheen hen blinkend tegemoet. Als Harry Steadman uit een auto van iemand uit de omgeving was gedumpt, waren alle sporen van die gruwelijke tocht inmiddels waarschijnlijk allang op natuurlijke wijze uitgewist: ingezeept en afgespoeld, gewaxt, gestofzuigd en schoongeveegd.

Steadmans huis was het laatste in een kleine rij aan de linkerkant van de weg en groter dan Banks had verwacht. Het was een degelijk gebouw en zag er zo verweerd uit dat het best voor een historisch monument kon doorgaan. Wat inhield dat het ook een monumentale prijs zou opbrengen, bedacht hij. Aan de oostzijde was een dubbele garage gebouwd en de enorme, door een lage muur omgeven tuin bestond uit een keurig onderhouden gazon met een kleurrijk bloembed in het midden, en rozenstruiken langs de gevel en de afscheiding met de tuin van het buurpand. Weaver bleef in de auto zitten en Banks wandelde in zijn eentje over de fantasie-bestrating naar de voordeur om aan te bellen.

De vrouw die met een kop thee in de hand opendeed, keek verbaasd naar de onbekende die voor de deur bleek te staan. Ze zag er heel gewoontjes uit, met vlassig, futloos bruin haar en een grote, weinig flatterende bril. Ze was gekleed in een vormloos, beige vest en een wijde, geruite broek. Banks dacht even dat ze misschien de schoonmaakster was, dus hij vroeg: 'Mevrouw Steadman?'

'Ja,' antwoordde de vrouw aarzelend en ze staarde hem door haar bril aan. Hij stelde zichzelf voor en voelde de gebruikelijke kramp in zijn maagstreek toen hij in de woonkamer werd gelaten. Zo ging het altijd. Hoeveel erva-ring je ook had, het was nooit genoeg om het misselijkmakende gevoel van medelijden te verdrijven waarmee de troostende, nutteloze woorden en lege gebaren gepaard gingen. Banks voelde altijd een onheilspellende dreiging op de achtergrond: het had ook míjn vrouw kunnen zijn, iemand die me dit over míjn dochter kwam vertellen. Het was hetzelfde als de aller-eerste aanblik van het slachtoffer van een moord. De dood en de lange na-sleep ervan zou hij nooit routinematig kunnen afhandelen; ze zouden hem altijd met afschuw blijven vervullen, hem onnodig herinneren aan de wreedheid van de mens ten opzichte van zijn medemens en zijn verdorven aard.

Hoewel het rommelig was in de kamer – een lage tafel bezaaid met tijd-schriften, breiwerk dat over een stoel lag uitgespreid, platen zonder hoezen bij de stereo-installatie – was het er schoon en zonlicht stroomde over de rode en gele rozen naar binnen door kraakheldere ramen met verticale stij-len. Boven de grote, stenen open haard hing een romantisch schilderij van Swainsdale zoals het er waarschijnlijk meer dan honderd jaar geleden had uitgezien. Zoveel was er eigenlijk niet eens veranderd, maar op een of an-dere manier leken de kleuren op het schilderij feller en gedurfder, de con-touren vaster omlijnd.

'Waarom bent u hier?' vroeg mevrouw Steadman en ze schoof een stoel bij voor Banks. 'Is er soms een ongeluk gebeurd? Is er iets aan de hand?'

Banks bracht haar voorzichtig op de hoogte van wat er was gebeurd en zag hoe de uitdrukking op haar gezicht langzaam van ongeloof in shock over-ging. Na een tijdje begon ze zachtjes te huilen. Geen heftig gesnik, alleen tranen die geluidloos over haar bleke wangen omlaag gleden en op haar gekreukelde vest druppelden, terwijl ze niets ziend voor zich uit staarde. Alsof ze een ui had staan snijden, dacht Banks bij zichzelf, een beetje van slag door de diepe stilte.

'Mevrouw Steadman?' zei hij voorzichtig en hij raakte even haar mouw aan. 'Ik moet u helaas een paar vragen stellen.'

Ze keek hem aan, knikte en depte haar ogen droog met een verfrommeld papieren zakdoekje: 'Natuurlijk.'

'Waarom hebt u uw man niet als vermist opgegeven, mevrouw Steadman?'

'Vermist?' Ze keek hem verbaasd aan. 'Waarom?'

Banks was even uit het veld geslagen, maar ging toen op vriendelijke toon verder. 'Dat zult u juist aan mij moeten vertellen. Hij is gisteravond niet thuisgekomen. Maakte u zich dan geen zorgen? Vroeg u zich niet af waar hij was?'

'O, nu begrijp ik het,' zei ze en ze veegde haar vochtige, rood aangelopen wangen af met het doorweekte zakdoekje. 'U kon het natuurlijk ook niet weten. Ziet u, ik verwachtte hem gisteravond helemaal niet thuis. Hij is even na zevenen vertrokken. Hij zei dat hij een biertje ging drinken in The Bridge – daar ging hij vaak naartoe – en dat hij daarna naar York zou doorrijden. Hij had daar werk te doen en hij wilde vandaag graag vroeg beginnen.'

'Deed hij dat wel vaker?'

'Ja, heel vaak. Soms ging ik met hem mee, maar ik voelde me gisteravond niet helemaal lekker – een zomers koutje, denk ik – en bovendien weet ik dat ze zonder mij veel meer gedaan krijgen. Ik heb met mevrouw Stanton van hiernaast televisie zitten kijken en hij is in zijn eentje gegaan. Harry logeerde altijd bij zijn uitgever. Nu ja, meer een vriend van de familie eigenlijk. Michael Ramsden.'

'Wat hield dat werken op zondag zoal in?'

'O, het was niet wat u of ik onder werk zou verstaan. Ze schreven samen een boek. Het meeste werk deed Harry, maar Michael vond het erg interessant en hielp hem erbij. Een boek over de geschiedenis van de streek. Dat was Harry's specialiteit. Ze gingen er vaak op uit om ruïnes te bekijken, Romeinse forten, oude loodmijnen, dat soort dingen.'

'Juist, ja. En was het gebruikelijk dat hij dan de avond tevoren al vertrok en bij meneer Ramsden logeerde?'

'Ja. Zoals ik net al zei, waren ze goede vrienden. We kennen de familie Ramsden al heel lang. Harry had een hekel aan vroeg opstaan, dus als ze

er een hele dag op uit zouden gaan, ging hij er altijd de avond ervoor al naartoe en dan zorgde Michael ervoor dat hij op tijd opstond. 's Avonds namen ze hun aantekeningen alvast door en maakten ze plannen voor de volgende dag. Ik had geen enkele reden om hem als vermist op te geven. Ik dacht dat hij in York was.' Haar stem haperde en ze begon weer te huilen. Banks wachtte even met zijn volgende vraag tot ze haar ogen had afgedroogd. 'Maakte meneer Ramsden zich dan geen zorgen toen hij niet kwam opdagen? Heeft hij u niet gebeld om te vragen waar hij bleef?'
'Nee.' Ze zweeg even, snoot haar neus en ging toen verder. 'Ze beschouwden het eigenlijk ook niet als werk. Meer als hobby. Hoe dan ook, Michael heeft geen telefoon. Ik denk dat hij gewoon veronderstelde dat er iets tussen was gekomen en dat Harry hier niet weg kon.'
'Nog één ding, mevrouw Steadman, en dan zal ik u vandaag niet langer lastigvallen. Kunt u me zeggen waar uw man mogelijk zijn auto kan hebben achtergelaten?'
'Op het grote parkeerterrein bij de rivier,' antwoordde ze. 'Die wordt door de meeste bezoekers van The Bridge gebruikt, want de pub heeft geen eigen parkeerplaats. Je kunt hier je auto niet echt op straat zetten; daarvoor is er niet genoeg ruimte.'
'Hebt u een reservesleutel?'
'Ik geloof dat hij er wel ergens een had liggen. Ik gebruik hem zelf namelijk niet. Ik heb een oude Fiesta. Een ogenblikje.' Mevrouw Steadman liep naar de keuken en kwam enkele minuten later terug met de sleutel. Ze vertelde Banks ook wat het nummerbord van Steadmans beige Sierra was.
'Hebt u misschien het adres van meneer Ramsden voor me? Ik wil hem graag zo snel mogelijk laten weten wat er is voorgevallen.'
Mevrouw Steadman leek enigszins verbaasd, maar gaf hem direct de gevraagde informatie. 'Het is niet moeilijk te vinden,' voegde ze eraan toe. 'Er staan in een straal van ongeveer een kilometer geen andere huizen in de buurt. Is het nodig dat ik... eh...'
'Het stoffelijk overschot identificeer?'
Mevrouw Steadman knikte.
'Ja, helaas wel. Dat kan echter morgen ook wel. Is er iemand die u een tijdje gezelschap kan houden?'
Ze staarde hem aan, haar gezicht lelijk en opgezwollen van het huilen, en haar ogen wezenloos uitvergroot achter haar bril. 'Mevrouw Stanton van hiernaast... als u zo vriendelijk zou willen zijn.'

'Natuurlijk.'

Banks liep naar het buurhuis. Mevrouw Stanton, een klein vrouwtje met een lange neus en een alerte blik in haar ogen, had de situatie onmiddellijk door. Banks kon zich haar geschokte reactie goed voorstellen. 'Ik weet het,' zei hij. 'Het is totaal onverwacht. Zeker wanneer u bedenkt dat u hem gisteravond nog hebt gezien.'

Ze knikte. '*Aye*. En dan te bedenken dat Emma en ik naar die dwaze, oude film zaten te kijken toen het gebeurde. Maar ja,' besloot ze stoïcijns, 'de wegen van de Heer zijn ondoorgrondelijk en wie zijn wij om eraan te twijfelen?' Ze droeg haar man, die onderuitgezakt in een leunstoel de *News of the World* zat te lezen, op om een oogje te houden op het vlees dat al opstond en ging toen mee naar het huis ernaast om haar buurvrouw te troosten. In de wetenschap dat hij de weduwe in goede handen achterliet keerde Banks terug naar zijn auto en hij stapte in naast Weaver, die zijn eigen vertrouwde, roze huidskleur inmiddels weer terughad.

'Het spijt me, inspecteur,' mompelde hij. 'Van dat overgeven. Ik heb...'

'Nog nooit eerder een stoffelijk overschot gezien? Ik weet het. Het geeft niet, Weaver, helaas moet voor iedereen eens de eerste keer zijn. Zullen we naar The Bridge gaan om een hapje te eten?' Weaver knikte. 'Ik barst van de honger,' vervolgde Banks en hij startte de auto, 'en jij ziet eruit alsof je wel een slok cognac kunt gebruiken.'

Tijdens de korte rit naar The Bridge aan de High Street in Helmthorpe dacht Banks na over zijn gesprek met mevrouw Steadman. Hij had er een gespannen, ongemakkelijk gevoel aan overgehouden. Na haar aanvankelijke geschoktheid had ze eerder opgelucht geleken dan verdrietig. Misschien was het geen gelukkig huwelijk geweest, dacht Banks bij zichzelf, en kwam mevrouw Steadman plotseling tot de ontdekking dat ze niet alleen rijk, maar ook vrij was. Was dat geen logische verklaring?

2

Weaver trok een vies gezicht. 'Ik hou niet van cognac,' gaf hij schaapachtig toe. 'Ik moest het als kind van mijn moeder altijd drinken wanneer ik verkouden was. Ik heb dat spul nooit lekker gevonden.'

Ze zaten samen in een rustig hoekje van The Bridge. Banks had een glas Theakstons's bitter van de tap voor zich staan en Weaver zat te zeuren over zijn cognac.

'Knapte je ervan op?' vroeg Banks.

'Ik neem aan van wel. Maar het doet me altijd aan medicijnen denken, aan ziek zijn, als u begrijpt wat ik bedoel.'

Banks lachte en haalde een biertje voor Weaver om de akelige smaak te verdrijven. Ze zaten op Hatchley te wachten, die nog steeds bij Tavistock zat en zich daar ongetwijfeld te goed deed aan een lekkere kop thee of iets sterkers, en misschien zelfs wel een bord gebraden vlees.

'Vertel me eens,' zei Banks, 'waarom is het hier eigenlijk zo stil? Het is zondag rond lunchtijd en het stikt in het dorp van de toeristen.'

'Dat kan wel kloppen,' zei Weaver. Zijn jongensachtige gezicht had zijn natuurlijke blos weer terug. 'Maar kijkt u eens om u heen.'

Banks deed wat hij zei. Ze zaten in een kleine ruimte met vergeeld behang en een bruin plafond vol barsten. Enkele aquarellen van plekken uit de omgeving, die deden denken aan de aquarellen in oude treinstellen, hingen over de opvallendste vochtige plekken in de muren. De tafels waren versleten, en zaten onder de krassen van de spelletjes domino die er jarenlang aan waren gespeeld en kringen van vele opeenvolgende generaties druipende bierglazen; langs de randen zaten halvemaanvormige brandplekken waar sigaretten hadden gelegen tot ze waren opgebrand. Een rekje met een tang en een kromme pook stond naast de kleine, betegelde open haard. Inderdaad, veel was het niet.

'Er zijn drie pubs in Helmthorpe,' vertelde Weaver en hij telde ze af op zijn stompe, rode vingers. 'Dat wil zeggen, als je de Country Club voor de golfspelende elite niet meetelt. Je hebt The Dog and Gun en The Hare and Hounds; daar komen voornamelijk toeristen. Echte, authentieke plattelandsherbergjes, als u begrijpt wat ik bedoel, stijgbeugels aan de muren, koperen bedpannen, antieke tafels met gietijzeren poten die levensgevaarlijk zijn voor je knieschijven: je kunt het zo gek niet bedenken. Ze hebben allebei ook een enorme, oude open haard, helemaal in zwart lood uitgevoerd. Nu elke pub in de beschaafde wereld blijkbaar echte ale schenkt, is een brandend haardvuur de nieuwste trend.

The Dog and Gun is een soort gezinspub, met achter in de tuin aan de rivier een aantal tafels en een kleine, omheinde speelplek voor de kinderen; The Hare and Hounds is meer iets voor jongeren. Ze hebben daar in het hoogseizoen elke vrijdag en zaterdag een disco en er komen daar heel veel kampeerders. Dat levert ons de meeste problemen op: vechtpartijtjes, dat soort dingen. Doordeweeks hebben ze 's avonds soms folkmuziek. Heel wat beschaafder, als u het mij vraagt.'

Weaver haalde zijn neus op en gebaarde naar de muur. 'En dan is dit er nog. Deze pub is vrij nieuw, naar dorpse maatstaven dan – Victoriaans, zou ik zeggen als ik een gokje moest wagen. En het is de enige plek die is overgebleven voor de echte drinkers. De mensen die hier komen, zijn dorpsbewoners en soms een paar bezoekers die over het bier hebben gehoord. Het is een goed bewaard geheim. Natuurlijk kom je in de weekenden ook wel wat wandelaars en zo tegen aan de bar. Blijkbaar lezen ze tegenwoordig allemaal die biergidsen. Maar daar hebben we vrijwel nooit last van; dat zijn over het algemeen heel rustige types.'

'Waarom kwam Steadman hier, denk je?'

'Steadman?' Weaver was blijkbaar verrast door de zakelijk wending die het gesprek plotseling nam. 'Hij vond het bier hier zeker lekker. En hij kon het goed vinden met een paar van de vaste klanten.'

'Maar hij was toch een vermogend man? Heel vermogend zelfs. Dat huis moet hem beslist een aardige duit hebben gekost.'

'O ja, hij had inderdaad geld zat. Het gerucht gaat dat hij meer dan een kwart miljoen van zijn vader had geërfd. Zijn vrienden zijn ook bepaald niet onbemiddeld, maar het zijn geen poenerige types. Het zijn juist heel gewone lui.'

Banks vroeg zich desondanks nog steeds af waarom iemand die zoveel geld had er de voorkeur aan gaf om altijd in zo'n verwaarloosde pub te komen, hoe goed het bier er ook was. Eigenlijk had Steadman aan de kaviaar moeten zitten en deze met magnums champagne kunnen wegspoelen. Dat was echter meer iets voor Londen, hield hij zichzelf voor: het opzichtig tentoonspreiden van verworven rijkdom. Misschien waren mensen die meer dan een kwart miljoen pond bezaten en in Helmthorpe waren gaan wonen wel anders. Hij betwijfelde het echter. Maar Steadman leek inderdaad op een ongewone man.

'Hij hield zeker wel van een glaasje?'

'Ik heb nooit meegemaakt dat hij te veel dronk. Ik denk dat hij gewoon genoot van het gezelschap hier.'

'Liever dan bij zijn vrouw?'

Weaver liep rood aan. 'Dat zou ik echt niet weten, inspecteur. Daar heb ik nooit iets over gehoord. Maar hij was wel een aparte vent.'

'In welk opzicht?'

'Tja, zoals ik u net al zei, was hij vroeger docent aan de universiteit van Leeds. Toen hij dat geld erfde, zei hij meteen zijn baan op, en hij kocht het oude huis van de familie Ramsden en trok erin.'

'Het huis van de familie Ramsden?' onderbrak Banks hem. 'Toch niet toevallig de familie van Michael Ramsden?'

Weaver trok een wenkbrauw op. 'Inderdaad,' antwoordde hij. 'Het was het huis van zijn ouders. In de tijd dat Steadman en zijn vrouw hier zo'n tien jaar geleden voor het eerst op vakantie kwamen, was het een bed & breakfast. Michael zat toen op de universiteit en kreeg daarna een goede baan bij een uitgeverij in Londen. Toen meneer Ramsden overleed, kon Michaels moeder het zich niet veroorloven om het huis aan te houden, dus is ze bij haar zus in Torquay gaan wonen. Dat kwam voor Steadman toevallig allemaal heel goed uit.'

Banks staarde met stomme bewondering naar Weaver. 'Hoe oud ben je eigenlijk?' vroeg hij.

'Eenentwintig.'

'Hoe komt het dan dat je zoveel weet over dingen die ver voor jouw tijd zijn gebeurd?'

'Van mijn familie. Ik ben hier in de omgeving geboren en opgegroeid. En van brigadier Mullins. Gewoonlijk heeft hij hier de leiding, maar hij is nu met vakantie. Er ontgaat brigadier Mullins bijna niets.'

Banks nam even de tijd om deze informatie in alle rust en onder genot van een biertje te laten bezinken.

'En de vrienden van Steadman?' vroeg hij ten slotte. 'Wat zijn dat voor mensen?'

'Hij is eigenlijk degene die ze bij elkaar heeft gebracht,' antwoordde Weaver. 'O, ze kenden elkaar allemaal al wel voordat hij hier kwam wonen, hoor, maar Steadman was een vriendelijke kerel, in alles en iedereen geïnteresseerd. Wanneer hij het niet te druk had met zijn boeken of zijn onderzoek naar ruïnes en verlaten mijnen was hij een heel sociaal type. Om te beginnen heb je Jack Barker, misschien hebt u wel eens van hem gehoord?' Banks schudde ontkennend zijn hoofd.

'Schrijver. Detectiveverhalen.' Weaver glimlachte. 'Best goed, eigenlijk. Flink wat seks en geweld.' Hij bloosde. 'Vergeleken met de werkelijkheid stelt het natuurlijk allemaal niet zoveel voor.'

'Och, dat weet ik zo net nog niet,' zei Banks glimlachend. 'Ga verder.'

'Nu ja, hij woont hier nu zo'n jaar of drie, vier. Geen idee waar hij oorspronkelijk vandaan komt. Dan zijn er nog Doc Barnes, die hier in de omgeving is geboren en opgegroeid, en Teddy Hackett, een plaatselijke ondernemer. Hij is de eigenaar van de garage daarginds en een paar souvenirwinkels. Dat is het eigenlijk wel zo'n beetje. Ze zijn allemaal een jaar of veertig. Nu ja, Doc Barnes is iets ouder en Barker is eind dertig. Een vreemd groepje, nu ik er zo over nadenk. Ik heb hen hier een paar keer zien zitten en uit wat ik toen heb opgevangen, begreep ik dat ze Steadman een beetje zaten te dollen, omdat hij academicus was. Maar niet gemeen of zo. Gewoon voor de grap.'

'Niet uit vijandigheid of wrok? Dat weet je heel zeker?'

'Volgens mij niet, nee. Voorzover ik kon zien dan. Ik kom hier niet zo vaak als ik wel zou willen. Vrouw en kind, begrijpt u.' Hij keek Banks stralend aan. 'En je werk.'

'*Aye*, dat neemt ook heel wat tijd in beslag. Alleen denk ik soms wel eens dat ik meer tijd kwijt ben met toeristen de weg te wijzen en te vertellen hoe laat het is dan met werkgerelateerde kwesties. Ze zouden degene die ooit heeft bedacht dat je, als je de weg kwijt bent, het gewoon aan een agent moet vragen, van mij wel mogen neerschieten.'

Banks lachte. 'De dorpsbewoners houden zich dus vrij keurig aan de wet?'

'O, over het geheel genomen wel, ja. Af en toe hebben we een paar dronkelappen. Vooral van de disco bij The Hare and Hounds, zoals ik al zei. Maar dat zijn voornamelijk mensen van buitenaf. Ook hebben we soms een enkel geval van huiselijk geweld. De meeste problemen worden echter veroorzaakt door toeristen die hun auto werkelijk overal parkeren en te veel lawaai maken. Het is in feite een heel rustig dorpje, hoewel sommigen het eerder saai zouden noemen.'

Op dat moment arriveerde brigadier Hatchley. Hij was een gedrongen man van begin dertig met blond haar en een gezicht vol sproeten, en Banks en hij hadden ondanks hun aanvankelijk vijandige houding – deels veroorzaakt door de rivaliteit tussen noord en zuid, en deels doordat Hatchley eigenlijk zijn zinnen had gezet op de baan die Banks nu had – een tamelijk goede werkrelatie ontwikkeld.

Hatchley haalde drankjes en ze bestelden alle drie pastei met biefstuk en niertjes, die heerlijk bleek te smaken. Niet echt veel niertjes, zoals Weaver opmerkte. Banks gaf de pubbaas een complimentje en werd beloond met een dubbelzinnig '*Aye*'.

'Nog iets nieuws?' vroeg Banks aan Hatchley.

De brigadier stak een sigaret op, liet zich voldaan achterover zakken in zijn stoel, wreef met een hand als een behaarde ham over zijn stoppelige wang en schraapte zijn keel.

'Niet veel, zo te horen. Tavistock was op zoek naar een afgedwaald schaap en stuitte per ongeluk op een vers lijk. Dat is ongeveer waar het op neerkomt.'

'Was het ongebruikelijk dat hij bij die muur rondsnuffelde? Lag het voor de hand dat er ook andere mensen zouden langskomen?'

'Als u denkt dat iemand daar een stoffelijk overschot heeft gedumpt omdat hij dacht dat het weken zou duren voordat het werd ontdekt, hebt u het bij het verkeerde eind. Zelfs als Tavistock niet naar dat stomme schaap van hem op zoek was gegaan, zou er binnen de kortste keren wel iemand anders voorbij zijn gewandeld: wandelaars, verliefde stelletjes.'

Banks nam een slok bier. 'Dus het was niet de bedoeling om hem daar te verbergen?'

'Volgens mij niet, nee. Waarschijnlijk is hij daar alleen maar achtergelaten, omdat wij dan die verdomde berg tot halverwege Crow Scar op moesten.'

Banks lachte. 'Ik zou eerder zeggen omdat we dan niet zouden weten waar hij is vermoord.'

'*Aye.*'

'Waarom is Steadman niet als vermist opgegeven, inspecteur?' vroeg Weaver. Hij wilde de inspecteur blijkbaar het respect tonen waaraan het bij Hatchley ontbrak.

Banks vertelde het hem. Vervolgens droeg hij Hatchley op om terug te gaan naar het politiebureau in Eastvale, daar zo veel mogelijk op te diepen over Steadmans achtergrond en de rapporten te ordenen die daar vermoedelijk al wel zouden binnenkomen.

'Wat zeggen we tegen de pers?' vroeg Hatchley. 'Die lui zwermen overal rond.'

'Je kunt hun melden dat we een stoffelijk overschot hebben gevonden.'

'Kan ik ook al zeggen wie het is?'

Banks zuchtte en keek Hatchley met een lijdzame blik aan. 'Stel verdomme niet zulke stomme vragen. Nee, dan kun je niet; pas wanneer het lichaam officieel is geïdentificeerd.'

'En wat gaat u intussen doen, inspecteur?'

'Mijn werk.' Banks keek naar Weaver. 'Jij kunt ook maar beter teruggaan naar het bureau, knul. Wie heeft de leiding bij jullie?'

Weaver bloosde nogmaals, zijn roze huid kleurde nu dieprood. 'Ik, inspecteur. Op dit moment, tenminste. Brigadier Mullins is twee weken weg. Ik heb u over hem verteld, weet u nog?'

'Ja, natuurlijk. Met hoeveel man zijn jullie?'

'We zijn maar met ons tweeën, inspecteur. Het is een rustig dorp. Ik heb een paar jongens van Lyndgarth en Fortford te hulp geroepen om te helpen met het doorzoeken van het weiland. Alles bij elkaar zijn we hooguit met een man of zes.'

'Goed,' zei Banks, 'dan heb jij dus de leiding. Laat een verzoek om informatie opstellen en printen, en deel dit overal uit: winkels, pubs, het mededelingenbord van de kerk. Organiseer een buurtonderzoek in Hill Road. Dat lichaam is echt niet helemaal te voet naar boven gedragen, dus misschien heeft iemand wel een auto gezien of gehoord. Dat kan ons op zijn minst helpen om het tijdstip van overlijden iets nauwkeuriger vast te stellen. Is dat duidelijk?'

'Jawel, inspecteur.'

'En maak je maar geen zorgen. Als je meer mensen nodig hebt, geef dat dan door aan het bureau in Eastvale, dan zullen ze daar kijken wat ze kunnen doen. Ik ga zelf bij Michael Ramsden langs, maar vraag maar naar brigadier Rowe, dan zal ik ervoor zorgen dat hij instructies heeft.'

Hij richtte zich weer tot Hatchley. 'Geef voordat je vertrekt aan de mannen daar in dat weiland door dat ze tijdelijk naar Helmthorpe zijn overgeplaatst en dat ze onder leiding staan van agent Weaver. Waarschijnlijk hebben ze dat al wel begrepen, maar deel het hun officieel mee. En kijk even op het parkeerterrein of er misschien een beige Sierra staat.' Hij gaf Hatchley het nummerbord van de auto door en overhandigde hem de sleutels. 'Dat is Steadmans auto,' voegde hij eraan toe, 'en hoewel de kans dat hij hem gisteravond heeft gebruikt niet echt groot is, weet je maar nooit. Misschien is er wel een aanwijzing. Zorg dat de technische recherche er meteen mee aan de slag gaat.'

'Jawel, inspecteur,' zei Hatchley met op elkaar geklemde kaken en hij vertrok. Banks kon het 'zak toch in de stront' dat de brigadier er waarschijnlijk aan toevoegde toen hij eenmaal buiten stond bijna letterlijk horen.

Hij grijnsde breeduit naar de onthutste jonge agent en zei: 'Let maar niet op hem, hij heeft waarschijnlijk gewoon een kater. Goed, vertrek jij ook maar, Weaver. We moeten weer aan het werk.'

Toen hij alleen was, haalde hij zijn nieuwe pijp uit zijn jaszak tevoorschijn en stopte hij deze vol met tabak. Toen hij de bittere tabaksrook inhaleerde, begon hij te kuchen en hij schudde zijn hoofd. Hij kon maar niet wennen aan dat klereding; misschien waren milde sigaretten toch een beter idee.

Sally had Banks opgewonden nagestaard toen deze naar het dorp reed en was te voet dezelfde kant opgegaan. Ze bleef bij een heg in de berm staan om een koekoeksbloem te plukken en bewonderde vluchtig de paarsroze kleur en de blaadjes die zich als de gespreide vingers van een baby uitstrekten. Toen schoot haar weer te binnen wat ze haar vriendinnen allemaal te vertellen had, en ze liet de bloem vallen en liep snel verder.

Ze had de man, de politieman die de leiding had, zowaar van heel dichtbij gezien en had een giechelbui moeten onderdrukken toen hij tijdens de klimpartij over het lage muurtje was uitgegleden. Het was wel duidelijk dat hij het niet gewend was om over het platteland te banjeren; misschien was hij wel door Scotland Yard hierheen gestuurd. Ze vond zijn magere, hoekige gezicht onder het korte, nette zwarte haar aantrekkelijk, hoewel zijn neus duidelijk gebroken was geweest en slecht was gezet. De felle, rusteloze ogen straalden energie en kracht uit, en het kleine witte litteken naast zijn rechteroog vormde voor Sally het bewijs dat hij bijzondere dingen had meegemaakt. Ze zag al voor zich hoe hij een gevecht op leven en dood had gestreden met een bloeddorstige moordenaar. Hoewel hij eigenlijk wat te klein leek voor een politieman, zag zijn pezige lijf er behendig en sterk uit.

Aan de westelijke rand van het dorp, vlak bij The Bridge, was een cafeetje waar Sally en haar vriendinnen vaak rondhingen. De koffie was slap, de cola warm en de Griekse eigenaar knorrig, maar er waren wel twee videospelletjes, een jukebox met moderne muziek en een stokoude flipperkast. Uiteraard had Sally liever met deskundige hand wat make-up aangebracht om voor achttien te kunnen doorgaan in een van de pubs – vooral The Hare and Hounds op een discoavond – maar in zo'n klein dorp als dit wist iedereen blijkbaar altijd alles over elkaar en ze was bang dat haar vader het te horen zou krijgen. Ze was met Kevin in verschillende pubs in Eastvale geweest, hoewel ook dat riskant was omdat dat zo dicht bij school was, en in Leeds en York, waar het een stuk veiliger was, en niemand had haar ooit naar haar leeftijd gevraagd.

De deur kraakte toen ze hem openduwde en binnen ving ze het bekende geluid op van buitenaardse wezens die werden afgeslacht. Kathy Chalmers en Hazel Kirk gingen volledig in het spel op, terwijl Anne Downes onverschillig toekeek. Ze was een boekenwurm, zag er heel gewoontjes uit en droeg een bril, maar ze wilde er graag bijhoren en als dat inhield dat ze met mensen moest omgaan die videospelletjes speelden, dan moest dat maar. De anderen plaagden haar vaak, maar het was nooit echt gemeen bedoeld en ze was gezegend met een scherpe, aangeboren gevatheid die haar in staat stelde om zich te midden van hen staande te houden.

De andere twee leken meer op Sally, ook al waren ze minder knap. Ze hielden van kauwgum, gebruikten make-up (waarin ze, in tegenstelling tot Sally, niet bijster bedreven waren) en maakten zich altijd en overal druk om hun haar en hun kleding. Kathy had zelfs een kleurspoeling met henna laten aanbrengen. Haar ouders waren razend geweest, maar konden er verder weinig meer aan doen. Hazel, de sensuele zwartharige, was de eerste die iets zei.

'Kijk eens wie daar we daar hebben,' zei ze luid. 'En waar heb jij het hele weekend uitgehangen?' De schittering in haar ogen verraadde dat ze heel goed wist waar Sally had uitgehangen en met wie. Onder normale omstandigheden zou Sally het spel hebben meegespeeld en hebben gezinspeeld op het aangename tijdverdrijf waarover Hazel volgens haar alleen maar in boeken had gelezen, maar deze keer negeerde ze de bedekte toespelingen en ze bestelde een cola bij de nors kijkende Griek. Het espressoapparaat siste als een oude stoommachine en de buitenaardse wezens kermden nog altijd in hun doodsstrijd. Sally leunde tegen de pilaar tegenover Anne en wachtte ongeduldig tot er een stilte viel, zodat ze met het grote nieuws op de proppen kon komen.

Toen het spel was afgelopen, zocht Kathy naar een munt, een onderneming waarbij ze haar rug moest krommen en haar lange benen moest strekken om haar hand diep genoeg in de zak van haar superstrakke Calvin Klein te kunnen steken. Sally zag dat de Griek tijdens deze manoeuvre vanachter zijn koffieapparaat naar haar stond te loeren. Ze wachtte het juiste moment af en zei toen: 'Moeten jullie eens horen. Er is een moord gepleegd. Hier in het dorp. Ze hebben een lichaam opgegraven op de helling onder Crow Scar. Ik kom er net vandaan. Ik heb het gezien.'

Anne sperde haar fletse ogen achter haar dikke brillenglazen wijd open. 'Een moord! Is dat waarom die mannen daarboven bezig zijn?'

'Ze onderzoeken de plaats van de misdaad,' verkondigde Sally en ze hoopte maar dat ze de juiste terminologie te pakken had. 'De plaats delict. De technische recherche was er ook, en ze hebben bloedmonsters en weefselmonsters afgenomen. En de politiefotograaf en de gerechtelijk patholoog-anatoom. Iedereen was er.'

Kathy liet zich weer terugzakken op haar stoel, het spel helemaal vergeten. 'Een moord? In Helmthorpe?' Ze snakte ongelovig naar adem. 'Wie is het?' Op dit punt ontbrak het Sally aan informatie, wat ze echter keurig omzeilde door Kathy's vraag op te vatten als: 'Wie is de moordenaar?' 'Dat weten ze nog niet, sufferd,' antwoordde ze neerbuigend. 'Het is pas net gebeurd.' Ze ging snel verder om hun aandacht vast te houden en niet het onderspit te delven tegen nieuwe legers buitenaardse wezens. 'Ik heb de hoofdinspecteur van dichtbij gezien. Om je de waarheid te zeggen is hij best een lekker ding. Helemaal niet wat je zou verwachten. En ik heb het dode lichaam ook gezien. Nou ja, een stukje dan. Hij lag bij de muur in het weiland van Tavistock begraven. Iemand had een beetje van de losse aarde weggehaald en hem toen met stenen bedekt. Er staken een hand en een been uit.'

Hazel Kirk streek een pluk ravenzwart haar naar achteren. 'Sally Lumb, je liegt dat je barst,' zei ze. 'Dat kun je vanaf die afstand nooit hebben gezien. De politie laat niemand zo dichtbij komen.'

'Wel waar,' wierp Sally tegen. 'Ik kon zelfs de zweetplekken onder de armen van die hoofdinspecteur zien.' Ze besefte te laat dat deze ondoordachte opmerking in strijd was met het romantische beeld dat ze van de 'hoofdinspecteur' had willen schetsen en ging snel verder in de hoop dat het niemand was opgevallen. Anne was de enige die haar neus optrok. 'Tavistock was er ook bij. Ik denk dat hij hem heeft gevonden. En alle politieagenten van mijlenver uit de omgeving. Geoff Weaver was er.'

'Dat roze watje,' merkte Kathy snerend op.

'Zo roze was hij vandaag anders niet, dat kan ik je wel vertellen. Volgens mij had hij overgegeven.'

'Dat zou jij ook doen als je net een dode had gevonden,' zei Anne, die al bijna zes maanden heimelijk hevig verliefd op hem was, ter verdediging van de jonge Weaver. 'Waarschijnlijk was hij al helemaal vergaan en weggerot.'

Sally schonk geen aandacht aan haar. 'En er was nog een inspecteur bij of hoe ze hen ook noemen. Hij droeg in elk geval geen uniform. Lang, stro-achtig haar, een beetje zoals jouw vader, Kathy.'

'Dat zal Jim Hatchley wel zijn geweest,' zei Anne. 'Hij is eigenlijk maar een brigadier. Mijn vader kent hem. Weet je nog toen er vorig jaar was ingebro-ken bij de sociëteit? Toen hebben ze hem vanuit Eastvale gestuurd. Hij is toen zelfs bij ons thuis geweest. Mijn vader is de penningmeester. Hatchley is een lomp varken. Er groeien zelfs haren uit zijn neus en oren. En ik durf te wedden dat die andere man inspecteur Banks was. Er stond een tijdje terug een foto van hem in de krant. Lezen jullie dan werkelijk nooit de krant?'

Met deze enorme stroom aan informatie en meningen snoerde Anne ieder-een heel even de mond. Toen pakte Sally, die alleen de *Vogue* en *Cosmopolitan* las, de draad weer op. 'Ze zijn nu hier. In het dorp. Ze zijn vlak voordat ik hier aankwam hiernaartoe gereden.'

'Wel vreemd dat ze je dan geen lift hebben gegeven,' zei Hazel, 'in aanmer-king genomen dat jullie zulke dikke maatjes zijn.'

'Hou toch je klep, Hazel Kirk!' zei Sally verontwaardigd. Hazel grijnsde vergenoegd. 'Ze zijn hier. Ze willen vast iedereen verhoren. Ze gaan waar-schijnlijk wel met iedereen praten.'

'Waarom zouden ze dat in vredesnaam doen?' vroeg Kathy. 'We weten er toch helemaal niets van.'

'Dat doen ze toch altijd, suffie,' antwoordde Sally. 'Ze doen een huis-aan-huisonderzoek en nemen iedereen een verklaring af. Hoe kunnen zij nu weten dat wij niets weten, tenzij ze het ons vragen?'

Op zoveel logica hadden Kathy en Hazel geen antwoord.

'We weten nog niet eens wie het slachtoffer is,' voegde Anne eraan toe. 'Wie denken jullie dat het kan zijn?'

'Ik durf te wedden dat het Johnnie Parrish is,' zei Kathy. 'Ik vind hem echt iemand om een duister verleden te hebben.'

'Johnnie Parrish!' zei Sally spottend. 'Nu ja zeg, die is ongeveer net zo in-teressant als... als...'

'Iemand met syfilis?' opperde Anne. Ze lachten allemaal.

'Zelfs dat zou nog interessanter zijn dan Johnnie Parrish. Ik denk dat het majoor Cartwright is. Dat is zo'n akelig, chagrijnig stuk vreten dat er vast heel veel mensen zijn die hem wel om zeep willen helpen.'

'Onder anderen zijn dochter,' zei Hazel en ze giechelde.

'Hoezo?' vroeg Sally. Ze vond het niet leuk om te merken dat ze niet op de hoogte was van iets wat de rest blijkbaar wel wist.

'Nu ja, je weet wel.' Kathy draaide er een beetje omheen. 'Je weet toch wat iedereen zegt.'

'Waarover?'

'Over majoor Cartwright en zijn dochter. Dat hij haar zo kort houdt sinds ze is teruggekeerd in het dorp. De reden waarom ze ervandoor is gegaan. Het is niet normaal. Dat zegt iedereen.'

'O, als dat alles is,' zei Sally, er niet helemaal van overtuigd dat ze het begreep. 'Maar ze heeft nu toch een eigen huis, die cottage bij de kerk?'

'Misschien is het Alf Partridge wel,' opperde Hazel. 'Over akelige kerels gesproken. Degene die hem uit de weg ruimt, doet daar iedereen een groot plezier mee.'

'Was het maar zo,' verzuchtte Kathy. 'Weet je dat hij me kort geleden nog van zijn land heeft gejaagd? Ik wilde alleen maar wat wilde bloemen plukken voor dat project op school. Hij had zijn jachtgeweer bij zich.'

'Hij lijkt me eerder een moordenaar dan een slachtoffer,' merkte Anne op. 'Wie heeft het volgens jullie gedaan?'

'Tja, misschien is het niet eens iemand van hier,' antwoordde Kathy. 'Ik bedoel, we weten nog helemaal niets, hé? Het kan heel goed een onbekende zijn geweest.'

'Natuurlijk was het wel iemand van hier,' zei Sally, die zich eraan ergerde dat haar ontdekking nu blijkbaar algemeen bezit was geworden. 'Je denkt toch zeker niet dat iemand helemaal vanuit Leeds met een lijk hiernaartoe komt gereden om het onder Crow Scar te dumpen?'

'Het zou toch kunnen,' verdedigde Kathy zichzelf zonder al te veel overtuiging.

'Ik ga in elk geval na het donker niet meer naar buiten tot ze hem hebben opgepakt.' Hazel sloeg haar armen om zich heen en rilde. 'Misschien is het wel zo'n lustmoordenaar, een nieuwe Ripper. Voorzover wij weten zou het best majoor Cartwrights dochter kunnen zijn die daar ligt. Of mevrouw Carey, de nieuwe barjuffrouw van The Dog and Gun.'

'Ik zou me als ik jou was maar niet druk maken,' zei Kathy. 'Ik geloof niet dat een lustmoordenaar zijn oog snel op jou zou laten vallen.' Het was bedoeld als vriendschappelijk plagerijtje, maar op een of andere manier viel het grapje verkeerd en de meisjes leken afgeleid, ieder in haar eigen gedachten verzonken. Kathy bloosde. 'En toch,' zei ze, 'kunnen we maar beter voorzichtig zijn.'

'Ik durf te wedden dat Jack Barker het heeft gedaan,' zei Anne.

'Wie? Die schrijver?' zei Sally.

'Ja. Kijk maar eens naar de boeken die hij schrijft.'

'Ik wed dat je er niet een van hebt gelezen,' daagde Kathy haar uit.

'Ja, dat heb ik toevallig wel. *Het beest van Redondo Beach* en *De slachter van San Clemente*. Ze zijn heel luguber.'

'Ik heb er ook een gelezen,' zei Hazel. 'Ik weet niet meer hoe het heette, maar het ging over een man die naar zijn strandhuis ergens in Amerika ging en daar in de woonkamer twee mensen aantrof die hij niet kende en die helemaal in mootjes waren gehakt. Het was weerzinwekkend. Ik heb het alleen maar gelezen omdat hij hier woont.'

'Dat is *Het beest van Redondo Beach*,' zei Anne geduldig. 'Zo heet dat boek.'

Sally vond de kant die het gesprek nu opging oersaai en bovendien was Jack Barker volgens haar veel te knap en galant om een moordenaar te kunnen zijn. Hij had wel wat weg van de oude filmsterren op wie haar moeder zo gek was – Errol Flynn, Clark Gable of Douglas Fairbanks – mannen die er allemaal hetzelfde uitzagen met vettig, achterover gekamd haar en snorretje. Hij was weliswaar het type dat best in een vlaag van passie zijn overspelige vrouw zou doodschieten (als hij er tenminste een had), dacht ze bij zichzelf, maar hij zou na afloop haar lichaam beslist nooit helemaal naar Crow Scar zeulen, dat stond wel vast. Hij was veel te veel een heer om zoiets te doen, wat voor boeken hij ook schreef.

Sally dronk de cola op en stond op om te vertrekken, maar voordat ze wegliep zei ze zachtjes: 'De politie zal me wel willen spreken. Dat kan ik jullie wel vertellen. Ik weet iets. Ik weet nog niet wie er dood is of wie de moordenaar is, maar ik weet wel iets.'

En met die woorden liep ze snel naar buiten, terwijl de anderen haar met open mond nastaarden en vervolgens met elkaar overlegden of ze de waarheid vertelde of dat ze eenvoudigweg in het middelpunt van de belangstelling wilde staan.

Vanuit Helmthorpe leiden twee wegen naar York. De eerste voert slingerend door Gratly, loopt vervolgens hemelsbreed gemeten min of meer diagonaal door de Dales en sluit uiteindelijk enkele kilometers buiten de stad aan op de hoofdweg; de tweede is langer, maar ook sneller en voert via de hoofdweg terug naar Eastvale, waarvandaan je vervolgens in zuidoostelijke richting over de drukke York Road rijdt. Aangezien het een prachtige dag was en hij niet echt haast had, nam Banks voor zijn bezoek aan Ramsden de eerste.

Hij duwde de cassette in de recorder en reed op de klanken van *O, Sweet Woods* de heuvel op, sloeg na het huis van Steadman links af en volgde in rustig tempo de weg omhoog langs de heuvelhelling. Hij kwam door het gehucht Mortsett en bleef even met een opengedraaid portierraampje stilstaan om naar een fraaie cottage te kijken met een uithangbord van de posterijen boven de deur en een reclamebord voor Wall's Ice Cream buiten op de stoep. Insecten zweefden zoemend door de stille, warme lucht; het was haast onwerkelijk, een beeld van Engeland van voor de Eerste Wereldoorlog.

Nadat hij na de kruising met de weg naar Fortford Relton passeerde, leek hij de beschaafde wereld achter zich te laten. Al snel maakten de groentinten van de glooiende vlakte plaats voor de donkere tinten van de heidevelden die zich zo'n drie kilometer ver uitstrekten voordat ze langzaam in de diepte van de volgende Dale verdwenen. Het was net een trage versie van een achtbaan, met als enige obstakels de schapen die soms vanuit de niet afgezette berm op de weg opdoken, die zelf niet meer was dan een smalle strook die nauwelijks kon worden onderscheiden van het omringende landschap. Banks kwam enkele wandelaars tegen, die in het hoge gras stapten toen ze zijn auto hoorden aankomen en glimlachend zwaaiden toen hij voorbijreed.

De hoofdweg, waar het een drukte van jewelste was met vrachtwagens en bestelbussen, kwam een beetje als een onaangename verrassing. Banks volgde mevrouw Steadmans routebeschrijving en bereikte al snel de afslag die hij moest hebben, een smal pad met op de hoek een eenzame rode brievenbus op ongeveer anderhalve kilometer van de stadsgrens van York. Hij reed de gladde, aarden oprit op en hield stil voor een gloednieuw uitziende garage.

Ramsden deed vrij snel nadat Banks had aangebeld de deur open en vroeg hem wie hij was. Nadat Banks hem zijn pas had laten zien, maakte hij de ketting los en nodigde hij hem uit om binnen te komen.

'Je kunt niet voorzichtig genoeg zijn,' zei hij verontschuldigend. 'Vooral op zo'n geïsoleerd liggende plek als deze.'

Ramsden was lang en bleek, met het melancholieke uiterlijk van een dichter uit de Romantiek. Hij had lichtbruin haar en, zo merkte Banks al snel op, de zenuwachtige gewoonte om voortdurend een al dan niet denkbeel-dige losse lok van zijn voorhoofd te strijken. De spijkerbroek en het sweat-shirt die hij droeg, hingen los om hem heen alsof ze een maat te groot waren.

'Let u maar niet op de troep,' zei hij en hij ging Banks voor naar een rommelige woonkamer, waar hij hem een stoel aanbood naast de enorme, lege open haard. 'Zoals u kunt zien, ben ik aan het klussen. Ik heb net de eerste laag verf aangebracht.' Een doorzichtig stuk plastic bedekte de helft van de vloer en er stonden een ladder, een flinke emmer lichtblauwe verf, kwasten, terpentine, een verfbak en een roller op. 'Het gaat toch niet om die vrouw?' vroeg hij.

'Welke vrouw?'

'Een paar maanden geleden is niet ver hiervandaan een oude dame vermoord door een paar overvallers. Toen is er ook iemand van de politie langsgekomen.'

'Nee, het gaat niet om die dame. Dat is waarschijnlijk het korps van York geweest. Ik ben van de CID van Eastvale.'

Ramsden fronste zijn wenkbrauwen. 'Dan begrijp ik het niet helemaal. Neemt u me niet kwalijk, ik wil niet onbeleefd zijn, maar...'

'Het spijt me,' zei Banks verontschuldigend en hij pakte het glas whisky aan dat Ramsden ongevraagd voor hem had ingeschonken. 'Dit valt niet mee. Zou u even willen gaan zitten?'

Ramsden keek hem geschrokken aan. 'Wat is er dan?' vroeg hij en hij liet zich onhandig in een kleine leunstoel zakken.

'Klopt het dat u gisteravond een bezoekje van meneer Steadman verwachtte?'

'Harry? Ja, dat klopt inderdaad. We zouden wat aantekeningen doornemen voor de tocht van vandaag. Hoezo? Is er iets gebeurd?'

'Ja, helaas wel,' zei Banks zo vriendelijk mogelijk, zich bewust van de spieren die in zijn maag verkrampten. 'Meneer Steadman is overleden.'

Ramsden streek een onzichtbare haarlok naar achteren. 'Ik kan u even niet volgen. Overleden? Maar hij zou hiernaartoe komen.'

'Dat weet ik, meneer Ramsden. Dat is ook waarom ik het u zelf wilde vertellen. Was u niet verbaasd toen hij niet kwam opdagen? Maakte u zich geen zorgen?'

Ramsden schudde zijn hoofd. 'Nee, nee, natuurlijk niet. Het was niet de eerste keer dat hij niet kwam. Weet u het echt zeker? Van Harry, bedoel ik. Kan er geen vergissing in het spel zijn?'

'Jammer genoeg niet.'

'Wat is er dan in vredesnaam gebeurd?'

'Dat weten we nog niet zeker, maar een boer heeft vanochtend vroeg zijn lichaam ontdekt in een weiland onder Crow Scar. Alles wijst erop dat hij is vermoord.'

'Vermoord? Grote god! Harry? Dat kan niet.'

'U weet niemand die daar enige reden toe kan hebben gehad?'

'Absoluut niet. Niemand. Niet Harry.' Hij wreef over zijn gezicht en staarde Banks aan. 'Het spijt me, inspecteur, maar ik kan even niet goed nadenken. Het wil maar niet tot me doordringen. Ik ken Harry al zo lang. Zo ontzettend lang. Dit is echt een enorme schok.'

'Dat begrijp ik, meneer Ramsden,' zei Banks, 'maar als u even tijd hebt om een paar vragen te beantwoorden, ben ik zo weer weg.'

'Ja, natuurlijk.' Ramsden stond op en schonk een drankje voor zichzelf in.

'U zei dat het al eerder is voorgekomen dat hij niet kwam opdagen?'

'Ja. Het was geen vaste afspraak. Eerder vrijblijvend, eigenlijk.'

'Waarom is hij de vorige keer weggebleven?'

'Eén keer kwam hij niet omdat Emma ziek was. En één keer omdat hij last had van zijn maag. Dat soort dingen. We hadden een heel goede band, inspecteur. Er stond hier altijd een bed voor hem klaar en hij had zelf een sleutel voor het geval ik ergens naartoe moest.'

'Het is niet bij u opgekomen om te bellen en te informeren wat er aan de hand was?'

'Nee, helemaal niet. Ik heb u al verteld dat de afspraak vrijblijvend was. Bovendien heb ik geen telefoon. Op mijn werk ben ik al veel te veel tijd aan dat ding kwijt. De dichtstbijzijnde telefooncel staat aan de hoofdweg.' Hij schudde zijn hoofd. 'Ik kan maar niet geloven dat dit echt gebeurt. Het is net een nachtmerrie. Harry, overleden ?'

'Bent u gisteravond weg geweest?'

Ramsden staarde hem niet-begrijpend aan.

'U zei net dat meneer Steadman een sleutel had voor het geval u weg was,' hield Banks vol. 'Was u gisteravond ook weg?'

'Nee, ik ben gisteravond niet weg geweest. Toen Harry om een uur of elf nog steeds niet was gearriveerd, was ik eigenlijk... ik hoop dat u dit niet verkeerd opvat... een tikje opgelucht. Ziet u, ik ben zelf ook bezig met het schrijven van een boek. Een historische roman. Ik was blij dat ik nu de gelegenheid kreeg om daaraan verder te werken.' Hij keek enigszins beschaamd.

'Vond u het niet prettig om met meneer Steadman samen te werken?'

'O, natuurlijk wel. Alleen was het meer zijn project. Ik was alleen maar de redacteur en assisteerde hem slechts bij zijn onderzoek.'

'Wat was u van plan vandaag te gaan doen?'

'We wilden een oude loodmijn in Swaledale bekijken. Vrij ver hiervandaan eigenlijk, dus we waren van plan om vroeg op pad te gaan. Emma!' riep hij plotseling uit. 'Emma zal er wel vreselijk aan toe zijn.'

'Ze is uiteraard erg van streek,' zei Banks. 'Mevrouw Stanton, de buurvrouw, is bij haar.'

'Moet ik ernaartoe?'

'Dat kunt u het beste zelf beslissen, meneer Ramsden, maar ik zou zeggen dat het beter is om haar in elk geval vandaag even met rust te laten. Ze is in goede handen.'

Ramsden knikte. 'Natuurlijk, natuurlijk...'

'En u? Redt u zich wel?'

'Ja, met mij is alles in orde. Het is gewoon de schok. Ik ken Harry al meer dan tien jaar.'

'Is het mogelijk om hier een ander keertje nogmaals met u over te praten? Ik zou graag wat meer achtergrondinformatie willen hebben en dergelijke.'

'Ja, dat is goed. Wanneer?'

'Hoe eerder, hoe beter eigenlijk. Dinsdagochtend wellicht? Tegen die tijd weten we misschien ook iets meer.'

'Dan ben ik op mijn werk. Fisher & Faulkner. Het is momenteel niet echt druk. Als u daar kunt langskomen...'

'Dat is uitstekend.'

Nadat Banks de route naar de uitgeverij had genoteerd, reed hij via de snelste route terug naar Eastvale. Op het bureau lag een uitnodiging om rond theetijd bij hoofdinspecteur Gristhorpe langs te gaan. Hij belde Sandra, die helemaal niet vreemd opkeek van zijn afwezigheid, controleerde of er tijdens zijn bezoek aan Ramsden nog iets was binnengekomen en reed toen voor de tweede keer die dag naar Helmthorpe. Het was drie uur en aangezien hij pas om vijf uur bij Gristhorpe werd verwacht, had hij meer dan genoeg tijd om na te gaan hoe het onderzoeksteam opschoot.

Het politiebureau van Helmthorpe was gevestigd in een verbouwde cottage aan een smalle, met keitjes geplaveide weg die vanaf de High Street in oostelijke richting naar de rivier liep. Daar vertelde Weaver, die het getypte verzoek om informatie stond te kopiëren, aan Banks dat drie agenten nog steeds bezig waren met het buurtonderzoek aan Hill Road en dat een vierde naar de camping was gestuurd.

Dat zou het grootste probleem vormen, besefte Banks. Ze moesten zien te achterhalen wie er op zaterdagavond op de camping had gestaan. De meeste kampeerders waren intussen echter natuurlijk alweer vertrokken en het zou vrijwel onmogelijk worden om nuttige of betrouwbare informatie los te krijgen.

Verder moest hij de pers nog te woord staan. Zoals Hatchley hem al had verteld, hingen er naast Reg Summers van het lokale weekblad nog twee andere verslaggevers rond bij de ingang van het politiebureau, die iedereen die naar binnen wilde of naar buiten kwam hun opschrijfboekje onder de neus duwden. Banks vond het belangrijk om op goede voet te blijven met de pers, maar in dit vroege stadium van het onderzoek kon hij hun weinig vertellen. Om hen echter te vriend te houden – hij wist dat ze hem uiteindelijk nog van pas zouden komen – gaf hij hun zo vriendelijk mogelijk enige informatie.

Om tien over halfvijf droeg hij de leiding weer over aan Weaver en ging hij op weg naar Gristhorpe. Onderweg bedacht hij dat hij die avond bij The Bridge zou langsgaan om te zien wat Steadmans vrienden hem konden vertellen. Hopelijk meer dan hij tot nu toe had weten te vergaren.

3

Om vijf voor vijf zette Banks zijn auto stil aan het eind van de hobbelige oprit vol gaten en kuilen en liep hij naar het vierkante stenen huis. Gristhorpe woonde in een afgelegen boerderij op de noordelijke helling even buiten het dorpje Lyndgarth, ongeveer halverwege Eastvale en Helmthorpe. De boerderij was niet langer in bedrijf, hoewel de hoofdinspecteur nog altijd enkele tientallen aren land bezat waarop hij zijn eigen groenten verbouwde. Nadat zijn vrouw vijf jaar geleden was overleden, was hij er in zijn eentje blijven wonen en een vrouw uit het dorp kwam elke ochtend voor hem schoonmaken.

Het gebouw was te sober naar Banks' smaak, maar hij kon wel zien dat het prima bij de omgeving paste. In dit gedeelte van het land, dat een groot deel van het jaar door harde wind en regen werd geteisterd, moest elk menselijk onderkomen een soort fort zijn om ook maar enig huiselijke gemak te kunnen bieden. Vanbinnen was Gristhorpes huis echter net zo warm en vriendelijk als de goede man zelf.

Banks klopte op de zware eikenhouten deur, verbaasd over de holle klank die door de omringende stilte galmde, maar er werd niet opengedaan. Op zo'n prachtige middag was de kans groot dat hij Gristhorpe in zijn tuin zou aantreffen, bedacht hij, dus hij liep om het huis heen naar de achterkant.

Hij vond de hoofdinspecteur op zijn hurken voor een stapel stenen, blijkbaar druk bezig met het verlengen van zijn stapelmuur. De oudere man kwam bij het horen van zijn voetstappen met een vuurrood hoofd overeind en vroeg: 'Is het al zo laat?'

'Het is bijna vijf uur,' antwoordde Banks. 'Ik ben een paar minuten te vroeg.'

'Mmm... Ik raak hier blijkbaar alle gevoel van tijd kwijt. Goed, ga even zitten.' Hij gebaarde naar het hoge gras naast de stenen. De hoofdinspecteur liep in zijn overhemd rond en het eeuwige tweedjasje lag naast hem op het gras. Een zacht briesje blies door zijn dikke bos zilvergrijs haar. Daaronder keek een rood, pokdalig gezicht met een bovenlip die vrijwel geheel schuilging onder een flinke grijze snor grijnzend op Banks neer. Het opmerkelijkste aan Gristhorpes uiterlijk – een kenmerk dat zowel collega's als criminelen van hun stuk bracht – waren zijn ogen. Diep weggezonken onder zijn borstelige wenkbrauwen zaten de ogen van een kind: groot, blauw, onschuldig. Ze vormden een enorm contrast met zijn bijna een meter negentig lange lijf dat de bouw had van een worstelaar en het was algemeen bekend dat ze zelfs aan de meest geharde misdadigers een bekentenis konden ontlokken; ook hadden ze al heel wat werknemers die waren betrapt op het fingeren van getuigenverklaringen of een iets te enthousiaste manier van ondervragen hoogrode konen van schaamte bezorgd. Verliep alles echter naar behoren en was de wereld zo fris en helder als die dag, dan glansde er in Gristhorpes ogen een zachtmoedige liefde voor het leven en een invoelingsvermogen dat met dat van Boeddha in hoogsteigen persoon kon wedijveren.

Banks bleef een tijdje zitten en hielp Gristhorpe met de stapelmuur. Het was een project waaraan de hoofdinspecteur de voorafgaande zomer was begonnen en diende geen vastomlijnd doel. Banks had een paar keer een poging gedaan om een steen toe te voegen, maar had ze aanvankelijk verkeerd om neergelegd, zodat bij de eerste de beste regenbui het water naar binnen zou zijn gestroomd en de muur zou zijn ingestort zodra de vorst had ingezet. Vaak ook had hij stenen uitgezocht die eenvoudigweg niet pasten. De laatste tijd was hij echter vooruitgegaan en hij vond de spaarzame middagen waarop hij met Gristhorpe aan diens muur werkte bijna net zo ontspannend en verfrissend als het kijken naar Brians treinen. Er bestond inmiddels een stilzwijgende afspraak tussen hen over wat een steen moest doen en wie hem op de juiste plek zou schuiven.

Na een minuut of vijftien verbrak Banks de stilte: 'Ik neem aan dat u hebt gehoord dat iemand gisteravond zo'n muur heeft afgebroken om een stoffelijk overschot te bedekken?'

'*Aye*,' zei Gristhorpe, 'dat heb ik inderdaad gehoord. Kom mee naar binnen, Alan, dan zet ik een verse pot thee. Als ik me niet vergis, zijn er ook nog een paar van mevrouw Hawkins' scones over.' Zijn uitspraak van het woord 'scone' rijmde op 'ton', en niet, zoals die van mensen uit het zuiden, op 'toon'.

Ze namen plaats in een paar diepe, uitgewoonde leunstoelen en Banks liet zijn blik langs de boekenplanken glijden die één hele muur van vloer tot plafond in beslag namen. Er stonden boeken over alle mogelijk denkbare onderwerpen – mythen en legenden uit de streek, geologie, criminologie, topografie, geschiedenis, plantkunde, reizen – en hele planken waren gevuld met in leer gebonden klassiekers, variërend van Homerus, Cervantes, Rabelais en Dante tot Wordsworth, Dickens, James Joyce, W.B. Yeats en D.H. Lawrence. Op de tafel lag Jane Austens *Trots en vooroordeel*; de positie van de boekenlegger duidde erop dat Gristhorpe het bijna uit had. Zoals altijd wanneer hij bij de hoofdinspecteur op bezoek was, nam Banks zich voor om meer te lezen.

In Gristhorpes kantoor in Eastvale was het al niet anders: overal lagen boeken en lang niet allemaal relevant voor zijn werk. Hij stamde af van een oude boerenfamilie uit de Dales en het feit dat hij na zijn universitaire studie en het vervullen van zijn dienstplicht bij de politie was gegaan, had veel problemen veroorzaakt. Toch had hij doorgezet en in zijn vrije tijd had hij ook nog eens meegeholpen op de boerderij. Toen Gristhorpes vader inzag dat zijn zoon door zijn natuurlijke aanleg en bereidheid om hard te werken vooruitkwam in de wereld, hield hij op met klagen en accepteerde hij de situatie. Voor zijn dood had Gristhorpes vader tot zijn grote verdriet nog moeten meemaken dat er van de boerderij weinig meer was overgebleven dan een flinke achtertuin, maar hij was trots geweest op wat zijn zoon had bereikt en de status die deze daarmee in de omgeving had verworven, waardoor het hem iets gemakkelijker viel en hij niet als verbitterd man was gestorven.

Gristhorpe had Banks dit alles stukje bij beetje verteld, meestal wanneer ze aan de muur hadden gewerkt en na afloop samen genoten van een goed glas single malt whisky. De openhartigheid van de oudere man, in combinatie met zijn praktische adviezen, had Banks het gevoel gegeven dat hij diens leerjongen of protégé was. Hun relatie had zich in die richting ontwikkeld sinds de zaak-Gallows View, Banks' gruwelijke kennismaking met het politiewerk in het noorden. Hij vertelde de hoofdinspecteur wat hij over de moord op Steadman wist en luisterde intussen met gespitste oren naar de tips die zijn chef mogelijk voor hem had.

'Het zal niet meevallen,' merkte Gristhorpe na een korte stilte op. 'En ik zal zeker niet het tegendeel beweren. Om te beginnen zit je met al die toeristen en kampeerders. Als Steadman in het verleden een vijand heeft gemaakt, zou dit een ideale manier zijn om de klus te klaren. Voorzover ik weet houden ze op die camping nooit een overzicht bij. Het enige waar zij op letten is dat er wordt betaald.' Hij nam een hap van zijn scone en een slok sterke, donkere thee. 'Maar goed, de moordenaar kan natuurlijk ook van dichter bij huis komen. Je hebt toch nog geen sporen of bewijzen? Het kan best zijn dat iemand een auto heeft gehoord, maar ik betwijfel of ze er echt op hebben gelet. Ik ken die weg. Hij loopt in noordoostelijke richting helemaal door tot aan Sattersdale. Nu ja, ik hoef jou natuurlijk niet te vertellen hoe je je werk moet doen, Alan. Uiteraard moet je eerst zo veel mogelijk over Steadman te weten zien te komen. Vrienden, vijanden, verleden, alles. Vraag eens wat rond in het dorp. Ga met de mensen praten. Laat het echte veldwerk maar aan je mensen over.'

'Ik ben anders wel een buitenstaander,' zei Banks. 'En dat zal ik voor de mensen hier in de omgeving altijd blijven ook. Ik zie er anders uit en ik klink anders. Niemand zal mij iets willen vertellen.'

'Onzin, Alan. Bekijk het eens van deze kant. Je bent toch nieuw in Helmthorpe?' Banks knikte. 'Dan val je op. De mensen zullen snel te weten komen wie je bent. Je ziet er niet uit als een toerist en geen enkele dorpsbewoner zal je er voor een aanzien. Je bent zelfs een beetje een beroemdheid, voor degenen die hier de krant lezen, tenminste. Ze zijn natuurlijk nieuwsgierig naar je en willen weten hoe hun nieuwe inspecteur in elkaar steekt. Je zult er nog van opkijken wat ze je straks allemaal vertellen, alleen maar om te zien hoe je erop reageert.' Hij grinnikte. 'Nog voordat deze zaak achter de rug is, zul je het gevoel hebben dat je een priester bent die zojuist iedereen de biecht heeft afgenomen.'

Banks glimlachte. 'Ik ben zelf met de anglicaanse kerk grootgebracht.'

'Aha. Hier in de omgeving is iedereen methodist of baptist,' zei Gristhorpe. 'Hoewel sommigen afvalliger zijn dan anderen en de meeste rare groeperingen – de sekte van Sandeman bijvoorbeeld – vrijwel helemaal zijn verdwenen.'

'Ik hoop wel dat de geheimhoudingsplicht van een priester voor mij niet geldt.'

'Lieve hemel, nee zeg!' riep Gristhorpe uit. 'Ik wil juist dat je me alles vertelt. Je hebt geen idee wat een geweldige kans dit voor me is om de laatste roddels van Helmthorpe te horen. Maar nu even serieus, Alan; begrijp je wat ik bedoel? Neem Weaver nu eens. Een heel aardige knul. Betrouwbaar, gedegen, nauwgezet. Wat de dorpsbewoners betreft is hij echter een vaste constante, zo saai als een doorsnee regenachtige dag, hoewel ik die vergelijking in deze omgeving misschien beter niet kan maken. Snap je wat ik bedoel? De helft van de vrouwelijke bewoners in Helmthorpe heeft waarschijnlijk wel een keer zijn luier verschoond toen hij nog een peuter was en meer dan de helft van de mannelijke bewoners zal hem ongetwijfeld ooit een draai om zijn oren hebben verkocht. Niemand zal Weaver iets vertellen. Ze nemen hem echt niet in vertrouwen. Daar hebben ze zelf niets aan. Jij daarentegen... Jij bent voor hen de exotische nieuweling, de biechtvader.'

'Ik hoop maar dat u gelijk hebt,' zei Banks en hij dronk zijn thee op. 'Ik zat erover te denken om vanavond even bij The Bridge langs te gaan. Weaver heeft me verteld dat Steadman daar regelmatig wat dronk met een paar vrienden van hem.'

Gristhorpe wreef over zijn pokdalige, rode huid en fronste nadenkend zijn borstelige wenkbrauwen. 'Uitstekend idee,' zei hij. 'Ik verwacht dat er vanavond wel een soort dodenwake zal worden gehouden. Een goed tijdstip om hier en daar wat losse opmerkingen op te pikken. Ze zullen inmiddels allemaal wel weten wie er is vermoord en waarschijnlijk ook hoe. Is die Barker toevallig soms ook een van Steadmans pubmaatjes?'

'Ja. Jack Barker, de schrijver.'

'Schrijver? Ammehoela!' Gristhorpe verslikte zich bijna in een flinke hap scone. 'Omdat hij toevallig zijn brood verdient met die klinkklare onzin wil dat echt nog niet zeggen dat hij schrijver is. Maar het is een goed plan. Je krijgt ongetwijfeld wel iets uit hen los, hoe nietszeggend het in eerste instantie misschien ook lijkt. Hoe laat is het nu?'

'Tien voor zes.'

'Wil je iets eten?'

'Graag, als u ook zover bent.' Banks was bijna vergeten hoeveel trek hij had.

'Het is niets bijzonders, hoor,' riep Gristhorpe achterom toen hij naar de keuken liep. 'Alleen wat sla en een restje rosbief.'

Sally en Kevin liepen de laatste paar meters om het hardst en lieten zich bij Ross Ghyll hijgend op de grond vallen. Ze waren naar de bron gewandeld van een van de talloze beekjes die kronkelend omlaag stroomden naar de Swain en bevonden zich nu hoog op Tetchley Fell aan de zuidkant van de Dale.

Toen ze weer op adem waren gekomen, kuste Kevin haar, waarbij hij zijn tong diep in haar mond stak, en ze lieten zich samen op het lichte, verende gras zakken. Hij streelde haar borsten, voelde door de dunne katoen hoe de tepels hard werden en liet zijn hand toen langzaam tussen haar benen glijden. Ze had haar spijkerbroek nog aan en toen de dikke naad tegen haar geslacht drukte, trok er een rilling van opwinding door haar heen. Ze wurmde zich echter los en ging rechtop zitten.

'Ik ga het aan de politie vertellen, Kevin,' zei ze.

'M-maar we...'

Ze lachte en sloeg hem speels op zijn arm. 'Niet dit, stommerd. Dat van gisteravond.'

'Maar dan komen ze het te weten van ons,' sputterde hij tegen. 'Dat vertellen ze geheid door.'

'Welnee, dat doen ze heus niet. Waarom zouden ze? Niet als je hun in een vertrouwelijk gesprek iets vertelt, net als katholieken en hun pastoor. Trouwens, mijn moeder en vader weten al dat we bij elkaar waren,' voegde ze eraan toe en ze draaide een pluk haar om haar vingers. 'Ik heb hun verteld dat we bij jou thuis waren en de tijd zijn vergeten.'

'Ik vind gewoon dat we ons er niet mee moeten bemoeien, dat is alles. Je als getuige aanmelden kan heel gevaarlijk zijn.'

'Ach, doe niet zo raar. Ik vind het juist wel spannend.'

'Dat is typisch iets voor jou. Stel nu eens dat de moordenaar denkt dat we echt iets hebben gezien?'

'Niemand wist dat we daar waren. Niemand heeft ons gezien.'

'Hoe weet je dat?'

'Het was donker en we waren veel te ver weg.'

'Maar misschien ziet hij wel dat je naar het politiebureau gaat.'

Sally lachte. 'Dan zal ik me wel vermommen. Nu gedraag je je echt heel dom. Er is niets om bang voor te zijn.'

Kevin zweeg. Voor de zoveelste keer had hij het idee dat zijn meisje hem weer eens te slim af was geweest.

'Als je er echt zo mee zit, zal ik hun niet vertellen wie je bent,' ging Sally verder om hem gerust te stellen. 'Dan zeg ik wel dat ik met iemand was van wie ik de naam liever niet zeg. En dat we alleen maar wat hebben zitten praten.'

'Praten!' Kevin lachte en pakte haar vast. 'Noem je dit zo?'

Sally giechelde. Zijn hand lag weer op haar borst, maar ze duwde hem weg, stond op en veegde het gras van haar spijkerbroek.

'Toe, Sally,' smeekte hij. 'Je weet best dat jij het net zo graag wilt als ik.'

'Zou je denken?'

'Ja.' Hij graaide naar haar enkel, maar ze deed vlug een stap opzij.

'Misschien wel,' zei ze. 'Maar niet nu. En al helemaal niet met iemand die zich ervoor schaamt om toe te geven dat hij gisteravond bij me was. Bovendien moet ik op tijd terug zijn voor de thee, want anders vermoordt mijn vader me.' Ze ging er vliegensvlug vandoor. Kevin stond met een zucht op en sjokte achter haar aan.

'Als je iemand op zijn hoofd slaat, Doc,' vroeg Jack Barker, 'spuit, stroomt of druppelt het bloed er dan uit?'
'Dat is op een moment als dit wel een erg smakeloze vraag, vind je zelf ook niet?' zei Barnes.
Barker strekte zijn hand uit naar zijn bierglas. 'Het is voor mijn boek.'
'In dat geval doet het er volgens mij niet echt toe of het klopt of niet. Gebruik gewoon het gewelddadigste woord dat je kunt bedenken. Je lezers weten waarschijnlijk nog minder dan jij.'
'Dat zie je helemaal verkeerd, Doc. Je zou de brieven eens moeten lezen die ik soms krijg. Er zitten heel wat bloeddorstige monsters onder mijn lezerspubliek. Heb je enig idee hoeveel van die kleine, oude dametjes helemaal verslaafd zijn aan de gruwelijkste forensische details?'
'Nee. En ik wil het niet weten ook. Ik zie tijdens mijn werk al meer dan genoeg bloed. En ik vind het nog steeds van bar slechte smaak getuigen dat je over dergelijke dingen wilt praten voordat die arme Harry zelfs maar begraven is.'
Het was vroeg op de avond. Barnes en Barker waren de enige leden van het vriendengroepje die al in een rustig hoekje van de pub zaten.
'Dood gaan we uiteindelijk allemaal, Doc,' antwoordde Barker. 'Dat zou jij toch moeten weten. Je hebt genoeg mensen geholpen om dit tijdelijke bestaan voor het eeuwige te verwisselen.'
Barnes keek hem kwaad aan. 'Hoe kun je in vredesnaam zo luchthartig doen? In godsnaam, toon eens een beetje fatsoen, Jack. Zelfs jij zult toch moeten toegeven dat zijn dood vroegtijdig is.'
'Voor de moordenaar anders waarschijnlijk niet vroeg genoeg.'
'Ik begrijp jou echt niet, Jack. Nog in geen miljoen jaar...' Barnes staarde zuchtend in zijn glas. 'Ik zal het er maar op houden dat het komt doordat jij altijd over dit soort dingen schrijft.'
'Dat komt puur door de shock,' zei Barker en hij pakte een sigaret. 'Misschien vind je het moeilijk te geloven, maar ik ben echt niet persoonlijk getuige geweest van elke moord die ik heb beschreven. En je weet ook best dat ik zelfs nog nooit in Amerika ben geweest.' Hij streek met een hand

over zijn achterover gekamde haar. 'Het is een verdomd trieste affaire. Ik weet ook wel dat we die arme kerel vaak hebben gepest met zijn roestige spijkers en loden varkens, maar ik zal hem echt missen.'

Barnes beantwoordde de eerbetuiging met een kort knikje.

'Heeft de politie al met jou gesproken?' vroeg Barker.

De dokter keek verrast op. 'Met mij? Grote goedheid, nee. Waarom zouden ze?'

'O, kom op zeg, Doc. Ik weet dat je een vooraanstaand arts bent, een steunpilaar voor de gemeenschap en nog meer van die onzin. Maar dat kan de CID allemaal niets schelen, beste kerel. En het doet evenmin iets af aan het feit dat je gisteravond net als de rest van ons hier bent geweest en heel wat vroeger dan gebruikelijk weer bent vertrokken.'

'Je denkt toch zeker niet dat de politie...?' begon hij. Toen ontspande hij zich en mompelde hij: 'Ja, natuurlijk moeten ze alle kanten van de zaak onderzoeken. Ze moeten hemel en aarde bewegen.'

'Laat die clichés maar zitten,' zei Barker. 'Die doen pijn aan mijn oren.'

Barnes snoof verachtelijk. 'Ik zie niet in waarom; je gebruikt ze in die schrijfsels van je ook te pas en te onpas.'

'Het publiek geven waar het om vraagt en de uitgever waarvoor hij betaalt is één ding, maar het is iets heel anders om ze in intelligent gezelschap uit te kramen. Zeg, het lijkt wel alsof je je zorgen maakt, Doc. Wat voor geheimen probeer je allemaal te verbergen?'

'Doe niet zo belachelijk,' zei Barnes. 'En ik vind het ongepast dat je de spot drijft met zo'n serieuze aangelegenheid als deze. Die arme Harry is dood. Bovendien weet je verdomd goed waar ik gisteravond ben geweest. De bevalling van mevrouw Gaskell is al een week over tijd en eerlijk gezegd maak ik me een beetje ongerust.'

'Ik neem aan dat zij dit kan bevestigen?'

'Ja, natuurlijk, als het echt nodig is. Trouwens, wat voor reden kan ik hebben gehad om Harry iets aan te doen?'

'O, stille wateren hebben troebele, diepe gronden,' antwoordde Barker, de spreektrant van de dokter nabootsend.

Op dat moment kwam Teddy Hackett binnen, een zeer flamboyante ondernemer. Hij was wat kleding betreft een enorme ijdeltuit, droeg altijd een shirt met een monogram of een krokodil op de borstzak geborduurd, een opvallend gouden medaillon en een dure designspijkerbroek. Hij probeerde er jonger uit te zien dan hij was, maar zijn donkere haar week in ras tempo terug van zijn slapen en zijn groeiende bierbuik puilde uit over zijn riem, zodat de handgemaakte, zilveren gesp die de kop van een grommende leeuw moest voorstellen vrijwel volledig aan het zicht werd onttrokken.

Het hele dorp wist dat wanneer Hackett niet bezig was met geld verdienen of met zijn maatjes in de pub zat te drinken, hij graag de bloemetjes buitenzette in nachtclubs in Leeds, Darlington of Manchester en bij iedere aantrekkelijke, jonge vrouw die in zijn nabijheid kwam een charmeoffensief inzette. Hij had het ver geschopt – de garage, een aantal souvenirwinkels – en hij was altijd op zoek naar mogelijkheden om zijn zakelijke belangen uit te breiden. Hij was het type zakenman dat het liefst de hele Dale zou opkopen om het in een gigantisch attractiepark te veranderen, als hij daartoe de kans had gekregen.

'Verdomme, zeg,' zei hij en hij liet zich met een tot aan de rand toe gevuld glas bier in zijn vuist op een stoel zakken. 'Wat een ellende.'

Barnes knikte instemmend en Barker drukte zijn sigaret uit.

'Weten jullie al iets meer?' vroeg Hackett.

'Niet meer dan iedereen hier in het dorp, zou ik denken,' antwoordde Barker. 'Ik vermoed dat Doc ons na de lijkschouwing wel het een en ander zal kunnen vertellen.'

Barnes liep rood aan van woede. 'Zo kan hij wel weer, Jack,' snauwde hij. 'Dat soort informatie is vertrouwelijk. De sectie zal in het ziekenhuis van Eastvale worden verricht door de patholoog-anatoom Glendenning. Ze hebben mazzel gehad met hem. Hij is een van de besten van het land, heb ik gehoord.' Hij wierp een blik op zijn horloge. 'Het zou me niets verbazen als hij al aan het werk is. Die man neemt zijn vak doodserieus.' Zijn stem stierf weg toen hij de onbedoelde woordspeling opving die uit zijn mond was gerold. 'Hoe dan ook, je kunt er zeker van zijn dat iedereen hierover zijn kaken stijf op elkaar houdt.'

'Net als laatst zeker, toen Joanie Lomax syfilis had?'

'Nu ga je echt te ver, Jack. Ik weet dat je net als wij allemaal van slag bent. Waarom geef je dat niet gewoon toe, in plaats van je te gedragen als een dom filmsterretje dat op recensies van de première zit te wachten?'

Barker schoof ongemakkelijk heen en weer op zijn stoel.

'Is er al iemand ondervraagd?' vroeg Hackett.

De andere mannen schudden hun hoofd.

'Ik vraag het omdat ik net die speurneus van de politie heb gezien, ik weet zeker dat het de inspecteur is van wie afgelopen herfst een foto in het plaatselijke sufferdje heeft gestaan. Hij staat bij de bar.'

Ze keken allemaal om en zagen Banks, die met een voet op de reling tegen de bar geleund blijkbaar rustig in zijn eentje een pint stond te drinken.

'Hij is het inderdaad,' zei Barker. 'Ik heb hem vanochtend uit het huis van Emma zien komen. Waarom ben je eigenlijk zo zenuwachtig, Teddy? Je hebt toch zeker niets te verbergen?'

'Nee, helemaal niets. Alleen hebben we hier gisteravond allemaal met hem zitten drinken. Ik bedoel, ze zullen ons wel willen spreken. Waarom hebben ze dat dan nog niet gedaan?'

'Als ik me goed herinner, ben jij direct na Harry vertrokken,' zei Barker.

'Ja. Zaterdagavond was het toch? Ik moest naar Darly voor de opening van Freddy's nieuwe nachtclub. Verdomd leuke avond gehad, trouwens. Er liepen daar een paar kanjers van wijven rond, Jack. Waarom ga je niet een keertje met me mee? Zo'n knappe, jonge vrijgezel als jij zou eens wat vaker moeten gaan stappen.'

'Ach,' antwoordde Barker hoofdschuddend. 'Ik heb wel iets beters te doen dan in een disco achter snolletjes aan te zitten, kerel. Het leven van een schrijver...'

'Schrijver? Rot toch op!' zei Hackett. 'Ik kan die troep in mijn koffiepauze nog bij elkaar verzinnen.'

Barker trok een wenkbrauw op en grijnsde. 'Dat kan wel zo zijn, Teddy, maar je hebt het nog nooit gedaan, is het wel? Dat is het verschil. Bovendien heb ik gehoord dat je een secretaresse hebt aangenomen die Engels heeft gestudeerd om je zakelijke correspondentie voor je te vertalen.'

'Mijn beheersing van het Engels hoeft op jouw vakgebied niet bepaald een handicap te vormen. Trouwens, in een zakenbrief zijn dure woorden en lange zinnen helemaal niet nodig. Dat weet je best, Jack. Kort en terzake.'

'Dat is precies wat de recensenten ook over mijn laatste boek hebben gezegd,' verzuchtte Barker. 'Nu ja, misschien niet met zoveel woorden.'

Om die opmerking moest zelfs Doc Barnes lachen.

Na dit korte gesprekje volgens een welbekend stramien viel er een stilte, alsof ze allemaal beseften dat ze hadden zitten kletsen en grappen om de leegte te vullen die Harry's afwezigheid had achtergelaten, en om maar zo lang mogelijk te doen alsof er niets was veranderd en het groepje niet door zoiets beestachtigs en onherroepelijks als moord was aangetast.

Barker bood aan om een rondje te halen en ging naast Banks aan de bar staan. 'Neemt u me niet kwalijk,' zei hij, 'maar bent u niet de politieman die de moord op Harry Steadman onderzoekt?' Toen Banks bevestigend knikte, stak Barker zijn hand uit. 'Jack Barker. Ik ben een vriend van hem.' Banks condoleerde hem.

'Hoor eens,' ging Barker verder, 'we zaten ons eigenlijk af te vragen – nu ja, we zitten daar met een groepje vrienden van Harry en we hebben gisteren bijna de hele avond met hem doorgebracht – hebt u misschien zin om bij ons aan te schuiven? Dat is heel wat genoeglijker en gemakkelijker dan ons een voor een naar het bureau te laten komen.'

Banks lachte en nam het aanbod aan. 'Ik behoud me echter wel het recht voor om jullie alsnog naar het bureau laten komen als mij dat zo uitkomt,' voegde hij er half plagend, half serieus aan toe.

Banks was de hele tijd al van plan geweest om hen aan te spreken. Hij had als een vampier gewacht met het betreden van de kamer van zijn slachtoffer totdat hij daartoe was uitgenodigd en hij merkte vergenoegd op dat zijn truc had gewerkt. Misschien had Gristhorpe dan toch gelijk. Hun nieuwsgierigheid had duidelijk de overhand gekregen.

Barker ging hem opgewekt voor naar hun tafel, waar de twee anderen zo te zien slecht op hun gemak hun komst afwachtten. Banks was echter ervaren genoeg om niet direct te veel achter hun reactie te zoeken. Hij wist dat de komst van de politie altijd de nodige onrust veroorzaakte. Zelfs totaal onschuldige mannen en vrouwen raken in paniek over een vergeten parkeerboete of dat kleine leugentje over hun inkomstenbelasting, zodra een diender zijn neus laat zien.

Nadat ze zich aan elkaar hadden voorgesteld, viel er een gespannen stilte en Banks vroeg zich af of ze soms hadden verwacht dat hij met een opschrijfboekje in de hand een formele ondervraging zou beginnen. In plaats daarvan stopte hij zijn pijp en keek hij hen beurtelings aan. Barker was een beminnelijke man die een beetje aan een filmster uit de jaren veertig van de vorige eeuw deed denken en Barnes was een kleine, kalende, grijze man met een bril. Hij zag er wat sjofel uit, zo'n type dat in achterafsteegjes in het geheim abortussen uitvoert, vond Banks. Ten slotte begon Hackett, de snelle jongen, zenuwachtig een gesprek.

'We hadden het net over Harry,' zei hij. 'Een trieste zaak. Kan zelf niemand bedenken die zoiets zou doen.'

'Geldt dat voor jullie allemaal?' vroeg Banks met zijn blik op zijn pijp gericht.

Ze gaven alle drie zacht mompelend bevestigend antwoord. Hackett stak een Amerikaanse sigaret op en ging verder: 'Het zit zo. Harry mag dan misschien een beetje een verstrooide professor zijn geweest en ik zal niet ontkennen dat we hem daarmee af en toe best hebben gepest, maar het was niet kwaad bedoeld. Hij was een prima kerel, altijd goedgehumeurd, gelijkmatig. Hij was bijzonder intelligent en kon scherp uit de hoek komen, maar hij was een goed mens en zou nooit iemand kwaad doen, dus ik kan echt geen enkele reden bedenken waarom iemand hem zou willen vermoorden.'

'Blijkbaar dacht de dader daar toch anders over,' zei Banks. 'Ik heb gehoord dat hij veel geld had geërfd.'

'Meer dan een kwart miljoen pond. Zijn vader was uitvinder. Bezat een patent op een of ander elektronisch apparaat en had een eigen fabriek. Hij heeft goed geboerd. Ik neem aan dat zijn vrouw nu alles krijgt?'

'Dat is wel de normale gang van zaken. Wat vindt u van mevrouw Steadman?'

'Ik kan niet zeggen dat ik haar erg goed ken,' antwoordde Hackett. 'Ze kwam hier niet vaak. Ze lijkt me een best mens. Harry heeft zich tenminste nooit over haar beklaagd.'

Barnes was het met hem eens.

'Ik kan daar niets aan toevoegen,' zei Barker. 'Ik ken haar weliswaar iets beter dan de anderen – we wonen tenslotte min of maar naast elkaar in Gratly – maar ik vind haar vrij onopvallend. Totaal niet geïnteresseerd in Harry's werk. Houdt zich voornamelijk op de achtergrond. Maar ze is niet dom, en ze weet een uitstekende maaltijd op tafel te zetten.'

Banks zag dat Barker langs hem heen in de richting van de bar tuurde en keek achterom om te zien wat daar zo interessant was. Hij ving nog net een glimp op van een jonge vrouw met glanzend zwart haar dat tot op haar middel hing. Ze droeg een witte zijden blouse met daaroverheen een blauwe sjaal gedrapeerd en een lange, ruimvallende rok die van haar smalle middel over de gracieuze ronding van haar heupen omlaag viel. Ze wandelde naar buiten en hij zag slechts heel even haar profiel. Ze was erg knap: een hoekig gezicht met hoge jukbeenderen en een rechte neus, net een indiaanse uit Noord-Amerika. Half verscholen achter haar haren, waar haar kaak in haar lange hals overging, glinsterde een zilverkleurig voorwerp.

'Wie is dat?' vroeg hij aan Barker.

Barker glimlachte. 'O, ze is u ook opgevallen, zie ik. Dat is Olicana.' Hij sprak het buitenlandse woord langzaam uit.

'Olicana?'

'Ja. Zo noemde Harry haar tenminste altijd. Blijkbaar was dat de benaming die de Romeinen gebruikten voor Ilkley, de geest van de plek, de *genius loci*. Haar echte naam is Penny Cartwright. Lang niet zo exotisch, hè?'

'Wat is er gisteravond gebeurd?' vroeg Banks zo plotseling dat Barker verrast opkeek. 'Een gewoon avondje in de pub als altijd?'

'Ja,' antwoordde Barker. 'Harry was op weg naar York en kwam even een paar biertjes drinken.'

'Dronk hij meer dan normaal?'

'Nee, eerder iets minder. Hij moest immers nog rijden.'

'Had u de indruk dat hij zich ergens over opwond of bezorgd over iets was?'

'Nee.' Barker had zich als woordvoerder van de groep opgeworpen. 'Nu ja, hij was altijd opgewonden over zijn werk: roestige spijkers, een gebroken karrenwiel.'

'Roestige spijkers?'

'Ja. Dat was een van onze standaardgrappen. Dat was zijn vakgebied. Industriële archeologie. In feite zijn enige echte passie. Samen met de Romeinse bezetting.'

'Juist. Ik heb gehoord dat meneer Steadman van plan was vandaag een oude loodmijn in Swaledale te gaan bekijken. Weet u daar misschien iets van?'

'Volgens mij heeft hij het er wel over gehad, ja. We lieten hem meestal niet al te lang doorkletsen over zijn werk. Niet iedereen vindt roestige spijkers namelijk een interessant gespreksonderwerp.'

'Hoe laat is hij hier gisteravond weggegaan?'

Barker dacht even diep na. 'Dat moet zo kwart voor negen zijn geweest,' antwoordde hij ten slotte en de anderen knikten instemmend.

'En hoe laat zijn jullie vertrokken?'

Barker keek van Barnes naar Hackett voordat hij antwoord gaf. 'Ik ben om kwart over tien weggegaan. Ik was als enige overgebleven en toen was de lol er snel af.'

Banks keek de andere twee mannen aan, die om de beurt antwoord gaven. 'Zoals u ziet kan ieder van ons het dus hebben gedaan,' merkte Barker op. 'Onze alibi's zijn allemaal even zwak.'

'Wacht eens even!' sputterde Barnes tegen.

'Het was maar een grapje, Doc. Sorry, smakeloos. Maar het is natuurlijk wel zo. Staan we op de lijst van verdachten, inspecteur? U bent toch inspecteur?'

'Dat klopt,' antwoordde Banks. 'En nee, we hebben nog geen verdachten.'

'Alsof ik niet weet wat dat inhoudt. Wanneer er geen verdachten zijn, is iedereen verdacht.'

'U schrijft toch detectiveverhalen, meneer Barker?' vroeg Banks rustig. Barker liep rood aan en de anderen lachten.

'Defectieve verhalen noem ik ze altijd,' merkte Hackett op.

'Heel grappig,' snauwde Barker. 'Je kunt altijd nog komediant worden.'

'Vertel me eens,' vervolgde Banks, die het tempo iets opvoerde nu hij ze eenmaal aan de praat had, 'jullie hoeven geen van allen op een cent te kijken. Waarom gebruiken jullie dan zo'n verlopen tent als deze als jullie stamkroeg?' Hij keek om zich heen naar het loslatende behang en de tafels die onder de krassen en vlekken zaten.

'Omdat deze pub zo'n geheel eigen stijl heeft,' antwoordde Barker. 'Nee, even serieus, inspecteur, we zijn niet zo welgesteld als u denkt. Teddy zit diep in de schulden sinds hij Hebdens souvenirwinkel heeft gekocht en de dokter hier moet het doen met wat hij aan de ziekenfondsverzekeraars kan ontfutselen.' Barnes keek hem woedend aan, maar nam niet de moeite om hem de mond te snoeren. 'En ik zit wanhopig te wachten tot iemand de filmrechten van een van mijn boeken koopt. Harry zat inderdaad goed in de slappe was, maar toen het schip met geld binnenkwam, overviel het hem eigenlijk een beetje en hij had geen idee wat hij ermee aan moest. Hij zei zijn baan op en verhuisde hiernaartoe om zich aan zijn onderzoek te wijden, maar verder veranderde zijn manier van leven nauwelijks. Geld deed hem niet zoveel.'

'U zegt net dat het hem overviel,' zei Banks. 'Ik had gehoord dat hij het geld van zijn vader had geërfd. Dan moet hij toch zeker hebben geweten dat hem een flinke erfenis stond te wachten?'

'Nu ja, hij wist het ook wel. Hij had alleen niet verwacht dat het zoveel zou zijn. Ik geloof niet dat hij er ooit bij had stilgestaan. Harry was een beetje een verstrooide professor. Net als zijn vader. Blijkbaar bezat hij allerlei patenten waarvan niemand weet had.'

'Was Steadman gierig, een vrek?'

'Goede hemel, nee. Hij gaf net als iedereen altijd een rondje wanneer het zijn beurt was.'

Hackett glimlachte toegeeflijk, maar Barnes slaakte een diepe zucht en bood zijn excuses aan voor Bakers luchthartige spot. 'Wat hij op zijn geheel eigen, uiterst charmante wijze probeert te zeggen,' legde de dokter uit, 'is dat we geen van allen het idee hebben dat we bij de Country Club op onze plaats zouden zijn. We hebben het hier naar onze zin en bovendien schenken ze hier echt een verdomd goede pint.'

Banks staarde hem even aan en lachte toen. 'Ja, dat doen ze zeker,' beaamde hij.

Dat was iets wat Banks tijdens zijn eerste jaar in het noorden wel had geleerd, de hartstocht van een Yorkshire-man voor zijn pint. De mensen in Swainsdale hebben dezelfde band met hun bier als iemand uit, pak hem beet, de Bourgogne, met wijn.

Nadat Banks nog een drankje voor zichzelf had gehaald, wist hij het gesprek een geheel andere kant op te sturen, waardoor hij de mannen zover kreeg dat ze vrijuit over algemene onderwerpen praatten. Ze bespraken net als iedereen gewone, alledaagse zaken: politiek, economie, internationale kwesties, sport, de plaatselijke roddels, boeken en televisie. Drie werkende mannen, allemaal van min of meer dezelfde leeftijd, en – met uitzondering van Barnes wellicht – geen van allen echt thuis in een klein dorp dat diep geworteld was in agricultuur en handwerkslieden.

Penny Cartwright deed de deur achter zich op slot, schoof de grendels erop, trok de dikke gordijnen goed dicht en deed het licht aan. Nadat ze het pakje had neergelegd en haar sjaal op een stoel had laten vallen, stak ze de vele kaarsen aan die op schoteltjes, in lege wijnflessen en zelfs in een aantal kandelaars verspreid door de kamer stonden. Toen de ruimte gehuld was in het flakkerende schijnsel van kleine, felle vlammen, waardoor de kleur van de muren aan gesmolten boter deed denken, deed ze de lamp uit, stopte ze een cassettebandje in de recorder en liet ze zich op de bank vallen.

De kamer was nu zo intiem en knus als de moederschoot. Het was een plek die er bij daglicht kleurrijk en gelukkig uitzag, en in het licht van kaarsen warm en beschermend. Er hingen een paar dingen aan de muren: een ansichtkaart met een afbeelding van *La danse* van Henri Matisse, die een vriendin haar uit New York had gestuurd; een ingelijst exemplaar van Sutcliffes *Gathering Driftwood*; en een glanzende foto van haarzelf tijdens een concert dat ze jaren geleden met haar band had gegeven. De nissen aan weerszijden van de open haard, die nu door het kaarslicht in schaduw werden gehuld, stonden propvol met persoonlijke snuisterijen zoals schelpen, kiezelsteentjes en het soort dwaze aandenkens die mensen in het buitenland kopen, dingen die altijd de sfeer wisten op te roepen van die ene plek en de details in herinnering riepen van de dag waarop ze waren aangeschaft: een plastic sleutelring uit Los Angeles; een miniviewmaster van de Niagara Falls; een piepklein porseleinen potje uit Amsterdam, versierd met haar sterrenbeeld Weegschaal. Verspreid daartussendoor lag Penny's verzameling oorbellen in alle soorten, maten en kleuren.

Penny haalde vloei en hasj uit een gedeukt Old Holborn-blikje en rolde een kleine joint; vervolgens wikkelde ze de kleine fles Bell's uit het papier. Het leek een beetje zinloos om een glas te halen, dus dronk ze zo uit de fles en de whisky trok via haar tong een brandend spoor door haar keel voordat hij een gloeiende warmte door haar binnenste verspreidde.

Op het bandje stonden a capella gezongen, traditionele folksongs, een krachtige, heldere vrouwenstem zong over mannen die ten oorlog trokken, rampen met reddingsboten, huiselijke tragedies en bovennatuurlijke geliefden uit een ver verleden. Penny analyseerde de vocale stijl kritisch; ze bewonderde het lichte vibrato, maar kromp ineen bij de niet helemaal zuiver gezongen hogere tonen. Als professioneel zangeres, of liever gezegd voormalig professioneel zangeres, was het een gewoonte van haar geworden om zo naar anderen te luisteren. Na een tijdje kwam ze tot de conclusie dat ze de stem van de vrouw ondanks de gebreken toch erg mooi vond. Er klonk genoeg warmte en emotionele respons op de tekst in door om de paar technische mankementen te compenseren.

Eén lied, dat over een moord ging die meer dan tweehonderd jaar geleden in Staffordshire had plaatsgevonden, kende ze goed. Ze had het zelf talloze keren voor waarderende luisteraars in pubs en concertzalen gezongen. Het had zelfs op de eerste plaat gestaan die ze met de band had opgenomen en de modale structuur had zich wonderwel staande gehouden tegen de achtergrond van elektrische gitaren en percussie. Deze keer klonk het echter fris en nieuw. Hoewel het lied geen enkele connectie had met het slechte nieuws dat ze die middag had gehoord, was een moord nu eenmaal een moord, of hij nu de vorige avond was gepleegd of tweehonderd jaar geleden. Misschien moest ze zelf maar eens een nummer schrijven. Dan konden anderen dat over honderd jaar in hun warme, veilige huis zingen of beluisteren.

De whisky en hasj deden hun werk; Penny doezelde langzaam weg. Plotseling dook de herinnering aan die zomer van al die jaren geleden zo helder in haar hoofd op alsof het de dag ervoor was geweest. Ze had natuurlijk veel meer goede jaren gekend, veel meer fijne momenten meegemaakt voordat de gekte waarmee de roem gepaard was gegaan alles had verpest, maar de zomer van tien jaar geleden stak met kop en schouders boven de rest uit. Ze beleefde hem in gedachten opnieuw en kon de groene warmte van het gras, de aardse en dierlijke geuren in de vederlichte bries haast ruiken.

Toen kristalliseerde zich uit die algemene herinnering één specifieke dag. Het was warm, zo warm dat Emma de schaduw niet had willen verlaten uit angst dat haar gevoelige huid zou verbranden. En Michael, die om een of andere reden zat te mokken, was thuisgebleven om Chattertons gedichten te lezen. Dus waren alleen Penny en Harry overgebleven. Ze waren helemaal naar Wensleydale gewandeld, Harry met zijn lange, sterke benen voorop en daarachter Penny, die haar uiterste best moest doen om hem bij te houden. Ze hadden die dag hoog op de helling van het dal boven Bainbridge en onder Semerwater gezeten, zalmsandwiches gegeten en gekoeld appelsap uit een veldfles gedronken, genietend in de warme zon gelegen en het kleine dorpje bewonderd met het keurige dorpsplein dat precies in het midden lag en het Romeinse fort op een heuvel daar vlakbij. Ze hadden de gewitkalkte gevel kunnen zien van de vijftiende-eeuwse Rose and Crown, en de rivier de Bain die dansend en glinsterend over een reeks trapsgewijs omlaag lopende plateaus omlaag vloeide tot aan de plek waar hij in de glanzende stroom van de Ure overging.

Toen loste de scène in het niets op, viel hij in stukken uiteen, en Penny vloog verder terug in de tijd. Harry had het verleden zo levendig weten op te roepen dat ze het gevoel had dat ze er echt bij was geweest. De bodem van het dal was moerasachtig en stond vol ondoordringbaar struikgewas. Niemand kwam daar ooit. Het heuvelvolk bouwde ronde hutten op de lege plekken hoog op de heuvelhellingen die ze hadden kaalgekapt, vlak bij gedagzoomde lagen kalksteen en kiezelzand; daar gingen ze op jacht, plantten ze haver en hielden ze enkele schapen en koeien. Een Romeinse patrouille marcheerde over de weg vlak onder de plek waar zij zaten: vreemden in een kil, onbekend landschap, maar vol zelfvertrouwen met glanzende helmen en zware mantels die met een geglazuurde speld op hun borst waren vastgezet.

De twee scènes smolten samen: die van tien jaar geleden en die van zeventienhonderd jaar geleden. Voor Harry was er geen verschil geweest. Ze kon de koppige trots van de Briganten en het zelfvertrouwen van de Romeinse veroveraars bijna voelen. Ze begreep zelfs een beetje waarom koningin Cartimandua de zijde van de bezetters had gekozen, die nieuwe, beschaafde manieren hadden geïntroduceerd in deze barbaarse buitenpost. Gespannen volgden de Dales de verrichtingen van Venutius, de ex-man van de koningin, die zich met zijn rebelse volgelingen bij Stanwick, ten noorden van Richmond, opmaakte voor de laatste slag. Die ze verloren.

Harry wist alles heel levensecht te vertellen en als er soms al eens een onverklaarbare spanning of ongemakkelijk sfeer tussen hen ontstond, verdween die altijd direct zodra het verleden levensechter werd dan het heden. Wat was ik toen, op mijn zestiende, nog akelig onschuldig, dacht Penny bij zichzelf en ze moest even om zichzelf lachen. Wat duurde het lang voordat ik volwassen was en wat is dat moeizaam gegaan.

Toen schoten de munten haar te binnen die ze in het York Museum hadden bekeken – VOLISIOS, DUMNOVEROS en CARTIMANDUA had erop gestaan – en de varkens van lood met het merkteken IMP. CAES: DOMITIANO: AVG. COS: VII, en op de andere kant: BRIG. De Latijnse woorden waren haar indertijd voorgekomen als magische bezweringen.

En zo droomde ze verder. De joint was allang op, de fles whisky aanzienlijk leger dan aan het begin van de avond en de herinneringen volgden elkaar in rap tempo op. Toen hielden ze even plotseling als ze waren opgekomen ook weer op. Het enige wat Penny nog restte, was een leegte in haar binnenste; onbestemde gevoelens, maar geen woorden, geen beelden. Ze nam nog een slok uit de fles, stak een sigaret aan met het peukje van de oude en op een bepaald moment gingen de tranen die aan het begin van de avond nog traag over haar wangen hadden gedruppeld over in een diep, hartverscheurend gesnik.

4

Het weer was die maandagochtend in Helmthorpe net zo helder en warm als de voorafgaande vijf dagen. Hoewel dit niet direct uniek was, zou het normaal gesproken beslist het gesprek van de dag zijn geweest, maar nu was er een veel sensationeler onderwerp voorhanden.

In het postkantoor voerde de oude, krom lopende mevrouw Heseltine, die haar maandelijkse brief aan haar zoon in Canada kwam posten ('Het gaat heel goed met hem... Hij is al professor!') het woord.

'Gewurgd door een gevaarlijke gek,' zei ze fluisterend. 'Hier in ons eigen dorp nog wel. Ik weet niet waar het met deze wereld naartoe moet, echt niet. Niemand is meer veilig, dat is één ding dat zeker is. Je kunt maar beter de deuren op slot houden en in het donker niet meer naar buiten gaan.'

'Nonsens!' zei mevrouw Anstey. 'Zijn vrouw heeft het gedaan. Vanwege het geld, natuurlijk. Dat is toch zo klaar als een klontje. Geld is de wortel van al het kwaad, let op mijn woorden. Dat zei mijn Albert altijd.'

'*Aye*,' mompelde juffrouw Sampson, maar zo zachtjes dat niemand het kon horen. 'Dat komt omdat hij nooit een cent te makken had, dat luie varken.'

Mevrouw Dent, die elk bloederig gruwelverhaal uit de bibliotheek van Helmthorpe had gelezen en ook enkele die speciaal uit Eastvale en York waren opgevraagd, had een levendiger verbeelding dan alle anderen. Van haar was de theorie afkomstig dat dit het begin was van een nieuwe reeks moorden op de Moors.

'Dat gedoe met Brady en Hindley begint gewoon van voren af aan,' zei ze. 'Straks liggen er weer overal lijken begraven. Billy Maxton, die spoorloos is verdwenen, is er zo een en Mary Richards. Let maar eens op. Straks worden ze weer overal opgegraven.'

'Ik dacht dat Billy Maxton en Mary Richards stiekem samen naar Swansea waren gegaan,' zei Letitia Stanford, de spichtige postjuffrouw. 'Trouwens, we worden ongetwijfeld allemaal nog wel ondervraagd. Door die kleine man uit Eastvale, denk ik. Ik heb hem hier gisteren overal zien rondsnuffelen.'

'*Aye*,' voegde mevrouw Heseltine eraan toe. 'Ik heb hem ook gezien. Veel te klein voor een politieman, als je het mij vraagt.'

'Hij komt uit het zuiden,' zei mevrouw Anstey, alsof dat alles verklaarde.

Op dat moment klonk het belletje van de deur en kwam Jack Barker naar binnen gewandeld om een kort verhaal te versturen naar een van de tijdschriften die hem van zijn broodnodige inkomsten voorzagen. Hij keek stralend naar het groepje vrouwen, dat hem met angstige zuurpruimmondjes aanstaarde, begroette hen met een opgewekt goedemorgen, handelde zijn zaken af en vertrok weer.

'Nou ja,' verzuchtte juffrouw Sampson verontwaardigd. 'En hij is nog wel een vriend van meneer Steadman. Dan zou ik wel eens willen weten wat de vijanden van die arme stakker op dit moment doen.'

'Hij is inderdaad een vreemde snuiter,' zei Letitia Stanford. 'Maar niet het type om iemand te vermoorden.'

'Hoe weet jij dat nu?' vroeg mevrouw Dent op scherpe toon. 'Lees eerst maar eens een paar van zijn boeken. Om van te blozen, zo erg. Een en al moord en doodslag.' Ze schudde haar hoofd en klakte afkeurend met haar tong in de richting van de gedaante die opgewekt in de verte verdween.

Sally Lumb zat in haar mooiste ondergoed voor de spiegel van haar toilettafel. Haar lange, honingblonde haar hing keurig gekamd met een scheiding in het midden over haar bleke schouders. De korte, zorgvuldig bijgehouden pony viel over haar hoge voorhoofd. Ze bestudeerde haar melkwitte huid aandachtig en kwam tot de conclusie dat het hoog tijd was om wat te zonnebaden. Niet te lang, want ze had een lichte huid die snel rood en pijnlijk werd, maar elke dag een uurtje zodat hij een diepgouden gloed kreeg.

Ze had een mooi gezichtje en wist heel goed wat haar zwakke plekken waren. Haar ogen waren prachtig – groot, blauw en verleidelijk – en haar neus was perfect van vorm en wipte aan het uiteinde een stukje omhoog. Als er al iets aan mankeerde, dan waren het haar wangen; ze waren net iets te bol en haar jukbeenderen vielen niet echt op. Dat was echter slechts babyvet. Net als de vetribbeltjes om haar heupen en dijen zou dat mettertijd heus wel wegtrekken. Bovendien waren er manieren om dit nu iets minder te laten opvallen, dus waarom zou ze wachten? Hetzelfde gold voor haar mond. Die was te vol – voluptueus was de vriendelijkste omschrijving – en dat zou uit zichzelf echt niet veranderen.

Sally staarde naar de verzameling tubes, paletten, borstels, staafjes en flessen die voor haar stond, en koos deskundig de juiste kleuren en tinten uit om de goede kanten van haar gezicht mee te benadrukken en de slechte te verhullen. Inspecteur Banks kwam tenslotte uit Londen, zo had ze gehoord, en hij verwachtte uiteraard dat een vrouw er altijd op haar mooist uitzag.

Tijdens het opmaken nam ze in gedachten het gesprek alvast door; ze bedacht wat zij zou zeggen en zag al voor zich hoe hij opsprong en ervandoor ging om iemand te arresteren. Haar naam zou in alle kranten staan; ze zou beroemd zijn. Was dat niet de beste start die je als aspirant-filmster kon hebben? Het enige wat nog beter zou zijn, bedacht ze terwijl ze de eyeliner zorgvuldig aanbracht, was om de moordenaar zelf te vangen.

Banks zat in zijn kantoor en tuurde naar het marktplein met het eeuwenoude marktkruis en de oneffen keitjes. De goudkleurige wijzers van de blauwe kerkklok wezen kwart over tien aan. Toeristen stonden voor het eenvoudige, oerdegelijke gebouw foto's te maken en winkelende mensen liepen in groepjes van twee of drie door de smalle Market Street. Door het openstaande raam ving Banks af en toe de vrolijke begroeting tussen bekenden op. Hij zat al bijna twee uur in zijn kantoor om daar alle informatie die over de zaak-Steadman binnenkwam te lezen en verwerken.

Nadat hij de avond ervoor in The Bridge afscheid had genomen van Barker en zijn gezelschap was hij naar huis gereden, waar hij een mok warme chocolademelk had gedronken en meteen naar bed was gegaan. Het gevolg daarvan was dat hij zich die maandagochtend ongebruikelijk fit en wakker had gevoeld, tot grote verrassing van Sandra en de kinderen, die zoals gewoonlijk half slapend aan de ontbijttafel hadden gezeten.

Toen hij bij het politiebureau in Eastvale aankwam, trof hij daar een berichtje aan van agent Weaver, die hem meldde dat het huis-aan-huisonderzoek vrijwel niets had opgeleverd. Eén persoon had verteld dat hij om een uur of halftwaalf een motorfiets had gehoord, en tussen middernacht en kwart voor een twee auto's (hij had Indiaas gegeten in Harrogate en had door het brandende maagzuur dat dit had veroorzaakt langer wakker gelegen dan gewoonlijk). De overige bewoners waren op vakantie geweest of hadden heel vast geslapen. Eén vrouw had het verzoek om informatie tijdens een avonddienst in de parochiekerk in Helmthorpe zien hangen en was vroeg naar het bureau gegaan om daar een tirade af te steken over de duivel, Hell's Angels, skinheads en de prijs van groenten en fruit uit de omgeving. Toen Weaver geduldig probeerde haar zover te krijgen dat ze zich tot specifieke informatie beperkte, was gebleken dat ze die zaterdag de hele dag en nacht bij haar getrouwde dochter in Pocklington had doorgebracht, zo had brigadier Rowe grinnikend aan Banks verteld.

Banks speelde met zijn pijp en fronste zijn wenkbrauwen, het ergerde hem dat er zo weinig was waarmee ze iets aan konden. Iedere politieman wist dat de eerste vierentwintig uur van een onderzoek de belangrijkste waren. Met het verstrijken van de tijd koelde het spoor snel af. De pers had hem op weg naar binnen weer met vragen bestookt en het speet hem dat hij hun niets kon vertellen. Gewoonlijk gold dat hij voor elk stukje informatie dat hij aan de kranten doorgaf, er vier achterhield.

Er bestond altijd nog een kans dat een van de kampeerders iets had gezien. Banks betwijfelde het echter. De meeste mensen die zondagmiddag en -avond waren ondervraagd, waren pas die dag aangekomen of hadden helemaal niets gehoord. De campingbeheerder had hem verteld dat veel kampeerders die er op zaterdag hadden gestaan, al waren vertrokken voor het stoffelijke overschot was ontdekt en hij had Banks uitgelegd dat ze 's ochtends voor tien uur moesten vertrekken of anders voor die dag moesten betalen. Helaas hield hij geen overzicht bij van namen en adressen, en hij had niemand zien rondrennen met een met bloed bevlekte kandelaar of hamer.

Banks had Hatchley gevraagd om dokter Barnes' alibi na te trekken en een verzoek om informatie in de *Yorkshire Post* te plaatsen, maar hij verwachtte er eerlijk gezegd niet al te veel van. Een van de grootste problemen was dat de camping op de noordelijke oever van de Swain lag, naast het cricketveld, en de parkeerplaats zich op de zuidelijke oever bevond, op flinke afstand van de High Street vandaan, en vrijwel volledig aan het zicht werd onttrokken door bomen en hoge struiken. Het was een ideale, beschutte plek om in het donker een moord te plegen, behalve tussen elf uur en halftwaalf, wanneer de pubs leegstroomden. Dokter Glendenning had zijn inschatting van het tijdstip van overlijden niet meer gewijzigd, waardoor het mogelijk was dat Steadman tussen negen en tien uur was vermoord, vlak nadat hij uit The Bridge was vertrokken. Het was toen al vrij donker geweest en ongetwijfeld heel stil op het parkeerterrein. Met de huidige openingstijden arriveerden de meeste mensen tussen acht en negen uur, en ze bleven meestal tot sluitingstijd.

Tot dusver had grondig onderzoek van het pokdalige asfalt op het parkeerterrein geen enkel bloedspoor opgeleverd. De technische recherche had er sowieso vrijwel niets gevonden. Glendenning was echter als altijd uiterst nauwgezet te werk gegaan. Hij was een halve avond bezig geweest met een gedetailleerde lijkschouwing en om acht uur die ochtend lag een helder rapport, vrij van medisch jargon, in Banks' in-bakje.

De wond was veroorzaakt door een metalen voorwerp met minstens één scherpe rand en bleek inderdaad de doodsoorzaak te zijn. Onderzoek van de maaginhoud toonde een kleine hoeveelheid alcohol aan, wat overeen-kwam met de verklaringen van de vriendengroep in The Bridge, en de res-ten van een eerder genoten avondmaal. De klap zelf kon zowel door een man als een vrouw zijn toegebracht, had Glendenning eraan toegevoegd, want de kracht die daadwerkelijk nodig was om iemand met een dergelijk wapen te doden was minimaal. Ook was de moordenaar waarschijnlijk rechtshandig, dus het had geen enkele zin voor Banks om de reguliere pro-cedure van een fictieve detective te volgen en uit te kijken naar een links-handige verdachte. Het hield ook in dat hij Emma Steadman, die linkshan-dig was, wel kon schrappen als verdachte, maar zij had toch al een gedegen alibi.

Hypostase duidde er, zoals Banks al had verwacht, inderdaad op dat Stead-man ergens anders was vermoord en daarna naar het weiland was ge-bracht. De lijkstijfheid bevond zich voornamelijk aan de rechterkant, maar hij was liggend op zijn rug begraven.

Er zaten geen bloedsporen in de auto, maar Vic Manson had wel talloze vingerafdrukken gevonden. Het probleem daarbij was echter dat de scherpste afdrukken van Steadman zelf afkomstig bleken te zijn. De vinger-afdrukken op het stuur en de handel van het portier waren zoals bijna altijd het geval is vrij vlekkerig. Tijdens het rijden of het openen van een portier strijken mensen vaak met hun vingers langs het gladde plastic of metaal er-van, waardoor er een onduidelijke janboel ontstaat.

Als er al vezels waren achtergebleven op de met vinyl beklede zittingen, dan vertoonden deze geen opmerkelijke kenmerken en als de politie ze serieus had genomen, zou de halve Dale tot de verdachten hebben be-hoord. Geen ervan was afkomstig van een uniek, persoonlijk uit Italië ge-importeerd pak of een trui van de wol van een jak die exclusief door één leverancier in de streek werd verkocht. Ook bevonden zich op de banden geen sporen van modder, aarde of klei die slechts van één specifieke plek konden komen. En er zat evenmin een stukje grint van een gemakkelijk te traceren oprit in het profiel geklemd.

Banks had toch al weinig fiducie in forensisch bewijsmateriaal. Net als de meeste andere politiemensen had ook hij weliswaar meegemaakt dat door hem opgepakte criminelen op basis van vingerafdrukken en bloedgroep waren veroordeeld, maar hij had tevens ervaren dat wanneer een misdadiger ook maar enigszins zijn hersens gebruikte, forensisch bewijsmateriaal wellicht de groep verdachten kon helpen beperken, maar verder nutteloos was totdat de dader op andere wijze was opgepakt; pas dan kon het mogelijk iets bijdragen aan een mogelijke veroordeling. Het was verbazingwekkend hoeveel vertrouwen juryleden nog altijd in getuige-deskundigen hadden, ook al kon iedere bedreven advocaat de getuigenis van vrijwel iedere wetenschapper gemakkelijk in diskrediet brengen. Maar goed, bedacht Banks, zolang mensen bereid waren om de 'wetenschappelijk bewezen' superioriteit van bepaalde soorten tandpasta of cornflakes waar adverteerders prat op gingen voor waar aan te nemen, keek hij eigenlijk nergens van op.

Even na elven stak Hatchley zijn hoofd om de deur. Hoewel de koffie op het bureau een stuk beter was geworden sinds er een koffieautomaat was geïnstalleerd, gingen de twee mannen in hun ochtendpauze nog altijd gewoontetrouw naar de Golden Grill.

Ze laveerden tussen groepjes slenterende toeristen door, begroetten de bekenden die ze tegenkwamen en gingen het restaurantje binnen. De enige lege tafel stond helemaal achterin, vlak bij de toiletten. Het tengere serveerstertje haalde verontschuldigend haar schouders op toen ze zag dat ze daar gingen zitten.

'Hetzelfde als altijd?' riep ze.

'Ja, graag, Gladys, liefje,' baste Hatchley terug.

Hetzelfde als altijd bestond voor beide mannen uit koffie met een warm krentenbroodje.

Hatchley legde een beige dossiermap op het roodwit geblokte tafelkleed en streek met een hand over zijn haar. 'Waar hangt Richmond de laatste tijd toch uit?' vroeg hij en hij viste een sigaret op uit een van zijn zakken.

'Hij volgt een cursus. Wist je dat niet?'

'Cursus? Wat voor cursus?'

'De hoofdinspecteur heeft een memo rondgestuurd.'

'Ik lees die krengen nooit.'

'Misschien zou je dat toch eens moeten proberen.'

Hatchley fronste zijn wenkbrauwen. 'En wat is dat dan wel voor cursus?'

'Iets met computers. Ergens in Surrey.'

'Geluksvogel. Die zit nu geheid lekker met zijn emmertje en schepje aan het strand.'

'Surrey heeft geen strand.'

'Laat het maar aan hem over om er een te vinden. Wanneer komt hij terug?'

'Over twee weken.'

Hatchley vloekte hartgrondig, maar voordat hij verder nog iets kon zeggen, werd hun bestelling gebracht. Hij had minstens twee bezwaren tegen Richmonds afwezigheid, wist Banks: om te beginnen had de brigadier zich vaak genoeg laten ontvallen dat hij cursussen ongeveer net zo nuttig vond als een condoom met een gat erin; daarnaast moest Hatchley nu bij afwezigheid van agent Richmond tot zijn grote ergernis het meeste veldwerk in de zaak-Steadman zelf verrichten.

'Ik heb Doc Barnes' alibi vanochtend nagetrokken, zoals u me had opgedragen,' zei Hatchley en hij pakte zijn krentenbrood.

'En?'

'Het klopt, hij was inderdaad bij mevrouw Gaskell. Een zwangerschap die blijkbaar erg moeizaam verloopt.'

'Van hoe laat tot hoe laat?'

'Volgens haar echtgenoot is hij om halftien aangekomen en om kwart over tien weer vertrokken.'

'Dan kan hij best eerst Steadman hebben vermoord en in zijn kofferbak gepropt, of dat zelfs na afloop nog hebben gedaan.'

'Geen motief,' zei Hatchley.

'Voorzover we nu weten, tenminste. Wat is dat?' Banks wees op de dossiermap.

'Algemene info over Steadman,' mompelde Hatchley met volle mond.

Banks bladerde tijdens het eten vluchtig door het rapport. Steadman was bijna 43 jaar geleden in Coventry geboren, toen zijn vader nog druk bezig was met het opbouwen van zijn elektronica-imperium. Hij had een middelbare school in de buurt bezocht en een studiebeurs gewonnen voor Cambridge, waar hij cum laude was afgestudeerd in geschiedenis. Daarna had hij zijn postdoctoraal voltooid in Birmingham en Edinburgh, en op 26-jarige leeftijd een baan gekregen als docent aan de universiteit van Leeds. Daar was zijn belangstelling ontstaan voor lokale geschiedenis en industriële archeologie, toen nog een vrij jong vakgebied. Tijdens zijn eerste jaar als docent vonden er twee belangrijke gebeurtenissen plaats.

Ten eerste overleed in dat jaar vlak voor de kerst zijn moeder en ten tweede trouwde hij aan het eind van het studiejaar met Emma Hartley, die hij toen twee jaar kende. Emma was de enige dochter van een winkeleigenaar in Norwich en werkte als bibliothecaresse in Edinburgh in de tijd dat Steadman daar studeerde. Ze was vijf jaar jonger dan haar man. Ze hadden geen kinderen.

Het echtpaar bracht hun wittebroodsweken in Gratly door en logeerde in het huis dat tegenwoordig hun eigendom was. Hatchley had dit stukje informatie met een sterretje gemerkt en Banks las de opmerking onder aan de pagina: *Aan Ramsden vragen. Het huis was van zijn ouders.* Dat wist Banks al, maar hij was vol lof over Hatchleys nauwgezetheid; deze was zo ongebruikelijk dat het beslist moest worden aangemoedigd.

Met Steadmans carrière ging het voorspoedig – publicaties, loftuitingen, promotie – maar met de gezondheid van zijn vader ging het steeds verder bergafwaarts. Toen de oude man twee jaar geleden ten slotte overleed, erfde zijn zoon een aanzienlijk fortuin. Het eerste wat hij deed was met zijn vrouw een rondreis maken door Europa; verder zei hij aan het einde van het universitaire jaar zijn baan op, kocht hij het huis in Gratly en hield hij zich alleen nog maar bezig met zijn eigen interesses.

'Wat vind jij ervan?' vroeg Banks aan Hatchley, die klaar was met eten en met zijn nagels zijn tanden zat schoon te maken.

'Tja, wat zou u met zoveel geld doen?' zei de brigadier. 'Ik zou in elk geval niet een huis hier in de omgeving kopen en al mijn tijd besteden aan het rondneuzen tussen ruïnes.'

'Jij vindt dus dat hij dom heeft gehandeld?'

'Niet echt een opwindend leven, hè?'

'Maar dat is wat hij graag wilde: financiële onafhankelijkheid, zodat hij zich in alle rust met zijn eigen onderzoek kon bezighouden.'

Hatchley schokschouderde, alsof hij op zo'n dwaze opmerking geen antwoord had. 'U vroeg toch wat ik zou doen.'

'Dat heb je me anders nog niet verteld.'

Hatchley slurpte de rest van zijn koffie naar binnen; de laatste slok was stroperig van de suiker die ongesmolten op de bodem van het kopje lag. 'Ik zou denk ik eerst een mooi bedrag beleggen. Net genoeg om comfortabel van de rente te kunnen leven, zeg maar. Niets riskants. En dan zou ik een paar duizend pond uittrekken voor een leuke vakantie.'

'Waar naartoe?'

'Overal. De vleespotten der aarde.'

Banks glimlachte. 'En daarna?'

'Daarna zou ik terugkomen en gaan rentenieren.'

'Maar wat zou je verder doen?'

'Doen? Niets, eigenlijk. Een beetje van dit, een beetje van dat. Ik zou misschien in Spanje gaan wonen of in Zuid-Frankrijk. Of in een belastingparadijs als Bermuda of zo.'

'Je zou je baan dus opzeggen?'

Hatchley keek Banks aan alsof deze gek was geworden. 'Mijn baan opzeggen? Ja, natuurlijk zou ik mijn baan opzeggen. Wie niet?'

'Misschien heb je wel gelijk.' Banks was er echter niet zo zeker van wat hij zelf zou doen. Een vakantie, ja, dat wel. Maar daarna? Hij vond eigenlijk dat Steadman een bewonderenswaardige keuze had gemaakt; hij had zich onttrokken aan de alledaagse, afstompende facetten van zijn werk en zich volledig aan de kern ervan gewijd. Als ik plotseling een privé-inkomen had, zou ik me misschien wel ergens vestigen als een soort Sherlock Holmes – die zelf trouwens ook uit de Dales afkomstig was – dacht Banks peinzend bij zichzelf. Alleen bijzondere zaken aannemen... een jachtpet dragen...

'Vooruit,' zei hij en hij verjoeg de fantasie uit zijn hoofd. 'We kunnen tot sint-juttemis wachten voordat jij en ik ons druk hoeven te maken over dergelijke vragen.'

Toen Banks terugkwam in zijn kantoortje, zat Emma Steadman daar op hem te wachten. Ze had zojuist het lichaam van haar man geïdentificeerd en was nog steeds van streek. Haar bleke gezicht was vrijwel uitdrukkingsloos, maar aan de uilachtige ogen, die door de glazen van haar bril werden uitvergroot, was te zien dat ze vlak ervoor nog had gehuild. Ze zat kaarsrecht op de harde stoel met haar handen ineengevouwen op haar schoot.

'Ik zal het kort houden,' zei Banks en hij ging tegenover haar zitten en stopte zijn pijp. 'Om te beginnen zou ik graag willen weten of uw man vijanden had. Kunt u iemand bedenken die hem wellicht iets wilde aandoen?'

'Nee,' antwoordde ze snel. 'Ik kan niemand bedenken. Harold was niet het type man dat vijanden maakte.'

Banks wees haar er maar niet op dat die opmerking niet helemaal logisch was; de bedroefde familieleden van het slachtoffer van een moord gingen er vrijwel altijd van uit dat er geen enkel motief kon zijn voor de misdaad.

'Niemand met wie hij ruzie had gehad? Een verschil van mening? Het kan belangrijk zijn.'

Ze schudde haar hoofd. 'Nee. Dat heb ik u al gezegd. Hij was niet... Wacht even. Er was wel iets. Ik weet alleen niet of het echt belangrijk was.'

'Wat was er dan?'

'Hij klaagde laatst een beetje over Teddy Hackett.'

'Hackett? Wanneer was dit precies?'

'Een week geleden ongeveer. Ik weet dat ze in wezen goede vrienden waren, maar ze hadden al een hele tijd onenigheid over een stuk land. Och, het was waarschijnlijk niets. Mannen stellen zich vaak een beetje aan, weet u. Het zijn soms net kleine kinderen. Ik ben helaas niet op de hoogte van de details. Dat zult u aan meneer Hackett moeten vragen.'

'Hebt u enig idee waarover het ging?'

Mevrouw Steadman fronste haar wenkbrauwen, om zich beter te concentreren. 'Ik geloof dat het te maken had met Crabtree's Field. Dat is een overwoekerd stukje terrein langs de rivier. Harold was ervan overtuigd dat hij daar enkele Romeinse ruïnes had gevonden – hij had een aantal munten en potscherven die daar volgens hem op duidden – maar Teddy Hackett wilde het land kopen.'

'Waarom? Wat wilde hij er dan mee doen?'

'Hackett kennende zal het wel weer een of ander vulgair project zijn geweest waarmee hij geld kon verdienen. Ik weet niet precies wat zijn plannen waren, een discotheek wellicht of anders een attractiepark, een amusementshal, een supermarkt...'

'Dus als ik het goed begrijp,' zei Banks en hij boog zich iets naar voren, 'wilde Hackett volgens u een stuk land kopen om het te bebouwen en vond uw man dat het als vindplaats van waardevolle historische overblijfselen daartegen moest worden beschermd? Klopt dat?'

'Ja. Het was trouwens niet voor het eerst. Vorig jaar wilde Harold een klein regionaal museum vestigen in een winkelpandje aan High Street, maar toen heeft Hackett het pand snel gekocht om er een souvenirwinkel in te beginnen. Daar hebben ze ook woorden over gehad. Harold was veel te goed van vertrouwen, te... aardig. Hij was niet agressief genoeg.'

'Maar verder kunt u niemand bedenken? Dokter Barnes bijvoorbeeld? Heeft uw man ooit iets over hem gezegd?'

'Zoals?'

'Wat dan ook.'

'Nee.'

'Jack Barker?'

'Nee. Hij vond Barker wel een beetje cynisch, een beetje te luchthartig, maar meer ook niet.'

'En bezoekers aan huis? Kwamen er veel mensen langs?'

'Alleen vrienden van ons.'

'Wie dan?'

'Voornamelijk mensen uit de omgeving. Het contact met onze vriendenkring uit Leeds is verwaterd. Barker, Penny Cartwright, Hackett en dokter Barnes kwamen af en toe langs. Soms ook Michael Ramsden uit York. Enkele leraren en scholieren van de middelbare school in Eastvale, Harold was daar gastdocent en organiseerde excursies. Dat is het enige wat ik kan bedenken.'

'Er zal wel veel geld zijn,' merkte Banks terloops op.

'Pardon?'

'Veel geld. Van uw man. U zult dat wel erven, neem ik aan.'

'Ja, dat zal haast wel,' zei ze. 'Daar had ik nog niet aan gedacht... Ik weet niet eens of Harold een testament heeft gemaakt.'

'Wat gaat u ermee doen?'

Mevrouw Steadman keek hem geschokt en bijzonder afkeurend aan. 'Ik heb geen idee. Zoals ik net al zei: ik heb er nog niet echt over nagedacht.'

'Hoe was uw relatie met uw man eigenlijk? Kon u goed met elkaar opschieten? Was uw huwelijk stabiel?'

Mevrouw Steadman verstarde. 'Wat?'

'Ik moet het u helaas vragen.'

'Maar ik hoef geen antwoord te geven.'

'Dat is waar.'

'Ik geloof niet dat ik uw insinuaties erg op prijs stel, inspecteur,' vervolgde ze. 'Ik vind het een bijzonder onbeschofte vraag. Vooral op een tijdstip als dit.'

'Ik insinueer helemaal niets, mevrouw Steadman. Ik doe slechts mijn werk, meer niet.' Banks beantwoordde haar kille blik en deed er verder het zwijgen toe.

'Als dat alles is...' Ze stond op.

Banks liep achter haar aan naar de deur, deed deze rustig achter haar dicht en slaakte een zucht van opluchting.

Nadat hij de oude dametjes in het postkantoor flink had geshockeerd, wandelde Jack Barker door de High Street van Helmthorpe. Het was pas half-elf, maar toch slenterden er alweer groepjes toeristen over de trottoirs, met een vest om hun schouders geslagen tegen de kille ochtendlucht. Af en toe bleven ze even staan om de kunst- en nijverheidproducten uit de streek te bewonderen die in de etalages lagen, terwijl hun kinderen ongeduldig aan hun hand trokken. Aan de noordkant doemde Crow Scar op en af en toe schoof de schaduw van een wolkenflard over het kalkstenen oppervlak.

Barker bleef even aarzelend stilstaan voor de piepkleine winkel in tweedehands boeken van meneer Thadtwistle – die met zijn 98 jaar de oudste dorpsbewoner was – maar liep toen snel verder en sloeg het smalle straatje met cottages tegenover de kerk in. Bij nummer 16 klopte hij aan. Geen reactie. Hij klopte nogmaals. Toen hoorde hij iemand naar de deur komen en hij streek zijn haren glad. De deur ging een paar centimeter open.

'O, ben jij het,' zei Penny Cartwright en ze tuurde met half dichtgeknepen ogen naar hem.

'Grote hemel, wat zie jij er vreselijk uit,' zei Barker. 'Je pa is er toch niet, hè?'

Penny wilde haar hoofd schudden, maar bedacht onmiddellijk dat dit niet zo'n goed idee was.

'Mag ik binnenkomen?'

Penny deed zwijgend een stap opzij en liep hem binnen. 'Alleen als je een kop sterke koffie voor me zet.'

'Afgesproken. En ik meende het niet echt, wat ik net zei. Je bent net zo prachtig en fris als een witte roos in de ochtenddauw.'

Penny trok een lelijk gezicht en liet zich op de bank zakken. Haar lange, gitzwarte haar was ongekamd en het wit om haar blauwe pupillen was grauw en bloeddoorlopen. Ze had donkere wallen onder haar ogen en haar lippen waren gebarsten en droog. Ze droeg een donkergroene, kimonoachtige ochtendjas die ze bij de hals dicht klemde. Op de achterkant verhief zich een rode draak die vuur spuwde.

Barker ging aan de slag in de kleine, rommelige keuken en kwam al snel weer terug met twee dampende mokken koffie in zijn hand. Hij nam plaats in een versleten leunstoel naast de bank waarop Penny zat. Toen ze zich vooroverboog om haar mok van de lage salontafel te pakken, kon hij de lichte sproeten in haar decolleté zien. Tussen de vouwen van haar zijden ochtendjas ontwaarde hij eveneens een flink stuk van haar fraaie dij. Ze

70

leek zich er echter totaal niet van bewust dat Jack Barkers hart door haar toedoen op hol sloeg.

'Ik neem aan dat je het al hebt gehoord van Harry,' zei hij, terwijl hij een sigaret opstak.

Penny pakte er ook een. 'Ja,' zei ze knikkend. Ze blies de rook uit en begon te hoesten. 'Ik heb het gehoord. Deze krengen verpesten mijn stem.' Ze staarde kwaad naar de sigaret.

'Is de politie hier al geweest?'

'Waarom zouden ze hier langskomen?'

'Die inspecteur – Banks heet hij – was gisteravond in The Bridge,' vertelde Barker. 'Hij heeft een tijdje met ons zitten praten en toen zag hij jou, of eigenlijk zag hij dat ik naar je keek en toen vroeg hij wie je was.'

'En dat heb je hem verteld?'

'Ja.'

'Heb je hem verteld dat ik met Harry bevriend was?'

'Dat moest wel. Hij was er vroeg of laat toch wel achter gekomen. En dan zou hij het natuurlijk verdacht vinden dat ik het hem niet direct had verteld.'

'Nou en? Je hebt toch niets te verbergen, of wel soms?'

Barker haalde zijn schouders op.

'Je weet best hoe ik over de politie denk,' ging Penny verder.

'Hij is geen kwaaie vent. Eigenlijk best vriendelijk zelfs. Heel pienter, dat wel. Er ontgaat hem werkelijk niets. Hij is zo'n type dat 's avonds gezellig een rondje geeft en zodra je dronken bent, lastige vragen stelt.'

'Lijkt me vreselijk.' Penny trok een lang gezicht en drukte haar half opgerookte sigaret uit in de glazen asbak. 'Die lui zijn toch allemaal één pot nat.'

'Wat ga je hem vertellen?'

Ze keek hem aan en fronste haar wenkbrauwen. 'Valt er dan wat te vertellen?'

'Over je pa?'

Ze schudde haar hoofd.

'Hij is heel pienter,' zei Barker nogmaals.

Penny glimlachte. 'Tja, in dat geval komt hij er heus uit zichzelf wel achter, als hij het echt wil weten.'

Barker boog zich voorover en pakte haar hand. 'Penny...'

Ze trok zich zachtjes los. 'Nee, Jack, niet doen. Niet nu.'

Barker liet zich achterovervallen in zijn stoel.

'Hè, toe nou, Jack,' zei Penny bestraffend. 'Zo ben je net een nukkig klein kind.'

'Het spijt me.'

Penny trok haar ochtendjas strak om zich heen en stond op. 'Het geeft niet. Misschien kun je nu maar beter gaan, want ik sta momenteel niet al te vast op mijn benen.'

Barker kwam overeind. 'Moet je deze week nog zingen?'

'Vrijdag. Als mijn stem dat redt, tenminste. Kom je?'

'Ik zou het voor geen goud ter wereld missen, liefje,' antwoordde Barker. Toen vertrok hij.

Het politiebureau zag er heel anders uit dan Sally had verwacht. Om te beginnen was het gebouw achter de oude tudorgevel vanbinnen heel modern en waren de muren niet bezaaid met 'gezocht'-posters. In plaats daarvan was het een mooie gemeenschappelijke kantoorruimte met overal planten in potten en een paar lage schermen die de afscheiding vormden tussen de bureaus en de receptie. Het rook er naar boenwas en een luchtverfrisser met dennengeur.

Ze vertelde de beleefde jongeman achter de balie dat ze inspecteur Banks wilde spreken, de man die de leiding had over het onderzoek naar de moord in Helmthorpe. Nee, ze kon hem niet vertellen waarover het precies ging, ze wilde het alleen aan de inspecteur zelf vertellen. Het was heel belangrijk. Ja, ze wilde wel even wachten.

Ten slotte werd haar volharding beloond en werd ze naar boven gebracht, naar een labyrint van gangen en deuren waarop dingen stonden geschilderd als VERHOORKAMER. Daar mocht ze plaatsnemen en werd haar gevraagd of ze het erg zou vinden om nog een paar minuten te wachten. Nee. Ze vouwde haar handen op haar schoot en staarde voor zich uit naar een deur waarop heel teleurstellend KANTOORBEHOEFTEN stond.

De minuten kropen voorbij. Had ze nu maar een exemplaar van de *Vogue* meegebracht om door te bladeren, net als bij de tandarts. Plotseling klonk er lawaai en gevloek uit het trappenhuis, en tuimelden drie mannen op nog geen meter van de plek waar zij zat de gang in. Twee van hen waren duidelijk van de politie en ze worstelden met een man in handboeien, die zo glad was als een aal. Eindelijk hadden ze hem weer overeind gehesen en sleurden ze hem mee door de gang. Hij wurmde zich scheldend en tierend in allerlei bochten, wist zich op een bepaald moment zelfs los te rukken en kwam door de gang op haar afgerend. Sally was doodsbang. Tegelijkertijd vond ze het echter allemaal enorm spannend, net *Hill Street Blues*. De ene politieagent kreeg hem echter weer te pakken voordat hij echt dicht bij haar had kunnen komen en duwde hem een kamer in. Sally's hart ging als een bezeten tekeer. Ze wilde naar huis, maar toen kwam de inspecteur uit zijn kantoor gelopen om haar te halen.

'Mijn excuses daarvoor,' zei hij verontschuldigend. 'Dat gebeurt zelden.'

'Wie was dat?' vroeg Sally met wijd opengesperde ogen en een bleek gezicht.

'Een inbreker. We vermoeden dat hij vorige week heeft ingebroken bij Merriweather's Stereo Emporium.'

Sally zat nu voor een gammel, metalen bureau dat bezaaid was met paperclips, pennen en gewichtig uitziende dossiermappen. Het rook in de kamer naar pijptabak, wat haar aan haar vader deed denken. Ze kuchte en Banks, die de hint begreep, zette een raam open. Flarden van gesprekken waaiden met de warme lucht vanuit Market Street mee naar binnen.

Banks vroeg Sally wat ze kwam doen.

'Het is privé,' fluisterde ze. Ze keek om zich heen en boog zich een stukje naar voren. Ze was overstuur door wat ze zojuist had gezien en merkte dat het veel moeilijker was om het te vertellen dan ze had gedacht. 'Wat ik eigenlijk bedoel is dat ik u iets moet vertellen, maar u moet beloven dat u het aan niemand anders doorvertelt,' ging ze verder.

'Niemand?' De glimlach om zijn mond verdween, maar in zijn levendige, bruine ogen bleef een olijk lichtje zichtbaar. Hij pakte zijn pijp en ging zitten.

'Nou ja,' zei Sally en ze trok een vies gezicht naar de rook, zoals ze thuis ook altijd deed, 'dat bepaalt u natuurlijk zelf. Zal ik maar gewoon vertellen wat ik weet?'

Banks knikte.

'Het was afgelopen zaterdagavond. Ik zat in de kleine herdershut net onder Crow Scar, u weet wel, die op instorten staat.' Banks wist welke hut ze bedoelde. Het bouwvallige hutje was na de ontdekking van Steadmans lichaam grondig doorzocht. 'Ik hoorde een auto aankomen. Hij is zo'n tien, vijftien minuten blijven staan en reed toen verder.'

'Heb je hem ook gezien?'

'Nee. Ik heb hem alleen maar gehoord. Ik dacht eerst dat het een verliefd stelletje of zoiets was, maar die zouden natuurlijk langer zijn blijven staan.'

Banks glimlachte. Uit haar verzoek om geheimhouding en de deskundige inschatting van de tijd die een verliefd stelletje zou hebben nodig gehad, bleek duidelijk wat het meisje zelf precies had uitgespookt in die herdershut.

'Uit welke richting kwam de auto?' vroeg hij.

'Uit het dorp, denk ik. Hij kwam tenminste uit westelijke richting aangereden. Hij kan natuurlijk ook vanuit noordelijke richting door de Dale zijn gekomen, maar die weg loopt kilometers lang door heidelandschap, daar is verder niets.'

'En waar is hij naartoe gegaan?'

'Verder langs dezelfde weg. Ik heb hem niet horen keren en terugkomen.'

'Die weg leidt toch naar Sattersdale?'

'Ja, maar er zijn heel veel zijweggetjes. Vanaf die weg kun je vrijwel overal naartoe.'

'Hoe laat was dat?'

'Hij bleef om veertien minuten over twaalf stilstaan.'

'Veertien over twaalf? Niet even na twaalven of bijna kwart over twaalf? De meeste mensen zijn niet zo nauwkeurig.'

'Het was een digita...' Sally zweeg plotseling. Banks staarde naar het kleine, zwarte horloge met het roze, plastic bandje om haar pols. Het was geen digitaal klokje.

'Je kunt me maar beter de waarheid vertellen,' zei hij. 'En maak je geen zorgen, je ouders krijgen dit niet te horen.'

'Ik heb heus niets verkeerds gedaan,' gooide Sally eruit, waarna ze bloosde en een beetje bedaarde. 'Maar dank u wel. Ik denk niet dat ze het zouden begrijpen. Ja, ik was daar samen met iemand anders. Mijn vriendje. We hebben alleen maar wat zitten praten.' Dit klonk niet echt overtuigend, maar Banks vond dat het zijn zaken niet waren. 'En toen kwam die auto aangereden,' vervolgde Sally. 'We wisten dat het al vrij laat moest zijn, dus keek Kev op zijn horloge – zo'n digitale, met een lampje erop – en hij zei dat het veertien over twaalf was. Ik had allang thuis moeten zijn, maar ja, ik kon er toen toch niets meer aan veranderen. We bleven dus zitten waar we zaten en letten niet echt op, maar toen we hem hoorden vertrekken, keek Kevin weer op zijn horloge en die gaf een minuut voor halfeen aan. Ik weet het nog, omdat het zo grappig was. Kevin zei namelijk dat ze ook niet lang hadden nodig gehad om...'

Sally zweeg en liep rood aan. Toen ze eenmaal op haar praatstoel zat, was ze volkomen vergeten tegen wie ze het eigenlijk had. Nu drong het echter tot haar door dat ze deze vreemde man met zijn pijp niet alleen had verteld hoe haar vriendje heette, maar ook de indruk had gegeven dat ze precies wist wat mannen en vrouwen 's avonds op verlaten heuvelhellingen in hun auto allemaal deden.

Banks was echter niet in haar romantische escapades geïnteresseerd. Hij vond de nauwkeurigheid van de informatie die hij zojuist had ontvangen veel belangrijker dan haar liefdesleven. Bovendien leek ze minstens een jaar of negentien, oud genoeg dus om op zichzelf te passen, wat haar ouders er verder ook van vonden.

'Ik neem aan dat Kevin, je vriendje, deze tijdstippen kan bevestigen?' vroeg hij.

'Nou ja... als het moest wel,' antwoordde ze weifelend. 'Alleen heb ik hem beloofd dat ik niet zou zeggen hoe hij heet. We willen hier geen problemen mee krijgen. Mijn vader en moeder zullen namelijk wel razend worden. Ik had hun verteld dat we bij hem thuis televisie hebben zitten kijken. Ze vertellen natuurlijk meteen aan zijn vader en moeder waar we zijn geweest en dan mogen we elkaar waarschijnlijk niet meer zien.'

'Hoe oud ben je, Sally?'

'Zestien,' antwoordde ze trots.

'En wat wil je na school gaan doen?'

'Ik wil actrice worden. Of in elk geval iets met film en theater en dergelijke. Ik heb me aangemeld bij de Marion Boyars Academy of Theatre Arts.'

'Indrukwekkend,' zei Banks. 'Ik hoop dat je wordt aangenomen.' Hij zag dat ze al heel aardig met make-up overweg kon. Hij had echt gedacht dat ze negentien was. De meeste meisjes van haar leeftijd smeerden veel te veel op hun gezicht, maar Sally niet. Over haar kleding had ze eveneens goed nagedacht. Ze had witte kniekousen aan en een hemelsblauwe plooirok die tot op haar knieën viel. Daarop droeg ze een witte, katoenen bloes en in haar goudblonde haren had ze een rood lintje. Ze was een knap meisje en het zou Banks niets verbazen als hij haar inderdaad ooit in een toneelstuk of op televisie zou zien.

'Is het waar dat u uit Londen komt?' vroeg Sally.

'Ja.'

'Heeft Scotland Yard u hiernaartoe gestuurd?'

'Nee. Ik ben hiernaartoe verhuisd.'

'Maar waarom wilde u in vredesnaam hier komen wonen?'

Banks schokschouderde. 'Ik kan heel wat redenen verzinnen. De frisse lucht, de prachtige omgeving. En ik had gehoopt dat het werk hier iets minder zwaar zou zijn.'

'Maar Londen,' ratelde Sally opgewonden verder. 'Dat is toch waar alles gebeurt. Ik ben er een keer een dag geweest met school. Het was er fantastisch.' Ze kneep haar grote ogen tot spleetjes en keek hem achterdochtig aan. 'Ik snap echt niet waarom iemand die stad zou willen verruilen voor dit godvergeten oord.'

Banks begreep dat Sally's mening over hem in hooguit twintig seconden radicaal was omgeslagen. In het begin was ze koket en verleidelijk geweest, maar nu was haar stem neerbuigend, haast medelijdend zelfs, en was haar houding kortaf en zakelijk. Opnieuw kon hij slechts met enige moeite een glimlach te onderdrukken.

'Kende je Harold Steadman?'

'Is dat degene die... die man?'

'Ja. Kende je hem?'

'Ja, een beetje. Hij gaf bij ons op school vaak lezingen over lokale geschiedenis of geologie. Heel suf, meestal over oude ruïnes. En hij heeft ons een paar keer meegenomen op excursie naar Fortford, en zelfs helemaal naar Malham en Keld.'

'Dus de leerlingen kenden hem vrij goed?'

'Net zo goed als de andere leraren, denk ik.' Sally dacht even na. 'Hoewel hij zich eigenlijk nooit als leraar gedroeg. Ik bedoel, het was natuurlijk heel saai en zo, maar hij vond het echt leuk. Hij was altijd heel enthousiast. Soms nam hij ons na zo'n excursie mee naar zijn huis voor hotdogs en fris.'

'Ons?'

'Ja, de leerlingen die in Helmthorpe of Gratly woonden. Meestal waren we met een stuk of zeven. Zijn vrouw maakte vaak iets te eten voor ons allemaal en dan bleven we even zitten kletsen over waar we waren geweest en wat we hadden gevonden. Hij was heel aardig.'

'Je kende zijn vrouw dus ook?'

'Niet echt. Ze bleef meestal niet bij ons zitten. Ze had altijd wel iets anders te doen. Volgens mij was ze gewoon verlegen. Meneer Steadman niet. Die kon zo met iedereen een praatje aanknopen.'

'En dat waren de enige keren dat je hem zag? Op school en tijdens excursies?'

Sally kneep haar ogen weer tot spleetjes. 'Nou ja, ik kwam hem natuurlijk wel eens tegen op straat of in een winkel. Hoor eens, als u soms wilt weten of hij een vies oud mannetje was, dan is het antwoord nee.'

'Dat was niet wat ik bedoelde,' zei Banks. Hij was echter blij dat ze het zo had opgevat.

Hij liet haar het hele verhaal nogmaals van voren af aan vertellen en deze keer schreef hij alles tot in de kleinste details op. Ze praatte nu met grote tegenzin, alsof ze alleen maar zo snel mogelijk weg wilde. Toen ze was vertrokken, zat Banks even onderuitgezakt in zijn stoel te grinniken bij de gedachte dat zijn aantrekkingskracht, de glamour die om hem heen had gehangen, door zijn verhuizing van Londen naar Eastvale in één klap in rook was opgegaan. Op het marktplein sloeg de klok vier uur.

5

Nadat hij Hatchley op dinsdagmorgen naar Helmthorpe had gestuurd om te kijken of Weaver vooruitgang boekte, Harold Steadmans werkkamer te doorzoeken en Teddy Hackett op te halen voor een verhoor, vertrok Banks zelf naar York om opnieuw een bezoekje te brengen aan Michael Ramsden.

Rond een uur of elf reed hij via de voorwijken met de vierkante dozen van rode baksteen de eeuwenoude, Romeinse stad binnen. Nadat hij een half-uur lang had rondgedwaald vanwege het eenrichtingsverkeer ontdekte hij eindelijk een parkeerplaatsje aan de overkant van de rivier de Ouse en stak hij de brug over naar Fisher & Faulkner Ltd, een lelijk, stomp, bakstenen gebouw aan het water. Op de trottoirs krioelde het van de toeristen en za-kenmensen, en de gigantische kathedraal torende hoog boven de stad uit; de lichte steen waaruit hij was opgetrokken, glansde in het ochtendzonne-tje.

Een keurig verzorgde, mannelijke receptionist wees hem de weg en op de derde verdieping meldde een van Ramsdens assistenten zijn komst aan de baas.

Ramsdens kantoor keek uit op de rivier, waarover een kleine rondvaart-boot zijn weg zocht. Het bovenste dek zat vol mensen in zomerse vakan-tiekleding in alle kleuren van de regenboog en de lenzen van hun camera's glinsterden in de zon. De boot liet een lang, V-vormig spoor van rimpels achter, waardoor de roeibootjes in zijn kielzog woest op en neer deinden. Het kantoor zelf was klein en vol; naast het bureau en de dossierkasten la-gen wankele stapels manuscripten op de vloer, en de twee boekenkasten stonden vol met Fisher & Faulkner-titels. Zelfs in zijn donkere pak zag Ramsden eruit alsof zijn kleren te groot voor hem waren; hij had de ver-strooide houding van een professor in de kernfysica die het principe van atoomsplitsing probeerde uit te leggen aan een leek, terwijl hij tegelijkertijd in gedachten een ingewikkelde formule uitwerkte. Hij streek een denkbeel-dige haarlok van zijn voorhoofd en vroeg Banks om te gaan zitten.

'U was een goede vriend van Harold Steadman,' stak Banks van wal. 'Kunt u me iets meer over hem vertellen? Over zijn achtergrond, hoe u elkaar hebt leren kennen, dat soort zaken.'

Ramsden leunde achterover in zijn bureaustoel en sloeg zijn lange benen over elkaar. 'Weet u,' zei hij, terwijl hij door het raam naar buiten staarde, 'ik heb eigenlijk altijd een beetje ontzag gehad voor Harry. Niet alleen omdat hij bijna vijftien jaar ouder was dan ik – dat heeft nooit echt een rol gespeeld – maar ook omdat we volgens mij de student-docentrelatie nooit helemaal zijn ontgroeid. Toen we elkaar voor het eerst ontmoetten, was hij docent aan de universiteit van Leeds en ik was net begonnen met mijn studie in Londen, dus we behoorden niet eens tot dezelfde universiteit. We hielden ons trouwens ook niet met hetzelfde vakgebied bezig. En toch blijven dergelijke ideeën hangen. Ik was achttien en Harry bijna drieëndertig. Hij was een enorm intelligente, toegewijde man, op dat moment voor mij een perfect rolmodel.

Maar goed, hoewel ik, zoals ik net al zei, op het punt stond om met mijn studie in Londen te beginnen, ging ik met Kerstmis en in de zomervakantie altijd naar mijn ouders. Ik hielp hen in huis, deed allerlei klusjes, bakte eieren met spek voor de gasten. Ik vond het altijd heerlijk om thuis te zijn, op het platteland van Yorkshire. Het leukst was het wanneer Harry en Emma hun jaarlijkse vakantie bij ons kwamen doorbrengen. Ik heb urenlang gewandeld: soms in mijn eentje, soms met Harold of Penny.'

'Penny?' onderbrak Banks hem. 'Bedoelt u Penny Cartwright?'

'Ja, inderdaad. Voordat ik naar Londen ging, gingen we veel met elkaar om.'

'Gaat u verder.'

'We gingen vaak samen uit, als vrienden. Het was allemaal bijzonder onschuldig. Ze was zestien en we kenden elkaar al vrijwel ons hele leven. Ze heeft na het overlijden van haar moeder zelfs een tijdje bij ons gelogeerd.'

'Hoe oud was ze toen?'

'O, een jaar of tien, elf. Heel tragisch, eigenlijk. Mevrouw Cartwright is tijdens een overstroming in het voorjaar verdronken. Verschrikkelijk. Penny's vader kreeg een zenuwinzinking, dus kwam ze bij ons totdat hij weer was hersteld. Het was haast vanzelfsprekend dat we later... toen we wat ouder werden... nu ja, u snapt het wel. Harold wist enorm veel over deze streek en was erg enthousiast. Hij voelde zich onmiddellijk thuis in Swainsdale en heeft me in korte tijd meer geleerd dan ik had opgepikt door er te wonen. Zo iemand was hij nu eenmaal. Ik was uiteraard enorm onder de indruk, maar omdat ik toen Engels zou gaan studeren, was ik onuitstaanbaar literair, ik citeerde voortdurend Wordsworth en dergelijken.

Ik neem aan dat u al weet dat hij ons huis heeft gekocht toen mijn moeder het zich niet langer kon veroorloven om het aan te houden.'

Banks knikte.

'Harry en Emma kwamen dus elk jaar bij ons,' ging Ramsden verder, 'en toen mijn vader overleed, hebben ze ons enorm geholpen. Het was voor Harry ook goed. Zijn werk aan de universiteit was te abstract, te theoretisch. Hij heeft een boek gepubliceerd, *De grondbeginselen van industriële archeologie*, maar wat hij echt wilde, was een kans om die beginselen in de praktijk te brengen. Binnen het universitaire wereldje had hij daar geen tijd voor. Hij was van plan om ooit weer les te gaan geven, weet u. Alleen wilde hij eerst echt pionierswerk verrichten. Toen hij dat geld erfde, werd zijn droom werkelijkheid.

Na mijn afstuderen werkte ik aanvankelijk bij Fisher & Faulkner in Londen. Toen ze hier in het noorden een filiaal vestigden, boden ze me deze baan aan. Ik miste de streek en had altijd gehoopt dat ik hier nog eens mijn brood zou kunnen verdienen. We hebben Harolds tweede boek uitgegeven, en hij en ik kregen al snel een goede zakelijke relatie. Zoals u wel kunt zien, is ons bedrijf gespecialiseerd in wetenschappelijke uitgaven.'

Hij wees naar de propvolle boekenplanken en voorzover Banks kon zien bevatten de meeste titels het woord 'grondbeginselen' of 'studie'. 'We geven voornamelijk literaire kritieken en plaatselijke geschiedenis uit,' ging Ramsden verder. 'Na de publicatie van zijn boek heeft Harry een boek met essays voor ons geredigeerd en sindsdien werkten we samen aan een uitgebreide industriële geschiedenis van de Dale vanaf de pre-Romeinse tijd tot aan het heden. Harry publiceerde af en toe een essay in diverse vakbladen, maar dit zou zijn belangrijkste werk worden. Iedereen keek er reikhalzend naar uit.'

'Wat houdt industriële archeologie precies in?' vroeg Banks. 'Ik heb de term de laatste tijd wel meer gehoord, maar ik heb slechts een vaag idee van wat het betekent.'

'Dat geldt waarschijnlijk voor een heleboel mensen,' antwoordde Ramsden. 'Op dit moment staat deze tak van de wetenschap nog in de kinderschoenen. De term is voor het eerst gebruikt om de studie van machinerie en methodes tijdens de Industriële Revolutie te beschrijven, maar is later enorm uitgebreid en omvat nu ook andere periodes, Romeinse loodmijnen, bijvoorbeeld. U zou kunnen zeggen dat het een studie naar industriële voorwerpen en processen is, maar over de definitie van dat "industriële" kan vervolgens ook weer een maand worden gediscussieerd. Om de zaken nog ingewikkelder te maken, is het vrij lastig om aan te geven waar bij dit onderwerp de grens ligt tussen hobbyisme en wetenschappelijke studie. Als iemand bijvoorbeeld toevallig geïnteresseerd is in de geschiedenis van stoomtreinen, kan hij best een bijdrage aan het onderzoek leveren, ook al werkt hij vrijwel elke dag van negen tot vijf bij een bank.'

'Juist,' zei Banks. 'Het is dus eigenlijk een hybride gebied, een open terrein?'

'Daar komt het wel min of meer op neer, ja. Tot op heden heeft nog niemand een definitieve omschrijving kunnen geven en dat is mede de reden waarom het zo opwindend is.'

'U denkt niet dat de dood van meneer Steadman op enigerlei wijze verband kan houden met zijn werk?'

Ramsden schudde traag zijn hoofd. 'Ik zou niet weten hoe. Natuurlijk hebben we ook met vetes en felle concurrentie te maken, net als elk ander vakgebied, maar ik geloof niet dat men zover zou gaan.'

'Had hij rivalen?'

'Op professioneel vlak wel, ja. Het krioelt ervan op de universiteiten.'

'Kan hij iets op het spoor zijn gekomen waarvan iemand anders wellicht vond dat het moest worden stilgehouden?'

Ramsden dacht even met zijn puntige kin op zijn knokige hand geleund na. 'U bedoelt het onverkwikkelijke verleden van een prominente familie of iets dergelijks?'

'Wat dan ook.'

'Het is een interessante theorie. Ik durf het u werkelijk niet te zeggen. Als hij al iets had ontdekt, dan heeft hij het mij beslist niet verteld. Het zou best kunnen. Maar de Industriële Revolutie ligt al een hele tijd achter ons. Als u bijvoorbeeld een afstammeling wilt opsporen van iemand die zijn fortuin heeft verdiend door middel van kinderarbeid, wat in die tijd niet geheel ongebruikelijk was, zult u vrij diep moeten graven. Ik geloof niet dat er hier veel directe afstammelingen van de Romeinen zijn die nog altijd iets te verbergen hebben.'

Banks glimlachte. 'Waarschijnlijk niet, nee. En vijanden, op wetenschappelijk gebied of in ander opzicht?'

'Harry? Grote hemel, dat dacht ik toch niet. Hij was niet iemand die vijanden maakte.'

Opnieuw zag Banks ervan af de meest voor hand liggende opmerking te maken. 'Bent u bekend met die kwestie met Teddy Hackett?' vroeg hij. Ramsden wierp hem een doordringende blik toe. 'Er ontgaat u niet veel, hè?' zei hij. 'Ja, daarmee ben ik bekend. Er ligt vlak bij het cricketveld in Helmthorpe aan de andere kant van de rivier een stuk land, het heet Crabtree's Field, omdat het ooit heeft toebehoord aan een boer die Crabtree heette. Hij leeft al heel lang niet meer. Er is een bruggetje dat het land verbindt met de camping aan de overkant en Hackett wil het gebruiken om kampeerders meer "faciliteiten" te bieden, waarmee hij ongetwijfeld junkfood en speelautomaten bedoelt. De toenemende veramerikanisering van het Engelse platteland is u vast niet ontgaan, inspecteur. Er duiken tegenwoordig overal filialen van McDonald's op, zelfs in een dorp als Helmthorpe. Harold had goede redenen om aan te nemen dat daar ooit een Romeins kamp heeft gelegen, hij heeft me er het een en ander over verteld. Het kan een bijzonder belangrijke ontdekking zijn. Hij heeft geprobeerd de lokale autoriteiten over te halen om de plek als officiële opgraving aan te duiden. Uiteraard veroorzaakte dat de nodige wrevel tussen Harry en Teddy Hackett. Toch zijn ze vrienden gebleven. Ik geloof niet dat ze slaande ruzie hadden.'

'Het kan geen aanleiding hebben gevormd voor moord?'

'Volgens mij niet.' Ramsden wendde zijn hoofd weer af en staarde over de rivier naar de glanzende torens van de kathedraal. 'Ze waren vrij goed met elkaar bevriend, hoewel Joost mag weten waarom, want hun meningen stonden bij vrijwel elk onderwerp lijnrecht tegenover elkaar. Als wetenschapper hield Harry echter wel van een pittige discussie en Hackett is een redelijk intelligente tegenstander, hoewel misschien niet altijd even ethisch verantwoord. U zult Harry's vrienden in het dorp moeten vragen hoe serieus die ruzie was. Ik kwam daar lang niet vaak genoeg. Ik neem aan dat u de goede dokter en de plaatselijke derderangs schrijver al hebt ontmoet?'

Banks knikte. 'Kent u hen?'

'Oppervlakkig. Niet echt goed. Zoals ik net al zei, kom ik lang niet zo vaak in Helmthorpe als ik zou willen. Doc Barnes zit daar al zolang ik me kan herinneren. En ik heb een paar bierrijke avondjes in The Bridge doorgebracht. Er heerste natuurlijk de nodige opwinding toen Jack Barker drie of vier jaar geleden in Gratly kwam wonen, maar toen bleek dat hij niet veel van de gemiddelde bewoner verschilde, stierf dat ook weer snel weg.'

'Waar kwam hij eigenlijk vandaan? Waarom kwam hij juist in Gratly wonen?'

'Geen flauw idee. Ik heb vaag het vermoeden dat hij ergens uit Cheshire komt, maar ik zou het werkelijk niet durven zweren. Dat zult u hem zelf moeten vragen.'

'Kende hij meneer Steadman al voordat hij in Gratly kwam wonen?'

'Voorzover ik weet niet. Harry heeft het tenminste nooit over hem gehad.'

'Geeft u zijn boeken ook uit?'

'Nee, nee.' Ramsden maakte merkwaardige, snuffende geluiden door zijn neus en Banks nam aan dat het gelach moest voorstellen. 'Ik heb u al verteld waarin wij zijn gespecialiseerd. Ik heb gehoord dat Barkers boeken direct in de goedkope pocketsectie belanden.'

'Heeft meneer Steadman zich ooit iets over dokter Barnes of Jack Barker laten ontvallen?'

'Hij heeft wel het een en ander over hen gezegd, ja. Wat bedoelt u precies?'

'Alles wat ook maar een beetje vreemd overkwam. Iets waarvan u de indruk had dat de betrokkenen het misschien liever niet aan de grote klok wilden hangen.'

'Wilt u soms suggereren dat Harry hen chanteerde?'

'Zeker niet. Maar als hij inderdaad iets wist, hoe konden zij dan weten wat hij met die kennis zou doen? U zegt dat hij een integere, rechtschapen man was, dat wil ik best van u aannemen. Wat denkt u dat hij zou hebben gedaan als hij ervan op de hoogte was dat iemand bij iets illegaals of immoreels betrokken was?'

'O, nu begrijp ik wat u bedoelt.' Ramsden tikte met een geel potlood tegen zijn ondertanden. 'Dan had hij uiteraard gedaan wat moreel juist was. Dan was hij naar de autoriteiten gestapt. Alleen kan ik u nog steeds niet verder helpen. Hij heeft mij nooit verteld dat Barker of Barnes bij iets onoorbaars betrokken is geweest.'

'En Penny Cartwright?'

'Wat wilt u over haar weten? Harry heeft zich nooit negatief over haar uitgelaten.'

'Wat is uw relatie met haar?'

Ramsden zweeg even. 'Ik vind eigenlijk niet dat het u iets aangaat.'

'Misschien niet, maar ik zou het toch graag willen weten,' zei Banks.

'Het is allemaal al zo lang geleden. Er zat in elk geval geen luchtje aan. Ik zie niet in hoe u met die informatie iets opschiet.'

Banks zei niets.

'Ach, wat kan het mij ook bommen,' zei Ramsden. 'Waarom ook niet? Ik heb het u net al gezegd, we waren goed met elkaar bevriend, maar zijn uit elkaar gegroeid. We woonden min of meer in dezelfde periode in Londen, maar bewogen ons in totaal verschillende kringen. Zij was zangeres, dus trok ze met muzikanten op. Ze is altijd een beetje een rebels type geweest. U kent dat wel: ze wilde altijd anders zijn, stortte zich op alle mogelijke politieke kwesties. Ze heeft een paar platen gemaakt en als ik me niet vergis heeft ze zelfs door Europa en Amerika getoerd. Ze speelden traditionele folkmuziek – aanvankelijk tenminste – maar wel in een modern jasje, met elektrische instrumenten. Op een gegeven moment was ze het snelle leventje echter zat en is ze naar huis teruggegaan. Haar vader heeft haar alles vergeven en toen is ze in haar cottage getrokken. Hoewel haar vader af en toe een beetje erg beschermend is, leidt ze verder min of meer haar eigen leventje. Ze treedt af en toe nog wel eens op in pubs hier in de buurt.'

'Wat is haar vader voor iemand?'

'De majoor? Volgens mij is hij eerlijk gezegd nooit helemaal over de dood van zijn vrouw heen gekomen. Hij is een vreemde snuiter. Woont met zijn hond aan High Street. In een flatje boven de boekhandel van Thadtwistle. Na Penny's vertrek deden bepaalde geruchten de ronde. Nu ja, ik weet eigenlijk niet of ik u dit wel moet vertellen. Het zijn slechts dwaze dorpsroddels.'

'Daar zou ik me als ik u was maar niet al te druk over maken, meneer Ramsden. Ik ben heus wel in staat om onderscheid te maken tussen geruchten en ware feiten.'

Ramsden slikte even iets weg. Zijn adamsappel bewoog op en neer. 'Toen ze na de dood van haar moeder samen in dat huis bleven wonen, werd wel gezegd dat vader en dochter iets te intiem waren. Er werd beweerd dat hij wilde dat zij haar moeders plaats in bed innam en dat dit de reden is waarom ze er op zo jonge leeftijd vandoor is gegaan. Snapt u wat ik bedoel? Het is in deze streek niet geheel ongebruikelijk.'

Banks knikte. 'En gelooft u dat dit ook inderdaad zo was?'

'Geen haar op mijn hoofd. U weet vast wel hoe wraakzuchtig roddels kunnen zijn.'

'Maar wat had men dan tegen de Cartwrights?'

Ramsden pakte zijn potlood weer op en rolde het tussen zijn vingers heen en weer. 'Men vond hen een beetje verwaand. De majoor is altijd een tikje afstandelijk geweest en zijn vrouw kwam hier niet vandaan. De bewoners van de Dale waren vroeger heel wat bekrompener dan tegenwoordig, nu hier zoveel mensen van buitenaf zijn komen wonen. Zelfs nu nog beschouwen de meesten van hen Penny als een vrouw van lichte zeden.'

'U kende haar goed. Heeft ze er ooit iets over gezegd?'

'Nee, nooit. En ik geloof echt dat ze het me wel zou hebben verteld als er iets ongewoons aan de gang was.'

'Was ze met meneer Steadman bevriend?'

'Ja, ze waren goede vrienden. Ziet u, Penny weet door haar muziek heel veel van folktradities af en Harold wilde graag alles weten. Ze heeft hem zelfs een beetje gitaar leren spelen. Verder was ze na haar terugkeer uit het wereldje van de roem en het grote geld een tijdlang doelloos, en ik vermoed dat Harry's steun heel veel voor haar betekende. Hij had een heel hoge dunk van haar. Ze vonden het allebei heerlijk om lange wandelingen te maken, vogels en wilde bloemen te bekijken, en over het verleden te praten.'

Een flink aantal zaken om na te laten trekken dus, bedacht Banks. Hij had verder echter geen vragen meer. Hij had heel wat informatie om te verwerken en analyseren.

Hij bedankte Ramsden, nam afscheid en liep over de traag stromende Ouse terug naar zijn auto.

Bij de eerste de beste aardig ogende dorpsherberg die hij tegenkwam, verorberde hij op zijn gemak een late publunch van *shepherd's pie* en een verfrissend glas shandy van Sam Smith's Old Brewery bitter. Tijdens de rit terug naar Eastvale nam hij luisterend naar aria's van Purcell in gedachten de lijst van mensen door die bij de zaak betrokken waren en probeerde hij voor ieder van hen motief en gelegenheid te bedenken.

Om te beginnen was daar Teddy Hackett. De kwestie rond dat stuk land was misschien slechts het topje van de ijsberg en als Steadman vaker dergelijke projecten had gedwarsboomd, had Hackett een gegronde reden om van hem af te willen.

Dan Jack Barker. Geen direct voor de hand liggend motief, maar evenmin een alibi, zoals Barker zondagavond zelf al had toegegeven. De blik in zijn ogen toen hij Penny Cartwright in The Bridge zag, had boekdelen gesproken en als haar relatie met Steadman meer had ingehouden dan Ramsden hem had verteld, kon jaloezie een heel krachtig motief zijn geweest.

De volgende in de rij was dokter Barnes. Zijn alibi was beslist niet zo waterdicht als hij zelf blijkbaar dacht en hoewel Banks nog geen motief had kunnen ontdekken, was hij beslist niet van plan om hem al van zijn lijstje te schrappen.

Het leek zinloos om Emma Steadman als verdachte te blijven beschouwen: ten eerste was ze linkshandig en ten tweede had ze de hele avond televisie zitten kijken met mevrouw Stanton. Maar dan was er nog het geld. Ze had heel wat te winnen gehad bij de dood van haar man, vooral als ze niet meer door één deur konden. Misschien had ze iemand ingehuurd. Het was niet erg waarschijnlijk, maar hij kon de mogelijkheid nog niet afschrijven.

Ramsden had zo op het eerste gezicht motief noch gelegenheid gehad. Steadman bracht geld in het laatje en was dus niet alleen een oude vriend, maar ook een belangrijke cliënt. Misschien benijdde hij Steadman, maar dat was nog geen reden om hem te vermoorden. Banks wist nog niet goed wat hij aan Ramsden had. Zijn bewering dat hij een roman aan het schrijven was, bijvoorbeeld. Banks had het idee dat men op artistiek gebied wellicht grootse dingen van Ramsden had verwacht, maar dat hij daar nooit aan had kunnen voldoen. Waarom niet? Indolentie? Gebrek aan talent? Hij wekte de indruk eraan gewend te zijn dat mensen voor hem vlogen en Banks had het vermoeden dat hij als kind erg in de watten was gelegd, waarschijnlijk door zijn moeder, waardoor hij was gaan geloven dat hij heel bijzonder en getalenteerd was. Inmiddels was hij achter in de twintig en had dat talent zich nog altijd niet geopenbaard.

Penny Cartwright bleef enigszins een mysterie voor hem. Ze had misschien zowel motief als gelegenheid gehad, maar die moest hij dan nog wel zien te achterhalen. Banks wilde haar dolgraag spreken en besloot daarom die avond naar Helmthorpe te gaan. Op een gegeven moment zou hij ook met haar vader moeten gaan praten.

De tijdspanne vormde een groot probleem. Als Steadman om ongeveer kwart voor negen uit The Bridge was vertrokken en zijn lichaam om veertien over twaalf was gedumpt, waar was hij dan in die drieënhalf uur geweest en wat had hij al die tijd gedaan? Er moest toch iemand zijn die hem had gezien?

Terwijl de countertenor triest *Retir'd from any Mortal's Sight* zong, en de populieren en ligusterhagen aan weerszijden van de weg plaatsmaakten voor de huizen van Eastvale vervlogen Banks' gedachten stukje bij beetje.

'Je hebt hem dus alles verteld?'
'Het was niet mijn bedoeling, Kevin, echt niet, niet hoe je heet en alles.

Maar het was eruit voor ik er erg in had.'

Kevin keek haar wellustig aan en Sally's gezicht betrok. Ze gaf hem met haar elleboog een por tussen zijn ribben. 'Wat ben je toch een vies mannetje. Het kwam door de tijd. Veertien over twaalf. Hij zag dat ik geen digitaal horloge heb. Waarom draag je dat stomme ding eigenlijk?'

Kevin wierp een blik op zijn horloge, alsof hij probeerde te ontdekken wat eraan mankeerde. 'Geen idee,' zei hij.

'Hij piept elk uur,' vervolgde Sally, iets milder nu. 'Wat je ook aan het doen bent.'

Kevin boog zich voorover en zoende haar. Ze lag onder hem te kronkelen, en hij stak zijn hand onder haar bloes en pakte haar zachte, warme borst vast. Ze werd stevig met haar rug tegen de grond gedrukt en de vochtige, weeïge geur van gras hing in de lucht. Overal zoemden en gonsden insecten. Na een tijdje duwde ze hem weg en haalde ze een paar keer diep adem. Kevin liet zich op zijn rug rollen en staarde met zijn handen achter zijn hoofd gevouwen naar de felblauwe lucht.

'Wat vond je van die topagent uit Londen?' vroeg hij.

Sally snoof verachtelijk. 'Topagent? Ik dacht het niet. Stel je eens voor, hij is vrijwillig vanuit Londen hiernaartoe verhuisd. Die vent is vast niet goed bij zijn hoofd.'

Kevin draaide zich om en keek haar leunend op een elleboog met een lange graspriet tussen zijn tanden geklemd aan. 'Wat heeft hij precies gezegd?'

'Het interesseerde hem volgens mij geen bal. Hij heeft me alleen een heleboel stomme vragen gesteld. Ik weet niet waarom ik eigenlijk al die moeite heb gedaan. De volgende keer pas ik ervoor om de politie te helpen, neem dat maar van mij aan.'

'De volgende keer?'

'Als ik weer iets ontdek, bedoel ik.'

'Waarom zou je weer iets ontdekken? Het was puur toeval dat we die auto hebben gehoord. We wisten niet eens wat het was.'

'Maar nu weten we het wel. Ben je niet nieuwsgierig? Wil je dan niet weten wie het heeft gedaan?'

Kevin haalde zijn schouders op. 'Ik wil er niet bij betrokken worden. Ik laat liever alles aan de politie over. Daar worden ze toch voor betaald?'

'Wat een bekrompen redenatie, zeg,' zei Sally minachtend.

'Maar wel verstandig.'

'Nou en? Het is helemaal niet leuk om altijd verstandig te zijn.'

'Waar wil je nou eigenlijk naartoe?'

'Niets. Misschien ga ik zelf wel op onderzoek uit. Ik woon hier al mijn hele leven. Ik zou toch moeten weten wat zich in het dorp allemaal afspeelt.'

'Wat kun jij nou doen dat de politie niet kan?'

'Dat weet ik nog niet, maar ik wed dat ik het beter doe dan zij. Zou het niet geweldig zijn als ik de zaak voor hen oploste?'

'Doe niet zo stom, Sally. We hebben het hier al eens eerder over gehad. Je weet hoe ik erover denk. Het is gevaarlijk.'

'Hoezo?'

'Stel dat de moordenaar weet wat je allemaal uitspookt? Stel dat hij denkt dat je misschien te veel weet?'

Sally huiverde. 'Maak je niet druk, ik zal voorzichtig zijn. Trouwens, als je bang bent voor een beetje gevaar kom je nooit ergens.'

Kevin gaf het op. Sally streek haar rok glad en ging weer op haar rug liggen. Ze bevonden zich hoog op de zuidelijke flank van de Dale en keken uit over het kruisvormige Gratly en het dambord dat werd gevormd door de leistenen daken van Helmthorpe. Sally plukte een boterbloem en hield hem tegen haar kin. Kevin pakte de bloem van haar af en streek ermee langs haar hals en sleutelbeen. Ze rilde. Hij zoende haar weer en stak zijn andere hand onder haar rok om het tere vlees van haar dij vlak onder haar slipje te strelen.

Plotseling hoorde Sally iets: een twijgje dat knapte of een tak die terugveerde. Ze ging snel rechtop zitten, waardoor Kevin met zijn gezicht op het gras belandde.

'Er komt iemand aan,' fluisterde ze.

Enkele ogenblikken later dook er een gedaante op uit het kleine bosje kreupelhout aan de oever van het beekje. Sally hield haar hand boven haar ogen tegen de zon om te zien wie het was.

'Hallo, mevrouw Cartwright,' riep ze.

Penny liep naar hen toe, knielde neer op het gras en streek haar haren naar achteren. 'Hallo. Wat een prachtige dag, hè?'

'Ja,' antwoordde Sally. 'We zaten net even wat uit te rusten. We hebben bijna de hele middag gewandeld.'

'Ik heb hier in de omgeving ook heel veel gewandeld toen ik net zo oud was als jullie,' zei Penny stilletjes, bijna in zichzelf. 'Dat lijkt nu eeuwen geleden, maar in werkelijkheid is het maar tien jaar. Je zou er versteld van staan hoe snel de tijd verstrijkt. Geniet er maar van zolang het kan.'

Sally wist niet goed wat ze moest zeggen; ze geneerde zich een beetje. Na een ongemakkelijke stilte zei ze: 'Het spijt me van uw vriend, meneer Steadman. Hij was een aardige man.'

Penny moest blijkbaar van heel ver terugkomen om zich te kunnen concentreren op wat ze had gezegd. Even dacht Sally dat ze haar meelevende opmerking niet had gehoord, maar toen verscheen er een warme glimlach op Penny's gezicht en ze zei: 'Dank je. Ja, dat was hij zeker.' Ze stond op en veegde wat grassprietjes van haar lange rok. 'Ik moet er weer eens vandoor. Ik zal jullie jonge mensen niet langer vervelen met mijn herinneringen.'

Zwijgend keken Sally en Kevin toe terwijl ze met krachtige, vastberaden stappen de helling op wandelde. Een eenzame, ontembare gedaante, vond Sally haar, net Catherine uit *Woeste hoogten*: een vrouw die thuishoorde op de heide, de ziel van de streek vertegenwoordigde. Toen voelde ze Kevins palm weer op haar warme dij.

Verderop op de helling bleef Penny even op een overstap in de muur staan en liet ze haar blik over de Dale glijden die zich onder haar uitstrekte en waarvan ze zoveel hield. Daar was de kerk bij haar cottage, de High Street en de gewitkalkte voorgevel van The Dog and Gun. Aan de andere kant van de rivier, achter het cricketveld en Crabtree's Field, rees het steeds ruiger wordende grasland op tot aan Crow Scar, dat die dag zo schel glansde dat het pijn deed aan haar ogen.

Ze kon er echter niet lang naar kijken zonder aan Harry te denken, want hij was degene geweest die haar de geheimen van Swainsdale had laten zien, de diepte en het leven die onder de oppervlakkige schoonheid verborgen lagen. Ze beeldde zich in dat ze het ingestorte deel van Tavistocks muur kon zien. De stenen die waren gebruikt om Harry's lichaam te bedekken leken donkerder dan de andere.

Toen ze terugkeek in de richting van waaruit ze was gekomen, zag Penny de twee jonge geliefden in een innige omhelzing samensmelten op het gras. Ze glimlachte triest. Toen ze naar hen toe liep, was haar al opgevallen hoe nerveus en gegeneerd ze eruit hadden gezien.

Opnieuw moest ze aan Harry denken. Plotseling dook de herinnering aan een picknick van jaren geleden in haar hoofd op. Het moest precies op de plek zijn geweest waar Sally en Kevin nu lagen. Het uitzicht op het dorp stond haar heel helder voor de geest en ze hadden bij een bosje gezeten, want Emma had in de schaduw zitten breien. Hoe meer ze zich concentreerde, des te duidelijker zag ze de details weer voor zich. Het was rond de tijd geweest dat Michael en zij langzaam uit elkaar groeiden. Hij had gedichten van Shelley liggen lezen. Penny herinnerde zich zelfs het versleten bruine leer van het boekomslag nog; het was een tweedehands editie geweest die zij hem voor zijn verjaardag had gegeven. Harry en zij hadden het roodgeruite kleed op het gras uitgespreid en pakten de picknickmand uit. Op een of andere manier hadden hun handen elkaar per ongeluk aangeraakt. Penny wist nog dat ze had gebloosd en Harry was snel op zoek gegaan naar de kurkentrekker. Voor de chablis. Ja, ze hadden die dag chablis gedronken, een goed jaar, en nu, tien jaar later, proefde ze de frisse, krachtige smaak van de koele wijn weer op haar tong.

Het beeld vervaagde net zo snel als het was opgekomen. Het was allemaal zo onschuldig geweest, zo verdomd onschuldig! Ze veegde de tranen in haar ogen met de rug van haar hand weg, sprong van de overstap in de muur en liep gedecideerd verder.

Toen Banks uit York terugkwam, zat Hackett al een uur te wachten en hij was behoorlijk chagrijnig.

'Hoor eens,' sputterde hij toen Banks hem voorging naar zijn kantoor, 'dit kunnen jullie niet maken. Jullie kunnen me niet zomaar zonder enige uitleg meenemen naar het bureau. Ik heb wel een bedrijf te runnen. Ik heb u gisteravond alles al verteld.'

'U hebt me gisteravond helemaal niets verteld.' Banks trok zijn jas uit en hing hem aan het haakje aan de binnenkant van de deur. 'Ga zitten,' zei hij. 'Maak het uzelf gemakkelijk.'

Het was benauwd in de kamer en Banks zette het raam open, waardoor de geuren van Market Street naar binnen kwamen drijven: uitlaatgassen, versgebakken brood, een zoete, weeïge walm uit de chocoladewinkel. Hackett zat kaarsrecht op zijn stoel en verviel in een gespannen, beledigd stilzwijgen.

'Er is werkelijk geen enkele reden om zo moeilijk te doen,' merkte Banks op. Hij haalde zijn pijp tevoorschijn en klopte deze uit boven de rieten prullenbak.

'Waarom heeft die brigadier van u me dan gekidnapt en hiernaartoe gesleept? Ik wil mijn advocaat erbij.'

'Och, windt u toch niet zo op, meneer Hackett! Het is nergens voor nodig om zo melodramatisch te doen. U hebt veel te veel Amerikaanse films op televisie gezien. Ik ga u niet in staat van beschuldiging stellen of iets dergelijks. Als brigadier Hatchley een beetje bruusk heeft gehandeld, dan spijt me dat, zo is hij nu eenmaal. Ik heb slechts een paar vragen voor u, meer niet.' Hij keek Hackett doordringend aan. 'Gewoon een of twee dingetjes die we graag willen ophelderen.'

'Maar waarom moet u mij dan hebben? Waarom niet Jack of de dokter?'

'Weet u of zij mogelijk een reden hebben gehad om meneer Steadman te vermoorden?'

'Nou, nee. Zo bedoelde ik het niet. Het is alleen...'

'Heeft hij zich tegenover u ooit iets over hen laten ontvallen, u enige reden gegeven om te denken dat een van hen hem uit de weg wilde hebben?'

'Nee. Dat bedoelde ik helemaal niet. Ik wil echt niet iemand anders de schuld in de schoenen schuiven. Ik wil alleen maar weten waarom u nou juist mij moest hebben.'

'Crabtree's Field.' Banks pakte zijn pijp en tastte naar de lucifers.

Hackett zuchtte. 'Dus dat is het. Iemand heeft zijn mond voorbij zitten praten. Ik had kunnen weten dat u er binnen de kortste keren wel achter zou komen.'

Banks stak zijn pijp op en tuurde naar het plafond. Er druppelde wat oud tabakssap door de steel in zijn keel; hij hoestte en trok een vies gezicht.

Hackett keek hem kwaad aan. 'Het zal u allemaal worst zijn, hè? Nou, het gaat verdomme helemaal niemand iets aan...'

'Het gaat de politie wel degelijk iets aan, meneer Hackett,' onderbrak Banks hem. Hij legde zijn pijp weg en dronk de koude koffie op die nog in zijn mok zat. 'En ik zou zeggen: hoe eerder we dit hebben opgehelderd, hoe beter.'

Hackett schoof onrustig heen en weer op zijn stoel en streek zijn hangsnor glad. 'Het had niets te betekenen,' zei hij. 'Gewoon een klein verschil van mening over een stukje land van nog geen tienduizend vierkante meter, meer niet.'

'Er zijn landen om wel minder binnengevallen,' merkte Banks op en hij vertelde Hackett wat hij precies had gehoord.

'Ja,' zei Hackett instemmend, 'dat klopt wel min of meer. Maar ik zou daarvoor echt niemand vermoorden en zeker niet zo'n goede vriend als Harry. Ik mocht hem graag, ook al had hij het liefst de hele verdomde

Dale tot verboden gebied laten bestempelen en aan de National Trust overgedragen. Ik respecteerde zijn principes, ook al dacht ik er anders over dan hij.'

'Maar u hebt dus wel ruzie gehad over dat land?' hield Banks vol.

'We hebben er woorden over gehad, ja. Maar dat was deels voor de grap. Dat kunnen de anderen bevestigen. Harry hield wel van een stevige discussie. Zo belangrijk was het nu ook weer niet.'

'Geld is altijd belangrijk, meneer Hackett. Hoeveel zou u eraan hebben verdiend als u het land in uw bezit had gekregen?'

'Dat kan ik met geen mogelijkheid zeggen. In eerste instantie een tijd lang helemaal niets. In feite zou ik er eerst geld op hebben moeten toeleggen. De aankoopsom, de bouw, de publiciteit... Het had misschien wel jaren geduurd voordat ik winst zou hebben gemaakt.'

'U deed het dus eigenlijk puur voor de lol?'

'Nee, dat nu ook weer niet. Ik ben gek op het zakenleven. Het is een manier van leven die me wel ligt. Ik sluit graag deals. Ik vind het leuk om iets vanaf de grond af aan op te bouwen. Maar ik zou er natuurlijk geen goed geld in stoppen als ik niet dacht dat het uiteindelijke rendement substantieel zou zijn.'

'Kunnen we dan vaststellen,' vroeg Banks, 'dat u inderdaad hoopte op een bepaald moment een aanzienlijk bedrag te verdienen met uw investering?'

'Ja, wat dacht u dan. Uiteindelijk wel.'

'En nu?'

'Hoezo? Ik kan u even niet volgen.'

'Och, kom nu toch, meneer Hackett. Niet de vermoorde onschuld uithangen, alstublieft. U hebt nu immers vrij spel? Het land is van u.'

Hackett lachte en ontspande zich. 'Dat ziet u helaas helemaal verkeerd. Volgens mij is Harry namelijk in zijn opzet geslaagd. In elk geval gebeurt er momenteel helemaal niets met dat land. Ik vermoed dat die knul van Ramsden het werk van zijn leermeester wel zal voortzetten en afmaken. Een Romeins kamp, verdomme! Ik kan er met mijn hoofd echt niet bij! Wat stelt dat nou helemaal voor, afgezien van een paar gebarsten potten en wat stenen? Het is ook geen wonder dat het tegenwoordig zo slecht gaat met de economie. Er is totaal geen ruimte meer voor nieuwe initiatieven.'

'O,' zei Banks met geveinsde verbazing, 'ik dacht dat de regering kleine bedrijven juist aanmoedigde.'

Hackett staarde hem woest aan; Banks wist niet zeker of dat was vanwege zijn geringschattende opmerking over diens zakelijke belang voor de fiscus of omdat hij op zijn losse opmerking was ingegaan. 'U weet best wat ik bedoel, inspecteur. We worden door historische genootschappen en VVV's aan alle kanten aan banden gelegd. Als u het mij vraagt hebben ze allemaal een achterlijk romantisch beeld van het verleden. Het is één grote mythe. Zo ging het er in vroeger tijden helemaal niet aan toe; jezus, het was helemaal niet zo keurig netjes als die lui blijkbaar allemaal denken. Het leven was akelig, ruw en kort. Dat ik nooit heb gestudeerd, wil heus nog niet zeggen dat ik een stuk onbenul ben. Ik lees ook wel eens een boek. Volgens mij zag Harry het verleden door een veel te rooskleurige bril. En Penny Cartwright ook. In werkelijkheid was het leven toen helemaal geen lolletje. Denk maar eens aan die arme Romeinen die hier met bevroren ballen in het noorden zaten, terwijl ze ook met hun luie gat in de zon op de zeven heuvelen hadden kunnen liggen, lekker wijn drinken en met de plaatselijke sletjes rotzooien. En de Industriële Revolutie, dat was pure uitbuiting, meer niet, zwaar, ruw werk voor de meeste mensen. Nee, inspecteur, Harry had ondanks al zijn diploma's geen flauw idee wat het verleden echt inhield.'

'Misschien zou u eens ergens anders moeten kijken,' opperde Banks. 'Ik betwijfel of ze in bijvoorbeeld Wigan of Huddersfield veel waarde hechten aan de plaatselijke geschiedenis.'

'U zou er nog van opkijken,' zei Hackett. 'Het is overal hetzelfde liedje. Ze noemen het burgerlijke trots. Ze prijzen Bradford tegenwoordig zelfs aan als "toegangspoort tot Brontë-land", en als ze daarmee wegkomen, is werkelijk alles mogelijk. Trouwens, het bevalt me hier best. U moet niet denken dat ik de natuur hier niet waardeer, puur en alleen omdat ik zakenman ben. Ik ben net zo met het milieu begaan als ieder ander.'

'Wat hebt u zaterdagavond gedaan?' vroeg Banks, die zijn pijp te lijf ging met een pijpenrager.

Hackett krabde langs zijn terugtrekkende haargrens. 'Nadat ik uit The Bridge was weggegaan, ben ik naar een nieuwe nachtclub in Darlington geweest. Ik ben er met de auto naartoe gereden, heb wat gedronken in een pub daar in de buurt en ben toen naar de club gegaan. De eigenaar is een kennis van me. We hebben wel eens samen zakengedaan.'

'Hoe laat bent u bij The Bridge weggegaan?'

'Rond halftien.'

'En u bent direct naar Darlington gereden?'

'Nee, niet helemaal. Ik ben eerst naar huis gegaan om me om te kleden.'

'Hoe laat bent u dan naar Darlington gegaan?'

'Ongeveer tien voor tien.'

'En hoe laat kwam u daar aan?'

'Halfelf, tien over half.'

'En hoe laat bent u naar die nachtclub gegaan?'

'Halftwaalf, kwart voor twaalf.'

'Hoe heet hij?'

'De Kit Kat Klub. Is pas een paar weken open. Het is een soort van disco, maar dan minder luidruchtig. Bestemd voor een iets volwassener publiek.'

'Ik neem aan dat u daar mensen kende, mensen die uw verhaal kunnen bevestigen?'

'Ik heb daar inderdaad met verschillende mensen gesproken, ja. En dan is Andy Shaw, de eigenaar, er natuurlijk ook nog.'

Banks noteerde enkele gegevens, waaronder de naam van de pub, en merkte intussen op dat Hackett erg bezorgd keek.

'Verder nog iets wat u ons kunt vertellen, meneer Hackett?'

Hackett beet op zijn lip en fronste zijn wenkbrauwen. 'Nee, niets.'

'Goed, dan mag u nu weg,' zei Banks. Hij stond op en liep naar de deur om deze open te houden.

Nadat Hackett het pand had verlaten, riep Banks Hatchley bij zich om hem te vragen of hij tijdens het doorzoeken van Steadmans werkkamer nog iets had gevonden.

'Niets belangrijks,' zei Hatchley. 'Een paar manuscripten, brieven aan historische genootschappen, ze liggen op mijn bureau, als u ze wilt zien.'

'Straks.'

'En hij had ook zo'n dure computer, een word processor. Hij moest zijn geld natuurlijk ergens aan uitgeven, denk ik zo. Weet u nog hoe wij hebben moeten bidden en smeken voordat de centrale administratie toestond dat we er beneden een kregen?'

Banks knikte.

'En nu sturen ze die aap van een Richmond naar de kust om te leren hoe hij dat kreng moet gebruiken.' Hatchley schudde traag zijn hoofd en liep het kantoor uit.

Na wat in dat deel van het land voor de spits moest doorgaan, reed Banks rond een uur of halfzeven het grootste parkeerterrein van Helmthorpe op. Hij was bij de korte lijkschouwing aanwezig geweest, had de pers weer wat informatie gegeven en had snel thuis met Sandra en de kinderen gegeten. Penny Cartwright stond af te wassen, genietend van het speelse licht van de avondzon dat op glanzende voorwerpen weerkaatste en langs de muren danste. Toen ze hoorde dat er werd aangeklopt, veegde ze snel haar handen af aan haar schort en ze liep naar de deur. Ze had meteen door dat de donkerharige, pezige man die daar stond de politieman was over wie Barker haar had verteld. Ze had echter niet verwacht dat hij zo knap zou zijn en voelde zich onmiddellijk heel onaantrekkelijk in haar schort, met haar haren opgebonden in een lange paardenstaart.

'U kunt maar beter even binnenkomen,' zei ze. 'We willen niet dat de buren weer iets hebben om over te kletsen.' Ze wees hem op een versleten leunstoel en schoot de keuken in, waar ze snel het vieze schort uittrok, de paardenstaart losmaakte en haar haren even borstelde, zodat deze om haar gezicht vielen en over haar schouders hingen.

Het kordate, informele gedrag van zijn gastvrouw kwam als een verrassing voor Banks, evenals haar schoonheid. Ze zag er goed uit in haar strakke spijkerbroek en haar opvallende haar omlijstte een trots gezicht met hoge jukbeenderen zonder een spoortje make-up. Haar ravenzwarte haar en felblauwe ogen vormden een verbluffend fraaie combinatie.

Penny ging op een stoel met een rechte rugleuning aan een secretaire zitten en vroeg Banks wat ze voor hem kon doen.

Om een vriendelijke, ontspannen sfeer te creëren zei hij nonchalant: 'Misschien niets, mevrouw Cartwright. Ik wil alleen graag met alle vrienden-en bekenden van meneer Steadman praten om een idee te krijgen van wat voor man hij was.'

'Waarom wilt u dat weten?' vroeg Penny. 'Is dat dan belangrijk?'

'Misschien niet zo belangrijk als voor u,' gaf Banks toe. 'Ik kende hem tenslotte niet persoonlijk. Door er echter achter te komen wat voor soort man hij was, kunnen we er achterkomen wie hem heeft vermoord. En dat vind ik wel degelijk belangrijk. Iemand heeft dit tenslotte gedaan, maar tot nu toe heb ik alleen maar gehoord hoe geweldig hij was, een man die niet één vijand had.'

'Waarom denk u dat u van mij iets anders te horen zult krijgen?' vroeg Penny. Om haar lippen lag een spottend glimlachje.

'Een gokje.'

'Dan hebt u het bij het verkeerde eind, inspecteur. Van mij hoort u niets. Het is allemaal echt waar. Ik kan werkelijk met geen mogelijkheid be-

denken wie hem zoiets zou willen aandoen, al hing mijn leven ervan af.'
Banks slaakte een diepe zucht. Het beloofde een lastige avond te worden.
'Het is voor u maar goed dat het niet om uw leven gaat, mevrouw Cartwright,' zei hij, 'maar om dat van meneer Steadman. Iemand heeft daaraan heel plotseling en wreed een einde gemaakt. Bent u op de hoogte van
zijn zakelijke beslommeringen?'
'U bedoelt die heisa om Crabtree's Field? Werkelijk, inspecteur, denkt u nu
echt dat er in Teddy Hackett een moordenaarstype schuilgaat? Die durft
nog geen worm dood te trappen. Hij mag dan een meedogenloos zakenman zijn – hoewel de concurrentie hier in de omgeving niet echt veel soeps
is en hij als u het mij vraagt eerder door heel veel geluk zover is gekomen
dan door goed management – maar een moordenaar? Hackett? Echt niet.'
'Er gebeuren wel vreemdere dingen.'
'O, dat weet ik wel: "Er zijn meer dingen tussen hemel en aarde, Horatio,
dan in uw levensbeschouwing voor mogelijk wordt gehouden," ' citeerde ze.
'Het is misschien niet een echte mogelijkheid,' vervolgde Banks, 'maar het
is de enige die we tot nu toe hebben.'
'Dat is weer typisch iets voor de politie,' zei Penny spottend. 'De eerste de
beste stakker die geen brandschoon verleden blijkt te hebben, wordt meteen aan het kruis genageld. Nu ja,' voegde ze eraan toe, 'Hackett zal door
niemand echt worden gemist. In tegenstelling tot Harry.'
'Hoe lang kende u meneer Steadman al?' vroeg Banks.
'Dat hangt af van wat u onder "kende" verstaat.' Penny stak een lange fil-
tersigaret op en ging toen verder: 'Ik heb hem jaren geleden voor het eerst
ontmoet toen ik nog een tiener was en hij met Emma zijn vakantie in Gratly kwam doorbrengen. Ze waren hier toen al twee of drie keer eerder geweest en ik heb hen leren kennen via Michael. Michael Ramsden. Ze lo-
geerden in de *bed & breakfast* van zijn ouders, in het huis waarin de
Steadmans nu wonen. Ik was een jaar of zestien, en Michael en ik hadden
indertijd verkering, dus ik zag hen vrij vaak.'
Banks knikte. Dat ouderwetse woord 'verkering' klonk uit Penny's mond
geweldig erotisch. Het was zo ongekunsteld en volledig in strijd met haar
gesloten, agressieve houding.
'We hebben heel veel samen gewandeld,' ging ze verder. 'Harry wist ontzettend veel over de streek en de geschiedenis ervan. Dat was zijn ware liefde. En toen... ach. Het was een prachtige zomer, maar ook die ging voorbij,
zoals alle zomers.'

'Ach, ja: "Maar waar is de sneeuw van eertijds gebleven?"' citeerde Banks nu op zijn beurt.

'Het was zomer; er was niet echt veel sneeuw.'

Banks zag dat om de hoeken van haar bleke lippen een glimlachje speelde. 'Dat was dus zo'n tien jaar geleden?' vroeg hij.

Penny knikte langzaam. 'Bijna tien jaar. Inderdaad. Maar daarna werd alles anders. Michael ging naar de universiteit. Hij was achttien. Ik ging weg. De jaren verstreken. Harry erfde wat geld en kocht het huis. Ik was toen alweer een maand of acht terug, min of meer de terugkeer van de verloren dochter. Het zwarte schaap. De meeste mensen zagen me niet meer staan, maar Harry had altijd tijd voor me.'

'Wat bedoelt u daar precies mee, dat ze u niet meer zagen staan? Waar was u geweest? Waarom was u teruggekomen?'

'Het is een lang verhaal, inspecteur,' zei Penny. 'En ik ben er niet helemaal van overtuigd dat het onder het kopje relevante informatie valt. In het kort komt het er echter op neer dat ik een jaar of acht, negen in de muziekwereld heb gezeten. Naast de lol en de bescheiden roem had ik toch vooral heel veel heimwee. Uiteindelijk werd ik enorm cynisch en toen vond ik het tijd worden om naar huis te gaan. De mensen hier waren niet echt vriendelijk, want ze hebben een hekel aan alles wat modern is en wisten niet goed hoe ze met me moesten omgaan. Ik weet zeker dat ze allerlei verhalen over me hebben verzonnen die bij hun vooringenomen mening aansloten. Ze wisten niet wie of wat ik was, dus vormden ze nogal wat veronderstellingen op basis van wat ze in de zondagskranten over de muziekwereld hadden gelezen, en dan heb ik het natuurlijk niet over *The Sunday Times*. Ze beschouwden me als een ontaarde vrouw van lichte zeden. In feite was ik dat volgens hen altijd al geweest, ze konden natuurlijk niet toegeven dat ze me vroeger verkeerd hadden ingeschat. Beantwoordt dit uw vragen een beetje?'

Ze zweeg even, maar keek Banks niet aan. 'Mijn vader heeft het er erg moeilijk mee gehad, maar accepteerde wel dat ik terugkwam. Waarom ik nu dan niet bij hem woon? Dat is toch uw volgende vraag? Omwille van mijn gezondheid, inspecteur, mijn geestelijke gezondheid. Laten we het er maar op houden dat hij wat mijn welzijn betreft een beetje overbezorgd is. Ik ben inmiddels een grote meid. Het leek ons voor ons allebei het beste dat ik in deze kleine cottage trok. Dat begrijpt u toch zeker wel?'

'Natuurlijk. Er deden ook bepaalde geruchten de ronde, heb ik gehoord?'

Penny lachte ruw. 'O, dat weet u dus ook al? Ziet u nu hoe aardig en intiem ons dorp is? Geneer u vooral niet, inspecteur, vraag het me gerust. Toe dan.'

Haar felblauwe ogen schitterden van kwaadheid. Banks zei niets. Na een tijdje wierp Penny hem een verachtelijke blik toe en wendde ze zich af om een nieuwe sigaret uit het pakje te halen.

'Dus uw vader en Harold Steadman waren de enigen die u vriendelijk bejegenden?'

'Ja.' Penny aarzelde even. 'En Jack Barker. Hij woonde hier toen ongeveer een jaar en was er niet van op de hoogte wat zich vroeger had afgespeeld. Niet dat hij zich daar iets van zou hebben aangetrokken. Hij is een goede vriend van me.'

'En nu?'

'Nu?' Penny lachte. 'Langzaam maar zeker groeten mensen me weer.'

'Ziet u Michael Ramsden nog vaak?'

'Niet echt. Alleen wanneer hij bij The Bridge langs komt of samen met Harry even aanwipt. Soms groei je nooit meer naar elkaar toe nadat je eenmaal uit elkaar bent gegroeid.'

'En u kunt geen enkele reden bedenken waarom iemand meneer Steadman kwaad zou willen doen?'

'Geen enkele. Dat heb ik u toch al gezegd.' Penny fronste nadenkend haar gladde voorhoofd en schudde toen triest haar hoofd. 'Hij was niet hebzuchtig of manipulatief. Hij bedroog nooit iemand, loog niet.'

'Wat vond zijn vrouw van jullie relatie?'

'Emma? Niets, zou ik zo denken. Ze was waarschijnlijk blij dat hij zo vaak weg was.'

'Waarom zegt u dat? Waren ze niet gelukkig samen?'

Penny staarde hem aan alsof hij zojuist onder een steen vandaan was gekropen en blies nijdig haar rook uit. 'Hoe moet ik dat nu weten? Vraag het haar zelf maar.'

'Ik vraag het aan ú.' Hij had gehoopt deze wending in het gesprek te kunnen vermijden, maar met iemand die zo antiautoriteit was als Penny Cartwright was het onoverkomelijk, bedacht hij peinzend. Ze had de hele tijd met hem gespeeld. Hij drong aan: 'Geen antwoord?'

'Ik zei het net al: dat weet ik niet,' zei ze. 'Wat wilt u dan in godsnaam dat ik zeg?'

'Hadden ze een normaal huwelijk?'

'Normaal? Ha! Wat is tegenwoordig verdomme nog normaal? Ja, ik neem aan van wel. Ik ben zelf nooit getrouwd geweest, dus ik ben niet de aangewezen persoon om dat aan te vragen.'

'Waren ze gelukkig?'

'Dat denk ik wel. Zoals ik al zei, dat weet ik echt niet. Hij beschouwde me niet als een vertrouwelinge of een schouder om op uit te huilen.'

'Had hij daar dan behoefte aan?'

Penny zuchtte diep en steunde met haar hoofd op haar handen. 'Hoor eens,' protesteerde ze vermoeid, 'zo komen we geen steek verder. Wat wilt u nu van me?'

Banks negeerde haar vraag en zette door: 'Wat betekende u precies voor meneer Steadman?'

'Harry en ik waren vrienden. Alleen maar vrienden. Dat heb ik u al verteld. We hadden gemeenschappelijke interesses.'

'En zijn vrouw had daartegen geen bezwaar?'

'Ze heeft er tegen mij nooit iets over gezegd. Waarom zou ze? Harry heeft er trouwens ook nooit iets over gezegd.'

'U kent haar dus wel?'

'Ja, natuurlijk ken ik haar, verdomme. Harry en ik hadden echt niet stiekem een relatie, zoals u blijkbaar denkt. Ik ben heel vaak bij hen thuis wezen eten. Ze was altijd heel vriendelijk en charmant. En ze kon fantastisch koken.'

'Waar hadden jullie het dan zoal over?'

'Wanneer Emma erbij was, bedoelt u?'

'Ja.'

'Niets bijzonders. Heel gewone dingen. Harry en zij hadden niet bepaald dezelfde interesses. Ze houdt van muziek, voornamelijk klassieke. Jezus, waar heb je het normaal gesproken over wanneer je bij iemand thuis gaat eten?'

'Hebt u een affaire gehad met Harold Steadman?'

Eindelijk, de onvermijdelijke vraag. Toen het er eenmaal uit was, voelde Banks zich enorm opgelaten. Als hij echter een woede-uitbarsting of een honende lachbui had verwacht, kwam hij bedrogen uit. In plaats daarvan nam zijn vraag juist alle opgebouwde spanning uit het gesprek weg en Penny staarde hem met een geamuseerd lichtje in haar hemelsblauwe ogen aan, alsof zij zijn botte gedrag bewust had uitgelokt.

'Nee, inspecteur,' antwoordde ze, 'ik heb geen affaire met Harry Steadman of wie dan ook gehad. Ik heb al evenmin een affaire met Emma Steadman of mijn vader. Alles is precies zoals ik het u heb verteld. Ik had gewoon niet zulke gevoelens voor Harry en voorzover ik weet hij ook niet voor mij.' Banks bedacht dat Steadman dan niet goed bij zijn hoofd was geweest. 'Hij wond me lichamelijk niet op,' ging ze verder en ze stak weer een sigaret op en liep rokend door de kleine kamer. 'Wel mijn geest, mijn verbeelding. En ik mocht hem erg graag. Hij was een goed mens, een intelligente, lieve man. Misschien hield ik op platonische wijze wel van hem, maar verder dan dat ging het niet.' Ze schudde haar haren naar achteren en ging met hooggeheven kin tegenover hem zitten. In haar ogen glansden dikke tranen, maar ze rolden niet over haar wangen. 'Goed, inspecteur,' zei ze waardig. 'Ik heb mijn ziel voor u blootgelegd. Hebt u nu uw zin?'

Banks was geroerd door de onmiskenbare intensiteit van haar gevoelens, maar wilde niet tonen dat ze een gevoelige snaar bij hem had geraakt.

'Wanneer hebt u hem voor het laatst gezien?' vroeg hij.

Aan haar ogen kon hij de reeks mogelijkheden aflezen die ze de revue liet passeren. Het was een fenomeen dat Banks vaak had geobserveerd bij mensen die snel moesten beslissen of ze zouden liegen of de waarheid vertellen.

Penny deed haar mond open, maar sloot hem ook weer. Ze nam nog een trekje van haar sigaret, drukte de half opgerookte peuk uit en zei zachtjes: 'Zaterdag. Zaterdagavond.'

'Hoe laat?'

'Een uur of negen.'

'Nadat hij uit The Bridge was weggegaan?'

'Ja. Hij is hier even langs geweest.'

'Waarom hebt u me dat verdomme niet eerder verteld? U wist dondersgoed dat u belangrijke informatie achterhield.'

Penny schokschouderde. 'U hebt het me niet gevraagd. Ik wilde er niet bij worden betrokken.'

'U wilde er niet bij worden betrokken,' herhaalde Banks verachtelijk. 'U beweert dat u de man mocht, dat hij u heeft geholpen, maar vervolgens doet u dus geen enkele moeite om ons te helpen zijn moordenaar op te sporen?'

Penny zuchtte en wond een lok haar om haar wijsvinger. 'Moet u eens horen, inspecteur,' zei ze, 'ik weet dat het slap klinkt, maar het is echt waar. Ik zie echt niet in hoe u iets kunt hebben aan zijn bezoek aan mij. Verdorie,' zei ze plotseling kwaad, 'volgens mij ben ik de politie helemaal niets verschuldigd.'

'Daar gaat het niet om. Uw persoonlijke gevoelens jegens de politie kunnen me werkelijk gestolen worden. Wat wel belangrijk is, is het tijdstip. Met uw informatie kunnen we op zijn minst het tijdstip van de moord nauwkeuriger bepalen. Hoe laat is hij hier weggegaan?'

'Om een uur of tien.'

'Heeft hij ook gezegd waar hij naartoe ging?'

'Ik ging ervan uit dat hij naar York ging. Daar had hij het over gehad.'

'Hij heeft niet gezegd dat hij eerst bij iemand anders langs moest, nog iets anders moest doen?'

'Nee.'

Het was in elk geval weer een uur waarover duidelijkheid bestond. Banks had verder niets meer te zeggen; zijn gesprek met Penny had hem volledig uitgeput. Ze zat zich blijkbaar te ergeren en de spanning tussen hen beiden nam weer toe, net zo tastbaar als het blad van een beugelzaag dat steeds strakker werd aangedraaid. Ten slotte was het Penny die de stilte verbrak.

'Hoor eens,' stak ze van wal, 'het spijt me, heus. Ik geef echt wel om Harry. Alleen leiden verwikkelingen met de politie in mijn leven altijd tot problemen. Ik ben nog nooit eerder bij een moordonderzoek betrokken geweest, dus ik weet niet wat belangrijk is en wat niet. Wanneer je in de muziek zit, jong bent en met bepaalde mensen omgaat, krijg je een vertekend beeld van de autoriteiten: politie, douanebeambten, immigratie, veiligheidsmensen. Het is net of iedereen tegen je is; het zijn allemaal etters.'

Banks kon een glimlach niet onderdrukken. 'Drugs?' vroeg hij.

Penny knikte. 'Ik niet. Ik heb er nooit aan meegedaan. Niet met het zware spul, in elk geval. Maar u weet hoe dat gaat in Londen. Overal zie je drugs, of je nu zelf gebruikt of niet. Tuurlijk, ik heb heus wel eens een joint gerookt en zelfs een keertje amfetaminen geslikt om het vol te houden tijdens een tournee, maar nooit het zware spul. Probeer daar de narcoticabrigade maar eens van te overtuigen.'

Banks wilde ertegenin gaan en het opnemen voor de politie, maar hij was te moe en besefte bovendien dat het toch geen enkele zin zou hebben. Trouwens, hij wist ook wel dat de politie een dwarsdoorsnede van de rest van de bevolking was; de meesten waren hufters en een enkeling niet. Hij had een hoge piet in de narcoticabrigade gekend die stelselmatig illegale substanties had verstopt op het lichaam van mensen die hij een tijdje uit de weg wilde hebben en dergelijk gedrag was absoluut niet zeldzaam of ongebruikelijk. Ook hing er een vertrouwde geur in Penny's cottage. Hij wist wat het was, maar had er geen enkele behoefte aan om er iets van te zeggen.

Hij stond op en Penny liep met hem mee naar de deur. Hij voelde aan dat ze door hem wilde worden gerustgesteld, dat hij haar zou vergeven voor het feit dat ze zo had gehandeld. Hij wist echter niet hoe hij dat moest aanpakken. Bij de voordeur aangekomen zei hij: 'Ik heb gehoord dat u nog wel eens optreedt, mevrouw Cartwright?'

'Het is eigenlijk juffrouw,' verbeterde Penny hem met een speels glimlachje om haar mond en een olijk lichtje in haar ogen. 'Ja, dat klopt.'

'Hier in de buurt?'

'Soms wel. Ik ben aanstaande vrijdag en zaterdag in The Dog and Gun. Daar mag ik de strijd aanbinden met de disco in The Hare and Hounds.'

'Ik zal eens kijken of ik langs kan komen,' zei Banks. 'Als er tenminste niets tussenkomt.'

'Dat zou leuk zijn.' Er klonk een spoor van twijfel door in Penny's stem, alsof ze niet echt kon geloven dat een politieman geïnteresseerd was in traditionele folkmuziek of wat voor muziek dan ook, eigenlijk.

Banks liep door het smalle, met keitjes geplaveide straatje langs de kerk. Toen hij de hoek had bereikt, ving hij achter zich een sissend geluid op en hij draaide zich om. Bij de deur van de cottage naast die van Penny stond een oude vrouw en ze wenkte hem. Toen hij vlak bij haar was, fluisterde ze: 'U bent zeker die politieagent over wie iedereen het heeft.'

'Inspecteur Banks,' zei hij en hij tastte naar zijn visitekaartje. 'Tot uw dienst.'

'*Nay, nay*, jongeman, dat is nergens voor nodig. Ik geloof het zo ook wel,' zei ze en ze wuifde het kaartje weg. 'U hebt met hare majesteit van hiernaast gesproken, zie ik.' Ze gebaarde met een gerimpelde duim in de richting van Penny's cottage. Banks knikte niet-begrijpend.

'Heeft ze u over zaterdagavond verteld?'

'Wat is er zaterdagavond dan gebeurd?'

'Ik dacht wel dat ze niets zou zeggen,' zei de oude vrouw triomfantelijk en ze sloeg voldaan haar armen over elkaar. 'Het was een enorme herrie. De oude majoor heeft hem op het tuinpad gesmeten.'

'Wie?'

'Nou, die man die later is vermoord,' verkondigde ze opgewekt. 'Ik moet niks hebben van getrouwde mannen die bij zulke jonge meiden rondsnuffelen. En dat juffie is een wispelturig wicht, dat kan ik u wel vertellen. Maar ja,' zei ze lachend, 'de majoor is zelf natuurlijk ook zo gek als een deur.'

'Wat bedoelt u eigenlijk precies, mevrouw...?'

'Juffrouw,' zei ze vol trots. 'Eenenzeventig en nog altijd geen behoefte aan een vent. Juffrouw Bamford, jongeman, en ik heb het over zaterdagavond, toen majoor Cartwright even bij zijn dochter langskwam en haar samen met die vermoorde vent aantrof. Een uur of tien zal het zijn geweest. Nou moet u me niet vragen wat ze daar deden, want dat zou ik u niet kunnen zeggen, maar die ouwe pa van haar ging door het lint. Zei dat hij het niet moest wagen om nog eens langs te komen.'

'Bedoelt u dat de majoor meneer Steadman letterlijk Penny Cartwrights huis heeft uitgezet?' vroeg Banks in een poging om alles goed op een rijtje te krijgen. Hij was ervan overtuigd dat niet alles even duidelijk was overgekomen.

'Nou ja, niet met zoveel woorden,' krabbelde juffrouw Bamford terug; haar kin zakte diep weg tussen de plooien in haar hals. 'Ik kon het niet echt goed zien. Maar hij heeft hem wel een duw gegeven, en die vent was zo bleek en zwak omdat hij dag en nacht over zijn boeken gebogen zit. Dat heeft ze u vast niet verteld, hè, die troela met die airs van haar?'

Banks moest toegeven dat Penny hem dat inderdaad niet had verteld. Na haar uitdaging om eerlijk en direct te zijn, had hij haar vader liever niet meer ter sprake gebracht.

'Is ze daarna nog weggegaan?' vroeg hij.

'Hare majesteit de koningin? Nee. Om een uur of elf sloeg de deur met een klap dicht, maar dat was de majoor.'

'Er is toch zeker wel een achterdeur?'

'O, *aye*,' antwoordde juffrouw Bamford. De betekenis van zijn woorden was haar niet ontgaan.

Banks bedankte haar. Met een zelfvoldane glimlach op haar gerimpelde gezicht deed de oude vrouw de deur weer dicht. Na een korte, peinzende blik op Penny's cottage liep Banks terug naar zijn auto om naar huis te gaan.

6

'Dus volgens die kennis van jou in Darlington...'

'Brigadier Balfour, inspecteur. Een goeie vent.'

'Volgens die brigadier Balfour van jou,' ging Banks verder, 'is Hackett pas na één uur 's ochtends bij de Kit Kat Klub aangekomen en kan niemand in de pub zich herinneren dat hij hem daar heeft gezien?'

'Inderdaad. De eigenaar van de pub zei dat hij er regelmatig kwam, maar vorige week was dat op vrijdag geweest, niet op zaterdag.'

'Die hufter heeft dus zitten liegen,' zei Banks met een zucht. Hij ging zich steeds meer ergeren aan de inwoners van Helmthorpe en hoe meer hij zich ergerde, des te lastiger het voor iedereen zou worden; daar konden heel wat schurken in Londen uit eigen ervaring over meepraten. 'Ik denk dat we hem maar weer hierheen moeten halen. Nee, wacht eens even...' Hij wierp een blik op zijn horloge en stond op. 'We rijden wel naar Helmthorpe. Ik moet daar toch nog een paar dingen doen.'

Sandra had die dag de Cortina, dus namen ze een dienstwagen en Banks liet Hatchley rijden. De heggen langs de rivier zaten vol met witte, gele en paarse wilde bloemen, die Banks geen van alle kon benoemen. Een paar donkere wolken hingen dreigend in de lucht, maar af en toe scheen de zon er met felle lichtstralen doorheen, zodat hier en daar felgroene stukjes oplichtten op de beschaduwde hellingen. Het effect deed Banks denken aan de schilderijen die hij in een galerie in Londen had gezien waar Sandra hem mee naartoe had gesleept, maar hij kon zich de naam van de schilder niet meer herinneren: Turner, Gainsborough, Constable? Sandra zou het wel hebben geweten. Hij maakte in gedachten een aantekening dat hij zich iets meer in landschapsschilderijen moest verdiepen.

'Wat vindt u ervan?' vroeg Hatchley. Hij stuurde met één hand en stak met zijn andere een sigaret aan met de autoaansteker. 'Van Hackett, bedoel ik.'

'Hij kan de man zijn die we zoeken. Hij houdt in elk geval iets voor ons achter.'

'En de anderen die zaterdagavond bij Steadman waren?'

'Dat weet ik gewoon nog niet. Ze kunnen het allemaal hebben gedaan. Ze hebben geen van allen een waterdicht alibi, zelfs Barnes niet.'

'Maar wat voor motief kan hij nu hebben gehad om Steadman te vermoorden? Hij heeft hier in de omgeving een uitstekende reputatie. Altijd al gehad ook.'

Banks peuterde aan zijn pijp. 'Afpersing wellicht. Misschien wist Barnes iets over Steadman of vice versa. Misschien had Steadman iets gehoord wat de reputatie van de dokter kon ruïneren.'

'Het is natuurlijk mogelijk,' zei Hatchley. 'Maar Steadman was rijk; die hoefde toch zeker niemand te chanteren? En als hij Barnes geld gaf, zou het natuurlijk stom zijn om de kip met de gouden eieren te slachten.'

'Ben ik helemaal met je eens. Maar het hoeft niet per se om geld te gaan. Misschien voelde Steadman zich wel moreel verplicht om te vertellen wat hij wist. Uit wat we van hem weten blijkt wel dat dit typisch iets voor hem zou zijn geweest. Ik ben me er terdege van bewust dat het op dit moment allemaal speculatie is, maar ik vind nog steeds dat we de financiën en achtergrond van de dokter moeten natrekken, en uitzoeken of Steadman de laatste tijd grote bedragen van zijn rekening heeft opgenomen.'

'Het kan denk ik in elk geval geen kwaad. Verdomme!' Hatchley gaf een ruk aan het stuur om een slingerende fietser te ontwijken en schreeuwde uit het raampje: 'Kijk toch uit waar je rijdt, godvergeten wegpiraat!'

Banks trok zijn veiligheidsriem iets strakker aan; een van de redenen waarom hij tijdens zijn werk bij voorkeur in zijn eigen auto reed was hem zojuist weer te binnen geschoten.

Ze kwamen veilig en wel aan, zetten de auto bij de rivier waar Steadman zijn auto ook had neergezet en gingen te voet via het steegje naar de High Street. Het liep tegen de middag; toeristen dromden samen in de kleine ijssalon en dorpsbewoners waren aan het winkelen of stonden bij het tuinpoortje van hun cottage in de smalle, met keitjes geplaveide zijstraatjes te kletsen. De twee politiemannen waren inmiddels vrij goed bekend in het dorp en de gesprekken verstomden wanneer ze langs liepen. Banks glimlachte; hij genoot van het effect dat zijn aanwezigheid op mensen had. In Londen werd hij alleen herkend door de misdadigers die hij vaker dan één keer achter de tralies had gezet.

Ze bleven even staan bij de tijdschriftenzaak, waar gekleurde ansichten, plattegronden en wandelgidsen in de rekken buiten op de stoep in de lichte bries stonden te wapperen.

'We pakken Hackett wel na de lunch aan,' stelde Banks voor.

'Prima.' Hatchley keek op zijn horloge. 'Wilt u nu al wat eten?'

'Nog niet. Waarom ga jij niet even bij Weaver langs om te zien of hij nog iets heeft ontdekt? Ik ga even een praatje maken met majoor Cartwright. Dan nemen we daarna pastei en een glas bier bij The Bridge en bekijken we hoe we Hackett het beste kunnen aanpakken.'

Hatchley stemde met het plan in en ging op weg naar het kleine plaatselijke politiebureau.

De man die de deur naast die van Thadtwistles boekhandel opendeed, was het prototype van een gepensioneerd majoor, dacht Banks bij zichzelf. Hij was al op leeftijd, maar zag er keurig verzorgd uit, met zilvergrijs haar, een baksteenrode huid en een grijze krulsnor. Nadat Banks had verteld wie hij was, bromde de majoor iets onverstaanbaars en hij ging hem via een smalle trap voor naar boven. De flat bleek recht boven de boekhandel te liggen.

Banks liep achter hem aan naar een woonkamer waarin een enorme inge-lijste reproductie van een vrouw met ontblote borsten, die een vlag over een slagveld vol dode en gewonde soldaten droeg een prominente plaats innam; ze werd vergezeld door een kleine jongen met in beide handen een geweer.

'*Liberté guide le peuple*,' zei de majoor toen hij zag dat Banks ernaar stond te staren. 'Delacroix. Dat is immers waarvoor we hebben gevochten?'

Gelukkig begreep Banks dat het een retorische vraag was. Hij richtte zijn aandacht op de terriër die aan zijn enkels snuffelde en schuifelde voorzich-tig met zijn voeten heen en weer in de hoop dat hij zou weggaan. Banks hield niet van honden – hij was meer een kattenmens – maar hij had een nog grotere hekel aan trotse eigenaars die blijkbaar van hem verwachtten dat hij die verdraaide beesten aanhaalde alsof het pasgeboren baby's wa-ren. Hij schopte iets harder en wist het keffertje uiteindelijk zover te krijgen dat het naar zijn mand afdroop, van waaruit het hem met een mengeling van verbolgenheid en arrogantie bleef aanstaren. De majoor stond geluk-kig met zijn rug naar hen toe drankjes in te schenken.

De warme kamer voelde door de muffe rooklucht die er hing nog bedomp-ter aan. Banks zag een antiek pijpenrek hangen aan de muur boven de open haard en in een poging om een band tussen hen te creëren ging hij op een stoel met een rechte rugleuning zitten en stak hij zijn eigen pijp aan. De majoor overhandigde hem een klein glas whisky met soda, pakte een groter glas voor zichzelf en nam plaats in de versleten leren leunstoel die overduidelijk al sinds mensenheugenis als zíjn stoel werd beschouwd.

Hoewel sommige militaire types de politie zo'n beetje als collega's be-schouwden, had Banks gemerkt dat de meeste hen toch vooral zagen als omhooggevallen arrivisten, amateuristische klungels die niet geschikt waren voor het echte werk. Majoor Cartwright leek hem er een van het laatste type. Hij keek Banks met een onverholen vijandige blik aan. De paarse adertjes rondom zijn neus getuigden onmiskenbaar van een voorliefde voor een neutje vroeg op de ochtend.

'Vooruit, wat is er?' vroeg hij ongeduldig, alsof Banks hem bij het plannen van een nieuwe aanval in de Boerenoorlog had gestoord.

Banks vertelde hem over de moord, wat hem slechts wat gebrom en enkele felle hoofdknikjes opleverde, en probeerde zo subtiel mogelijk aan te kaarten dat de majoor, afgezien van de moordenaar, waarschijnlijk de laatste was geweest die Steadman levend had gezien.

'Wanneer moet dat dan zijn geweest?' vroeg Cartwright.

'Op zaterdagavond omstreeks tien uur.'

De majoor staarde hem met kille blauwe ogen aan en nam een slok whisky. 'Wie heeft u dat verteld?'

'Dat doet er nu niet toe, majoor. Is het waar?'

'Het zal die bemoeial van een buurvrouw zeker wel weer zijn geweest, hè? Stom oud wijf.'

'Hebt u hem toen gezien en onenigheid met hem gehad?'

'U wilt toch zeker niet beweren...'

'Ik beweer helemaal niets. Ik stel u slechts een eenvoudige vraag.'

De majoor speelde met de whisky in zijn glas en antwoordde toen: 'En als dat inderdaad zo was?'

'Dan wil ik graag weten hoe en waarom.'

'Er valt eigenlijk niets te vertellen. Hij zat weer eens bij mijn dochter thuis en toen heb ik hem opgedragen hem te smeren.'

'Waarom reageerde u zo agressief?'

'Het hoort gewoon niet.' Cartwright boog zich een stukje voorover in zijn stoel. 'Een getrouwde man en stukken ouder dan zij. Wat zou u hebben gedaan? Het is niet gezond.' Hij liet zich weer achterover zakken.

'Dacht u dat ze een affaire hadden?'

'Ho ho, wacht eens even, jongeman. Niet zo hard van stapel lopen. Dat heb ik nooit gezegd.'

'Hoor eens,' zei Banks, 'ik wil u nergens van beschuldigen en u ook niet aanhouden. Ik vraag alleen maar wat u ervan vond. Als u niet dacht dat uw dochter betrokken was bij iets onverkwikkelijks, waarom hebt u Steadman dan vrijwel letterlijk de straat op geschopt?'

'Dat oude takkewijf overdrijft,' zei Cartwright en hij snoof verachtelijk. Hij goot de rest van zijn drankje in één teug naar binnen, stond op en pakte een oude bruyèrepijp van het rekje, die hij met een pluk uit een tabakszak stopte. 'We hebben inderdaad woorden gehad, ja, maar ik heb hem met geen vinger – of teen – aangeraakt. Trouwens, het is een principekwestie, hè? Een getrouwde man. Daar wordt over gepraat.'

Banks zag niet direct het verband tussen principes en de angst voor geroddel, maar ging er niet verder op in. 'Had u daarom bezwaar tegen een volkomen onschuldige relatie waaraan beide betrokken partijen blijkbaar plezier beleefden?' vroeg hij in plaats daarvan. 'Gedraagt u zich bij alle vriendschappen van uw dochter zo?'

'Die kerel was verdomme getrouwd,' zei de majoor opnieuw.

'Toen ze elkaar tien jaar geleden voor het eerst ontmoetten, was hij ook al getrouwd, maar toen had u er blijkbaar geen bezwaar tegen.'

'Toen werd er niet zo stiekem over gedaan. Er was trouwens altijd iemand anders bij, die jonge knul, Michael. Ze was nog maar een meisje. Hoor eens, als ze elkaar per se willen ontmoeten, kunnen ze dat toch wel in het openbaar doen? In een pub, bijvoorbeeld, in het bijzijn van anderen. Nergens voor nodig dat ze zich ergens terugtrekken. De mensen hier in het dorp hebben een scherpe tong, kerel. Daar hebt u geen idee van.'

'Was u bang dat ze erover zouden roddelen, zoals ze dat ook over uw dochter en u hebben gedaan? Wilde u haar daartegen beschermen?'

De majoor trok wit weg en hing ineengedoken in zijn stoel. Plotseling was alle strijdlustigheid uit hem weggevloeid en was zijn leeftijd hem aan te zien. Hij stond langzaam op en schonk zijn glas nog eens vol. 'Dus dat weet u al?'

Banks knikte.

'U was er niet bij,' zei hij met een trieste, verbitterde stem. 'U kunt met geen mogelijkheid weten hoe het na het overlijden van mijn vrouw voor ons tweeën is geweest. Ik kon het niet aan, werd een tijdje opgenomen in het ziekenhuis en moest Penny zolang bij de Ramsdens onderbrengen. Ze is daarna echter teruggekomen naar huis om voor me te zorgen. Onzelfzuchtig, God zegene haar. Ze is enig kind, weet u. En toen staken die hatelijke roddels de kop op. Er is maar één persoon voor nodig om een gerucht in omloop te brengen – slechts één hufterige klootzak – en dan verspreidt het zich als een pestepidemie, totdat het iedereen de neus uitkomt en zich iets beters aandient. Voor hen is het allemaal een spel. Het kan hen niet schelen of het waar is of niet; het prikkelt hun fantasie, meer niet. Het is hun schuld dat ze is weggegaan. Ze vonden het niet fatsoenlijk dat we met ons tweetjes woonden. Na haar vertrek heb ik het huis verkocht en ben ik hiernaartoe verhuisd.'

'Ik dacht dat ze was weggegaan om een muziekcarrière op te bouwen?'

'O, uiteindelijk was ze toch wel weggegaan. Maar ze was nog te jong. Als ze toen niet was gedwongen om uit huis te gaan, was het beslist anders met haar afgelopen.'

'Ik heb anders de indruk dat ze redelijk goed is terechtgekomen. Hooguit een paar scherpe kantjes misschien.'

'U hebt haar vroeger niet gekend. Ze is veel van haar geestdrift, haar levensvreugde kwijtgeraakt. Ze is nog veel te jong om al zo cynisch te zijn. Maar goed, ze kon er niet tegen dat de mensen haar zo nakeken. Heel moedig van haar dat ze toch is teruggekomen.'

'Dus u hebt het haar vergeven?'

'Er viel niets te vergeven. Ze dacht dat ze me in de steek had gelaten door zo weg te gaan. We hadden natuurlijk wel eens ruzie, onenigheid. Maar ik ben altijd van haar blijven houden. Steadman was geen kwade vent, dat weet ik wel. Ik heb hem altijd een beetje een sul gevonden, maar in wezen geen kwade vent. Ik wilde haar ervoor behoeden dat ze het nog een keer moest meemaken. Ze is al verbitterd genoeg. Het was trouwens niet de eerste keer dat ik woorden met hem had. Dat kunt u aan iedereen vragen. Mijn onenigheid met Steadman was niet nieuw.'

'Wat is er zaterdagavond precies gebeurd?'

'Niets, eigenlijk. Ik zei hem dat hij het voortaan uit zijn hoofd moest laten om na het donker nog alleen bij haar langs te gaan. Dat had ik hem al eens eerder gezegd. Ik vermoed dat ik het er alleen maar erger op heb gemaakt door het zo te benadrukken.'

'Waar bent u na afloop naartoe gegaan?'

'Toen hij weg was?'

'Ja.'

'Ik heb nog een uurtje met Penny zitten praten. Ze was een beetje boos op me, maar we hebben het weer goedgemaakt.'

'Kunt u zich nog herinneren hoe laat u bent vertrokken?'

'Ik weet nog dat de kerkklok elf uur had geslagen. Vlak daarna.'

'En Steadman is om tien uur vertrokken?'

'Zo laat kwam ik daar aan, ja.'

'Hebt u iemand in de buurt zien rondhangen?'

'Nee. Het was heel rustig. Dat is het daar altijd. Er liepen een paar mensen in de High Street, maar verder was er niets bijzonders.'

'Heeft Steadman nog gezegd waar hij naartoe ging? Enig idee wat hij van plan was daarna te gaan doen?'

Majoor Cartwright schudde ontkennend zijn hoofd. 'Nee, hij ging er als een haas vandoor. Het spijt me dat ik u niet verder kan helpen, inspecteur.'

'Dat geeft niet. Toch bedankt dat u even de moeite hebt genomen, majoor.' Cartwright draaide zich om en liep naar de drankkast, en Banks zocht in zijn eentje zijn weg naar beneden.

Sally lag met haar hoofd tegen een paar kussens geleund in haar licht-blauwe bikini in de achtertuin te zonnen. Het was een luxe die ze wel had verdiend, vond ze, omdat ze de vorige avond zo braaf gehoor had gegeven aan de wens van haar ouders om een afspraakje met Kevin af te zeggen en in plaats daarvan mee op visite was gegaan bij haar zeurderige tante Madge in Skipton. Daar had ze thee gedronken uit kleine, breekbare por-seleinen kopjes met vergulde randjes en rode roosjes op de zijkant geschil-derd, en had ze beleefd antwoord gegeven op de saaie, overbekende vragen over school. Gelukkig had de televisie aangestaan – tante Madge zette hem nooit uit – dus had ze met een half oog naar een oude film met Elizabeth Taylor kunnen kijken, terwijl ze intussen net deed of ze het gesprek volgde, dat over onderwerpen ging die varieerden van de vreselijk slechte staat van de tuin van de buren tot het nieuws over de hysterectomie van een verre nicht. Het gekke was dat haar ouders het zo te zien ook niet naar hun zin hadden gehad; haar vader had amper een woord gezegd. Ze waren alle drie opgelucht geweest toen er afscheid was genomen en ze weer in de auto zaten.

Met een zucht legde Sally *Woeste hoogten* neer en ze rolde zich op haar buik. Haar huid gloeide al aangenaam en zelfs met de zonnebrandcrème zou ze goed moeten oppletten dat ze niet te lang buiten bleef.

Ze vond het boek verwarrend en frustrerend. In de film – zelfs de oude zwartwitversie met Laurence Olivier – was Heathcliff zo'n sexy, tragische held geweest. Ze wist nog dat ze samen met haar moeder met papieren zak-doekjes voor de televisie had gezeten en haar vader hen had uitgelachen. Het boek was echter heel anders. Niet het verhaal – dat was in wezen het-zelfde – maar het personage Heathcliff. Oké, hij hield hartstochtelijk veel van Catherine, maar in het boek was hij veel wreder en gewelddadiger. Het was net alsof hij iedereen in zijn omgeving wilde ruïneren. En wat nog erger was: het was hem voornamelijk om het huis en het land te doen. Dat was de werkelijke reden voor zijn huwelijk met Isabella – ook al was het blijkbaar ook als wraakneming op Edgar bedoeld, omdat deze met Catherine was getrouwd – en iemand die geobsedeerd werd door het verkrijgen van bezittingen was nu niet direct romantisch. Hij gedroeg zich eerder als een krankzinnige (en veel knappere) Teddy Hackett dan als een echt heroïsch figuur.

Ze pakte het glas Perrier. Het voelde warm aan; het ijs was helemaal gesmolten en de prik was eruit. Met een vies gezicht ging ze weer op haar rug liggen en ze dacht een beetje moedeloos na over haar speurwerk. Veel viel er trouwens niet over na te denken. Ze had geen flauw idee wie de politie als verdachte beschouwde, welke aanwijzingen ze hadden en wat ze met betrekking tot motief en gelegenheid hadden ontdekt. Het enige wat ze wist was wat iedereen in het dorp over Steadman wist: dat hij Penny Cartwright blijkbaar graag mocht, tot grote woede van haar vader; dat hij vaak met Michael Ramsden samenwerkte; dat hij het gezin Ramsden had geholpen door hun huis te kopen toen de vader overleed; dat men hem over het algemeen erg aardig vond; en dat hij regelmatig in The Bridge iets dronk met Jack Barker, Teddy Hackett en dokter Barnes. Ze vond hem niet het type om hartstocht in iemand op te roepen, zoals Heathcliff. Toch moest dat zijn gebeurd; iemand had hem namelijk vermoord.

Het was zonder enige twijfel een man geweest. Daar was Sally heel zeker van. Steadman was vrij lang en zwaar; een vrouw had zijn lichaam nooit over dat muurtje gekregen en helemaal naar dat weiland kunnen slepen. Maar dan nog bleven er veel te veel verdachten over. Had ze die avond in de hut maar zo'n vooruitziende blik gehad om even te kijken wie het was. Sally's fantasie ging met de feiten op de loop. Iedereen wist dat Michael Ramsden vroeger verkering had gehad met Penny Cartwright. Stel nu eens dat hij nog altijd verkikkerd op haar was, net als Heathcliff op Catherine, en jaloers was geweest op Steadman? Ze herinnerde zich echter die avond waarop ze Ramsden in Leeds had gezien – en vermeden – toen ze daar met Kevin was. Hij had daar samen met een aantrekkelijke vrouw gezeten en hoewel Sally slechts heel vluchtig een blik in hun richting had kunnen werpen voordat ze Kevin snel mee terug naar buiten sleurde zodat ze niet werden gezien, wist ze zeker dat het niet Penny was geweest.

Als hij echt nog verliefd op haar was, zou hij heus niet met iemand anders uitgaan.

Dan had je natuurlijk Jack Barker nog. In eerste instantie had ze hem niet verdacht, maar nu zag ze voor zich hoe hij in een vlaag van passie zou handelen. Het was haar opgevallen dat hij de laatste tijd vaak met Penny door het dorp wandelde en ze vroeg zich af of Barker Steadman misschien als een lastig obstakel had beschouwd. Hij schreef tenslotte detectives en wist dus waarschijnlijk alles over moord. Hoewel hij een echte heer was, zou hij natuurlijk niet met een rokend pistool in zijn hand zijn blijven wachten tot de politie was gearriveerd. Het was veel logischer dat hij had geprobeerd om het lichaam ergens te dumpen zodat hij op vrije voeten bleef en Penny voor zich kon winnen. Ze vroeg zich af of hij een alibi had en of er een manier was om daarachter te komen.

De volgende op haar lijstje was Hackett. Geen liefdesrelatie, natuurlijk, maar ze had geruchten opgevangen over een ruzie over land. In *Woeste hoogten* leidden dergelijke zaken ook tot enorme spanningen.

Ze pakte de zonnebrandcrème. Nog één laagje en een uurtje in de buitenlucht, en dan ging ze weer naar binnen. Het enige wat zij kon doen om de moordenaar in de kraag te grijpen was zich zo helder mogelijk voor de geest te roepen wat ze na de komst van de Steadmans naar Gratly achttien maanden geleden allemaal had gezien en gehoord in het dorp. Misschien had ze iets over het hoofd gezien: een woord of gebaar dat haar indertijd wellicht niets had gezegd of onlogisch had geleken, maar in het licht van de moord een geheel nieuwe betekenis kreeg. Ze had een uitstekend visueel geheugen — dat kwam waarschijnlijk doordat ze zo vaak naar films keek — dus kon ze gezichtsuitdrukkingen en lichaamstaal vrij gemakkelijk weer oproepen. Als ze haar best deed, viel het puzzelstukje misschien vanzelf wel op de juiste plek.

Ze wreef de olie langzaam over haar buik en dijen, wat heel prettig aanvoelde, en ze wilde maar dat het Kevins handen waren die haar gloeiende huid insmeerden. Een bij zoemde rond de nek van de geopende fles en zweefde weer weg. Sally pakte haar boek op, daarbij vettige vingerafdrukken achterlatend op de pagina's.

De twee mannen slenterden pratend door de High Street van Helmthorpe. Banks had één hand in de zak van zijn broek gestoken en hield met de andere het dunne windjack vast dat hij losjes over een schouder had geslagen.

De mouwen van zijn witte overhemd waren tot boven de ellebogen opgestroopt en hij had zijn das een stukje losgetrokken, zodat hij de bovenste knoop kon openmaken. Banks had een hekel aan stropdassen en zo'n losse knoop was voor hem een draaglijk compromis. Hij luisterde al wandelend met gebogen hoofd naar Hatchley, die boven hem uittorende. De brigadier had zijn handen achter zijn rug in elkaar geslagen en zijn hoofd in zijn dikke nek gelegd, alsof hij de daken bestudeerde; zijn goed onderhouden bierbuik puilde uit over zijn strakke riem. Het was nog altijd niet duidelijk welke kant het zou opgaan met het weer; de zon dook af en toe op tussen de snel voorbijrazende, donkere wolken die met de wind meedreven en een schaduw wierpen op de lichte gedaante van Crow Scar.

'Hij zei dat hij een beetje over zijn toeren was,' vertelde Hatchley. 'Van slag, zeg maar. Hij dronk snel een dubbele Schotse whisky en ging toen weer op pad.'

De informatie die agent Weaver voor hen had gehad, betrof de barman van The Dog and Gun, die hem had verteld dat Steadman zaterdagavond even na tienen was aangewipt. Hij had zich niet eerder bij de politie gemeld, omdat hij was wezen vissen in Schotland en niet van de moord op de hoogte was geweest.

'Ik kan je precies vertellen waarom dat was,' zei Banks en hij gaf Hatchley een beknopte samenvatting van zijn gesprek met majoor Cartwright. Dit nam de brigadier enigszins de wind uit de zeilen en hij mompelde korzelig 'Nee' toen Banks hem vroeg of er nog verdere ontwikkelingen waren.

Hatchleys humeur klaarde echter aanzienlijk op zodra hij de bierlucht en tabaksrook in The Bridge opsnoof. Ze namen plaats aan hetzelfde bekraste tafeltje waaraan ze ook tijdens hun eerdere bezoekje hadden gezeten en hadden binnen de kortste keren een pint Theakston's bitter voor hun neus staan en twee pasteien met steak en champignons besteld.

'Het is best mogelijk dat Steadman naar de cottage is teruggegaan,' zei Hatchley. 'Misschien werd hij wel razend toen het tot hem doordrong dat hij de majoor over zich heen had laten lopen en is hij teruggegaan om het hem betaald te zetten. We kunnen hem echt nog niet van de lijst van verdachten afvoeren en dat meisje ook niet.'

'Nee, dat klopt. Het kan zijn dat Steadman heeft gewacht tot de kust veilig was en toen is teruggegaan om af te maken waarmee Penny en hij bezig waren toen ze werden gestoord. De majoor is wat haar betreft erg beschermend.'

'Voorzover ik heb gehoord,' zei Hatchley verlekkerd, 'is ze altijd al een beetje een wilde geweest. Ze is er op jonge leeftijd vandoor gegaan naar Londen, waar ze met allerlei rare vogels en muzikanten is opgetrokken. Is daar waarschijnlijk in aanraking gekomen met drugs en volgens mij was ze niet al te kieskeurig over met wie ze het bed indook. Als ze mijn dochter was geweest, zou ik haar daarna heel kort hebben gehouden.'

'Ze is inmiddels wel 26, hoor. Trouwens, Steadman was toch min of meer veilig gezelschap?'

Hatchley schokschouderde. 'Voorzover wij weten wel. Maar misschien was er wel iets meer aan de hand.'

'O, er is beslist iets meer aan de hand. Dat is altijd zo bij zaken als deze. Wat Penny Cartwright betreft, tellen er echter twee dingen in haar voordeel. Ten eerste heeft de buurvrouw die avond verder niemand meer bij de cottage horen aankloppen en ze heeft me verteld dat Penny ook niet meer is uitgegaan; en ten tweede denk ik niet dat ze sterk genoeg is om zijn lichaam naar de plek te slepen waar hij lag verstopt.' Banks wilde er nog aan toevoegen dat hij ervan overtuigd was dat Penny's verdriet om Steadman oprecht was, maar besefte dat Hatchley dit niet als overtuigend bewijs zou beschouwen. Bovendien was de betovering die haar aanwezigheid op hem had gehad uitgewerkt en hij vroeg zich toch af of ze niet gewoon een heel goede actrice was. 'Maar goed,' vervolgde hij, 'met het versjouwen van dat lichaam kan ze natuurlijk hulp hebben gehad en er is een achterdeur, dus als die buurvrouw in de woonkamer aan de voorkant zat, heeft ze misschien niets gehoord.'

'Denkt u dat die mevrouw Cartwright echt iets met Steadman had?' vroeg Hatchley.

'Dat weet ik niet. Het is met dat soort dingen nooit helemaal zeker. Soms heeft zo'n stelletje al jarenlang een relatie, zonder dat iemand ervan afweet.'

'Waarom zou hij anders zo vaak bij haar zijn geweest?'

'Er bestaat natuurlijk nog zoiets als vriendschap.'

'Gelooft u het zelf?' mompelde Hatchley.

De pastei werd gebracht en de twee mannen aten in stilte hun bord leeg.

'Steadman had veel geld,' zei Banks en hij pakte zijn tweede glas bier. 'En zijn vrouw erft alles. Ik zou zeggen dat dit een vrij goed motief is, of niet?'

'We weten toch dat zij het niet kan hebben gedaan,' wierp Hatchley tegen. 'Waarom zouden we het nog moeilijker maken dan het al is?'

'Ze kan iemand hebben ingehuurd.'

'Helmthorpe is geen New York of Londen.'

'Maakt niet uit. Ik heb eens een verhaal gehoord over een kerel in Black-pool die een hele prijslijst had: een arm vijftig pond, een been vijfenzeven-tig, enzovoort. Let wel, met de inflatie van tegenwoordig zijn de tarieven waarschijnlijk flink gestegen. Het is naïef om te denken dat dit soort dingen alleen in het zuiden voorkomen en dat zou jij toch beter dan wie ook moe-ten weten. Of wilde je soms beweren dat er in Eastvale niemand is die be-reid is een dergelijk klusje te klaren? Neem nu Eddie Cockley, om maar eens iemand te noemen. Of Jimmy Spinks. Die zou voor de prijs van een pint zijn eigen moeder de keel nog afsnijden.'

'*Aye*,' zei Hatchley, 'maar hoe komt een vrouw als mevrouw Steadman in contact met types als Cockley en Spinks?'

'Ik geef toe dat het onwaarschijnlijk lijkt, maar niet onwaarschijnlijker dan de rest. Bekijk het eens zo. We weten vrijwel niets over het huwelijk van de Steadmans. Aan de buitenkant leek alles heel normaal, maar wat vond ze bijvoorbeeld van zijn vriendschap met Penny Cartwright? Misschien was ze wel gek van jaloezie. We weten het gewoon niet. En als we het hun vra-gen, liegen ze waarschijnlijk. Om een of andere reden houden ze elkaar al-lemaal de hand boven het hoofd.'

'Misschien verdenken ze elkaar wel.'

'Het zou me niets verbazen.'

Hatchley nam gretig een slok bier.

'Weet je wat de moeilijkheid is, Hatchley?' vervolgde Banks. 'Afgezien van majoor Cartwright was iedereen blijkbaar helemaal weg van hem.'

Hatchley grijnsde. Ze dronken hun glas leeg en stapten op om Hackett aan de tand te voelen.

Teddy Hackett zat in zijn kantoor in een deel van de oude molen dat uit-keek op de rivier Swain achter de garage. Het raam stond open en de geur van verschillende bloemen dreef naar binnen, begeleid door het geluid van het water dat over de kiezels ruiste. Af en toe vloog er vanuit de clematis die tegen de stenen muur opklom een verdwaalde bij naar binnen die, eenmaal tot de ontdekking gekomen dat er bij menselijke aangelegenheden niets te halen viel, weer naar buiten zoemde.

Hackett gedroeg zich meteen al erg zenuwachtig en hij transpireerde. Hij had met zijn rug naar het raam toe bescherming gezocht achter zijn chaotische bureau, waar hij met een briefopener zat te spelen. Banks zat recht tegenover hem en Hatchley stond naast het raam tegen de muur geleund. Banks stopte zijn pijp, stak hem aan en bracht toen Hacketts ondeugdelijke alibi ter sprake.

'Uit wat we tot nu toe hebben ontdekt, is gebleken dat u pas na één uur in uw eentje bij de Kit Kat Klub bent aangekomen; later dus dan u ons had verteld.'

Hackett wurmde ongemakkelijk in zijn stoel. 'Ik ben niet zo goed met tijden. Ik kom ook altijd te laat op afspraken en zo.'

Banks glimlachte. 'Dat is geen goede gewoonte voor een zakenman, lijkt me. Maar goed, dat gaat me ook helemaal niets aan. Wat ik wil weten is wat u vóór die tijd hebt gedaan.'

'Dat heb ik u al verteld,' zei Hackett en hij sloeg met de briefopener in zijn palm. 'Ik ben naar een pub gegaan en heb daar wat gedronken.'

'Maar op zaterdag gaan die allemaal om elf uur dicht, meneer Hackett. Zelfs bij de flexibelste gelegenheden staat u om halftwaalf op straat. Wat hebt u tussen halftwaalf en één uur gedaan?'

Hackett verschoof zijn gewicht van zijn ene bil op zijn andere en wreef over zijn kin. 'Hoor eens, ik wil niemand in de problemen brengen. Begrijpt u wat ik bedoel? Maar als je een beetje kameraadschappelijk met de mensen achter de bar omgaat, mag je soms na sluitingstijd nog even blijven hangen. Vooral wanneer de plaatselijke wijkagent er ook bij is.' Hij knipoogde. 'Ik bedoel, als die knul van Weaver zou willen...'

'Het gaat me niet om agent Weaver,' onderbrak Banks hem. 'Het gaat me om u en mijn geduld begint op te raken. U beweert dus dat de pubbaas de drankwet heeft overtreden door u na sluitingstijd nog te bedienen en dat dit tot een uur of één is doorgegaan. Is het zo gegaan?'

'Zo zou ik het niet willen zeggen. Het had meer iets weg van samen een paar glaasjes nuttigen. In de privacy van zijn eigen huis, zeg maar. Er is toch geen wet die verbiedt dat een man iemand uitnodigt om iets bij hem te komen drinken, of wel?'

'Nee, zeer zeker niet,' antwoordde Banks. 'We zullen er van uitgaan dat jullie de wet niet overtraden. Als u zulke goede maatjes bent met de manager, herinnert u zich vast en zeker de naam van de pub nog wel?'

'Ik dacht dat ik u dat allang had verteld. Niet dus?'

Banks schudde zijn hoofd.

'Ik dacht echt van wel. Het was The Cock and Bull aan Arthur Street, vlak bij de nachtclub.' Hackett legde de briefopener neer, stak een sigaret op en inhaleerde diep en luidruchtig.

'Nee, die pub was het niet,' zei Banks. 'Het was niet The Cock and Bull aan Arthur Street. De manager heeft ons inderdaad verteld dat hij u kent en dat u op vrijdag bent langs geweest, maar niet op zaterdag. Waar was u, meneer Hackett?'

Hackett keek beteuterd. 'Dan vergist hij zich waarschijnlijk. Het geheugen van die goede, oude Joey is niet al te best. Ik weet zeker dat hij het zich wel zal herinneren als u het hem nog eens vraagt en zijn geheugen een beetje opfrist. Hij zal u beslist vertellen dat ik daar toen was.'

'Vooruit, kerel, vertel ons nou even waar u bent geweest!' Hatchleys harde stem dreunde vanachter Hacketts rug door de ruimte en bracht hem volledig van zijn stuk. De brigadier had zich tot nu toe op de achtergrond gehouden en Hackett was blijkbaar vergeten dat hij in de kamer was. Nu draaide hij zich half om en staarde hij geschrokken naar de nieuwe, agressievere tegenstander die hoog boven hem uittorende. Hij stond op, maar Hatchley was nog altijd langer dan hij.

'Ik weet niet wat u wilt insinueren...'

'We willen helemaal niets insinueren,' zei Hatchley. 'We zeggen gewoon luid en duidelijk waar het op staat. U bent helemaal niet naar The Cock and Bull geweest. U hebt gewoon uit uw nek zitten lullen. U bent in geen enkele pub in Darlington geweest. U hebt Steadman buiten bij The Bridge staan opwachten, bent hem naar het huis van Penny Cartwright gevolgd, hebt daar gewacht, bent hem toen naar The Dog and Gun gevolgd en weer terug naar het parkeerterrein, waar het donker en stil was. Daar hebt u hem een klap op zijn hoofd gegeven en hem in de kofferbak van uw auto verstopt. Later, toen het hele dorp op één oor lag, hebt u hem op weg door de Dale naar Darlington in dat weiland gedumpt. De timing klopt als een bus, Hackett, we hebben het gecontroleerd. Met alle leugens die u ons op de mouw hebt gespeld en alle sporen die we in de kofferbak van uw auto zullen aantreffen, hebben we u bij de ballen, vriend.'

Hackett keek smekend om medelijden en steun naar Banks. 'U kunt niet zomaar toestaan dat hij me zo intimideert en beschuldigt,' sputterde hij. 'Dat is niet...'

'Niet eerlijk?' zei Banks. 'Maar u zult toch moeten toegeven dat het een mogelijkheid is, meneer Hackett? Een heel grote mogelijkheid, zelfs.'

Hackett liet zich terugzakken in de stoel achter zijn bureau en Hatchley kwam vlak voor hem staan. 'Moet u horen,' zei hij iets rustiger, 'we weten dat u pas na enen bij de nachtclub bent aangekomen, wat u meer dan voldoende tijd geeft om Steadmans lichaam te lozen en naar Darlington te rijden. Denkt u niet dat het voor iedereen een stuk gemakkelijker zou zijn als u ons vertelde wat er is gebeurd? Was het soms doodslag? Misschien kreeg u ruzie met hem en draaide het op een knokpartij uit, maar was het niet uw bedoeling om hem te doden. Is het zo gegaan?'

Hackett staarde hem aan, niet helemaal overtuigd van zijn ogenschijnlijke vriendelijkheid. Banks stond op, liep naar het raam en staarde naar de rivier.

'Ik heb een beetje rondgewandeld,' zei Hackett. 'Meer niet. Nadat ik The Bridge had verlaten en me had omgekleed, ben ik naar Darlington gereden, maar onderweg ben ik even gestopt. Het was een prachtige avond. Ik had op dat moment even geen behoefte aan drank, dus ben ik een eindje gaan lopen. Ik wilde alleen zijn.'

'En dat moet ik zeker geloven,' snauwde Banks achter hem; hij draaide zich snel om en klopte zijn pijp leeg in de stevige, glazen asbak. 'Ik begin in rap tempo mijn geduld te verliezen, makker,' raasde hij met luide stem verder en hij keek hem woest aan. Dat Hackett nu in de reusachtige gedaante van Hatchley een beschermende aanwezigheid leek te zien, tekende zijn angst en verwarring.

'Maar ik...'

'Kop dicht,' droeg Banks hem op. 'Ik heb geen zin om nog meer leugens van u te moeten aanhoren, meneer Hackett. Begrepen? Als uw volgende verhaaltje niet overtuigender is, zit u in een vloek en een zucht in een cel in Eastvale. Ben ik duidelijk?'

Hatchley, die zich opperbest vermaakte, nam nu de rol van minzame oom op zich. 'U kunt maar beter doen wat de inspecteur zegt, meneer,' raadde hij de wit weggetrokken Hackett aan. 'Als u niets te verbergen hebt, kan het echt geen kwaad.'

Hackett staarde Hatchley minstens een halve minuut lang zwijgend aan en toen verdween voelbaar de spanning uit de lucht: het moment dat de waarheid inleidt. Banks voelde het in zijn bloed; hij herkende het na vele jaren ervaring maar al te goed. Hackett was nog steeds zo van slag dat hij nijdig naar Hatchley staarde en zijn verklaring aan Banks richtte, die af en toe welwillend en begrijpend glimlachte of knikte.

Over het geheel genomen was het een enorme teleurstelling, maar er was in elk geval weer een vals spoor uit de weg geruimd. Nadat hij The Bridge had verlaten, was Hackett naar huis gegaan om te douchen en zich om te kleden; daarna was hij naar Darlington gereden, waar hij twee uur lang ongeremd vleselijk genot had gekend met een jonge, getrouwde vrouw wier echtgenoot nachtdienst had in de plaatselijke kolenmijn. Daarna was hij naar de Kit Kat Klub gegaan, in zijn eentje, omdat hij niet met haar in de stad wilde worden gezien. Daar zou beslist over worden gekletst. Uiteindelijk wist Banks haar naam en adres uit hem los te krijgen, vergezeld van de nodige smeekbeden en waarschuwingen om het niet aan haar gespierde echtgenoot te verklappen.

'Alstublieft,' bedelde hij, 'als u per se met Betty wilt praten, doet u dat dan na tien uur 's avonds. Ik zal vragen of ze hiernaartoe wil komen. Dat is zelfs nog beter, denk ik.'

'Als u het niet erg vindt, meneer Hackett,' antwoordde Banks, 'doen we het op onze eigen manier.'

'Strijkt u eens met uw hand over uw hart, inspecteur. Hebt u er zelf nooit een vriendinnetje op na gehouden?'

De spieren in Banks' kaak verstrakten. 'Nee,' reageerde hij fel. 'En zelfs als dat wel zo was, zou dat voor u geen verschil uitmaken.' Hij legde zijn handen op het bureau en leunde naar voren, zodat zijn gezicht slechts een paar centimeter van dat van Hackett was verwijderd. 'Wat blijkbaar maar niet tot u doordringt, meneer, is dat wij hier een moord onderzoeken. Een vriend van u is vermoord – of was u dat misschien vergeten? – en het enige waarover u zich druk kunt maken is een of andere goedkope snol die u in Darlington hebt genaaid.'

'Ze is geen goedkope snol. En er is toch geen enkele reden om een goed huwelijk te verpesten? Want als u dit doorzet, hebt u dat straks op uw geweten, hoor.'

'Nee. Dan hebt u dat op uw geweten. En zij ook. Als ik ook maar even dacht dat u hun huwelijk belangrijker vond dan uw eigen hachje zou ik wellicht nog overwegen om het anders aan te pakken.'

Banks gebaarde naar Hatchley en ze vertrokken, Hackett achterlatend die nagelbijtend de dag vervloekte waarop hij de bekoorlijke kleine Betty Fields in The Cock and Bull had ontmoet.

'Zin in een ritje naar Darlington, Hatchley?' vroeg Banks toen ze High Street hadden bereikt. 'Het lijkt me beter dat je dit zelf even natrekt.'

'Jawel, inspecteur,' antwoordde Hatchley met een brede grijns.

'Uitstekend. Na tien uur vanavond, dacht ik zo.'

'Wat? Maar...'

'Als je het niet erg vindt.'

'Dat is het niet. Ik heb daar een paar maats die ik al een tijdje niet heb gezien. Maar hoe zit het dan met Hackett?'

'Het is eigenlijk heel eenvoudig. Hackett heeft gelijk, ik zie er het nut niet van in om onnodige spanning te creëren in een huwelijk, zelfs niet zo'n wankel huwelijk als dat van Betty Fields. Maar dat hoeft hij niet te weten. Tegen de tijd dat hij weer iets van die jongedame hoort, is hij waarschijnlijk een lopend wrak. Die mijnwerkers zijn beren van kerels, heb ik gehoord.' Hij glimlachte toen hij zag dat het Hatchley begon te dagen. 'Je moet wreedheid en medelijden een beetje in balans zien te houden. Vooruit, nog één bezoekje en dan kunnen we naar huis.'

Vanwege het mooie weer gingen Banks en Hatchley te voet naar Gratly. Ze namen de kortste route, die via de begraafplaats en over een smal pad door een weiland liep. Een reeks kleine plateaus voerde als een brede trap met fluweelgroene treden langs de helling omlaag naar de beek. In het weelderige gras bij de rivier stonden schapen te grazen in de schaduw van een groepje essen.

Deze keer werd Banks getroffen door de vredige rust en het geheel eigen karakter van Gratly. Midden in het dorp bevond zich een lage, stenen brug waar een brede waterstroom via aan aantal korte plateaus onderdoor ruiste en in een serie watervalletjes langs een verlaten molen omlaag stroomde naar de alles opslokkende Swain.

Gratly zelf strekte zich in kruisvorm vanaf dit centrale punt uit, en smalle steegjes en paadjes her en der gaven toegang tot kronkelige achterafstraatjes en verdekt opgestelde buiten-wc's. De huizen waren oud en gebouwd van een steensoort uit de omgeving, maar verschilden verder allemaal van elkaar. Sommige hadden oorspronkelijk als wevershuisjes gediend, wat te zien was aan de vele ramen op de bovenverdieping; andere hadden meer weg van oude boerderijen of arbeidershuisjes. Het zonlicht op de lichtkleurige steen en de constante ruis van het stromende water had een ontspannende uitwerking op Banks en hij dacht bij zichzelf dat dit niet de juiste dag of plek was voor het werk dat hij kwam doen. Het was rustig en stil in het dorpje; er was nergens een teken van leven te bespeuren.

Ze moesten twee keer aanbellen voordat Emma Steadman, gekleed in een bruin jasschort over haar bloes en broek, de deur opendeed. Ze nodigde hen uit om binnen te komen en verontschuldigde zich voor de rommel. Bij de deur naar de woonkamer bleef ze staan om de twee mannen voor te laten gaan en ze streek met een smerige hand over haar klamme voorhoofd. Banks zag onmiddellijk wat ze bedoelde. Alle boeken van Steadman waren van de planken gehaald en lagen nu in slordige, wankele stapels op de vloer.

De weduwe ging hulpeloos midden in de kamer staan en gebaarde om zich heen. 'Die zijn allemaal van hem. Ik kan er niet meer tegen om ze overal te zien. Ik weet niet wat ik ermee aan moet.' Ze maakte een minder kille indruk dan tijdens hun afscheid op maandagmiddag, kwetsbaar haast te midden van de overblijfselen van een gezamenlijk leven.

'Er zit een boekhandelaar in Eastvale,' vertelde Banks haar. 'Ik weet zeker dat hij bereid is hiernaartoe te komen om ze te taxeren, als u hem belt. Hij zal u er een goede prijs voor geven. Of anders Thadtwistle, in Helmthorpe.'

'Ja, dat is een goed idee. Dank u wel.' Mevrouw Steadman ging zitten. 'Het zal alleen even moeten wachten. Iets dergelijks kan ik er nu niet bij hebben. Ik weet niet wat ik met al zijn spullen ga doen. Ik heb nooit beseft dat hij zoveel rommel had verzameld. Kon ik maar gewoon uit Gratly weggaan en ergens anders gaan wonen.'

'U bent niet van plan om hier te blijven?' vroeg Hatchley.

Ze schudde haar hoofd. 'Nee, brigadier, dat denk ik niet. Er is hier niets voor me. Dit was eigenlijk Harolds werk, Harolds huis.'

'Waar gaat u dan naartoe?'

'Daar heb ik nog niet echt over nagedacht. Een stad, denk ik. Wellicht Londen.' Ze keek Banks aan.

'Daar zou ik me als ik u was nog maar niet al te druk over maken,' zei hij. 'U moet er even rustig de tijd voor nemen. Dat komt allemaal wel.'

Er viel een stilte. Mevrouw Steadman bood aan om thee te zetten, maar tot Hatchleys grote ontsteltenis sloeg Banks het aanbod namens hen beiden af. 'Nee, dank u wel. We blijven niet lang. We waren toevallig in de buurt.'

Ze trok haar wenkbrauwen op, een hint dat hij dan terzake moest komen. 'Het gaat om Penny Cartwright,' stak Banks van wal en het viel hem op dat ze bij het horen van die naam geen spier vertrok. 'Ik heb gehoord dat uw man en zij veel met elkaar optrokken. Vond u dat niet vervelend?'

'Hoezo "vervelend"?'

'Nu ja,' ging Banks voorzichtig verder, 'ze is een erg aantrekkelijke vrouw.

Mensen kletsen snel. Ze hebben al eerder geruchten over haar verspreid. Was u niet bang dat uw man een affaire met haar had?'

Het werd terstond duidelijk dat deze suggestie Emma Steadman eerder verbaasde dan irriteerde, alsof het iets was waar ze zelf nooit op was gekomen. 'Maar ze waren al jarenlang bevriend,' antwoordde ze. 'Al sinds ze een tiener was en we hier voor het eerst met vakantie waren. Ik heb niet..., ik ben haar eigenlijk altijd zo blijven zien. Als een tiener. Eerder een dochter dan een rivale.'

Banks vond het bijzonder kortzichtig van haar om een vrouw die slechts twaalf of dertien jaar jonger was dan zij als een kind te beschouwen, helemaal wanneer de vrouw in kwestie ouder was dan zestien. 'U vond het dus niet erg?' vervolgde hij. 'Het heeft nooit problemen veroorzaakt, tot jaloezie geleid?'

'Van mijn kant in elk geval niet. Zoals ik net al zei, inspecteur, is ze al jarenlang een vriendin van ons. Ik neem aan dat u weet dat Michael Ramsden en zij vroeger verkering hadden? Ze is hier toen heel vaak met hem geweest, dit was indertijd tenslotte zijn thuis; wij waren slechts zomergasten. Ik geloof dat ze veel met Harry gemeen had. Ze beschouwde hem als leraar, iemand die veel wist. Dat gold trouwens ook voor Michael. Het spijt me, ik geloof dat ik niet goed begrijp waar u precies naartoe wilt.'

'Ik vroeg me gewoon af of u uw man ervan verdacht een affaire te hebben met Penny Cartwright.'

'Nee, helemaal niet. Eerst trekt u mijn huwelijk in twijfel en nu beschuldigt u mijn man van overspel. Wat is er allemaal aan de hand? Waar gaat dit over?'

Banks hield een hand op. 'Wacht even. Het is niet mijn bedoeling om iemand te beschuldigen. Ik stel vragen. Dat hoort nu eenmaal bij mijn werk.'

'Dat zei u de vorige keer ook al,' zei ze. 'En toen voelde ik me evenmin echt gerustgesteld. Beseft u dan niet dat mijn man morgen wordt begraven?'

'Ja zeker en het spijt me echt. Maar als u wilt dat we zijn dood grondig onderzoeken, zult u moeten beseffen dat u enkele lastige vragen kunt verwachten. Door slechts oppervlakkig te zoeken of netelige kwesties te omzeilen krijgen we de waarheid niet boven tafel.'

Mevrouw Steadman slaakte een zucht. 'Dat begrijp ik. Het gaat alleen allemaal zo... snel.'

'Hebt u Penny na haar vertrek uit Helmthorpe nog vaak gezien?' vroeg Banks.

'Niet heel vaak. Wanneer we ons in dezelfde stad bevonden – Londen bijvoorbeeld – gingen we soms samen wat eten. De keren dat dit gebeurde, zijn echter op de vingers van één hand te tellen.'

'Hoe kwam ze in die periode op u over?'

'Niet anders dan anders.'

'Ze was nooit depressief, aan de drugs, overspannen?'

'Niet tijdens onze ontmoetingen.'

'Hoe goed kende uw man Jack Barker?'

'Jack? Ik zou zeggen dat ze vrij goed met elkaar konden opschieten. Voorzover dat voor Harry tenminste mogelijk was met iemand die niet dezelfde passies had.'

'Hoe lang woont Barker al in Gratly?'

'Dat weet ik niet precies. Hij is hier eerder komen wonen dan wij. Drie of vier jaar.'

'Hoe lang kende uw man hem?'

'Ze gingen pas een jaar of anderhalf vriendschappelijk met elkaar om. We hadden hem al eens eerder ontmoet, tijdens een van onze vakanties hier, maar Harold is pas echt met mensen uit de omgeving gaan optrekken toen we hier zelf kwamen wonen.'

'Waar komt Barker vandaan?'

'Uit Cheadle in Cheshire. Maar ik geloof dat hij eerst een tijdje in Londen heeft gewoond.'

'En toen uw man en u Gratly voor het eerst bezochten, kende u hem geen van tweeën?'

'Nee. Volgens mij kende niemand in Helmthorpe of Gratly hem toen. Vanwaar deze fascinatie met het verleden, inspecteur?'

Banks fronste zijn wenkbrauwen. 'Dat weet ik niet goed, mevrouw Steadman. Ik probeer alleen te ontdekken hoe de verschillende onderlinge verhoudingen waren, hoe ze in elkaar staken.'

'En dat is de reden waarom u zojuist naar Harry en Penny vroeg?'

'Deels wel, ja. Majoor Cartwright leek niet echt in zijn sas met hun vriendschap.'

Mevrouw Steadman maakte een geluid dat het midden hield tussen een nies en geproest. 'De majoor! Iedereen weet dat hij een halvegare is. Zo gek als een looien deur. Ze is het enige wat hij nog heeft, weet u, en ze heeft hem een hele tijd aan zijn lot overgelaten.'

'Bent u bekend met de geruchten?'

'Wie niet? Alleen denk ik niet dat u vandaag de dag nog iemand zult vinden die ze serieus neemt.'

'Vergeven en vergeten?'

'Iets in die trant. Mensen raken er snel op uitgekeken. U denkt toch zeker niet dat... de majoor?'

Banks gaf geen antwoord.

'Jullie van de politie hebben zo'n levendige fantasie,' ging Emma Steadman spottend verder. 'Wat denkt u dat er is gebeurd? Denkt u soms dat de majoor achter deze zogenaamde affaire is gekomen en Harry heeft vermoord om de goede naam van zijn dochter te beschermen? Of gelooft u dat ik het in een opwelling van jaloezie heb gedaan?'

'U kunt het toch helemaal niet hebben gedaan? U zat op dat moment televisie te kijken met uw buurvrouw. We vertrouwen niet blindelings op onze fantasie, mevrouw Steadman. Ik weet dat u momenteel een moeilijke periode doormaakt en het spijt me als u de indruk hebt gekregen dat ik u opzettelijk lastigval, maar ik probeer slechts een zo compleet mogelijk beeld te vormen van uw man en zijn vriendengroep. Dit is voor ons eveneens een moeilijke en uiterst belangrijke tijd, herinneringen vervagen en verhalen veranderen met elk uur dat verstrijkt. Tot op heden heb ik nog niet kunnen bepalen wat belangrijk is en wat niet.'

'Het spijt me dat ik de spot met u dreef,' zei mevrouw Steadman verontschuldigend. 'Ik weet dat u gewoon uw werk doet, maar ik vind het erg vervelend dat u hier komt vertellen dat Harold een affaire zou hebben gehad en insinueert dat ons huwelijk slecht was. Probeert u het ook eens van mijn kant te zien. Het lijkt erop dat u mij zit te beschuldigen.' Ze zweeg even en glimlachte mat. 'Hij was er gewoon het type niet voor en als u hem had gekend, zou u hebben begrepen wat ik daarmee bedoel. Als Harry al een affaire had, dan was dat met zijn werk. Ik had soms zelfs het idee dat hij met zijn werk was getrouwd en met mij slechts een affaire had.'

Ze zei dit vrij opgewekt en in het geheel niet verbitterd, en Banks glimlachte beleefd. 'Ik weet zeker dat mijn vrouw er precies zo over denkt,' zei hij en hij riep Hatchley, die de inmiddels vrijwel lege boekenplanken stond te bekijken.

'Ik zal u niet langer ophouden,' zei Banks bij de deur, 'maar er is nog één ding waarmee u me misschien kunt helpen.'

'Wat dan?'

'Uw man gaf toch college aan de faculteit geschiedenis in Leeds?'

Ze knikte bevestigend. 'Ja. Dat was zijn vakgebied.'

'Wie waren zijn collega's? Met wie ging hij het meeste om?'

Ze dacht even na voordat ze antwoord gaf. 'We kenden daar niet zoveel mensen. Harry had het te druk met zijn carrière. Even denken... Tom Darnley was een goede vriend van hem en Godfrey Talbot. Ik meen dat hij Harry in Cambridge ook al kende. Dat is het wel zo'n beetje, behalve dan Geoffrey Baynes, maar die kreeg al voor Harry's vertrek een baan aangeboden als docent in Winnipeg in Canada. Meer kan ik er niet bedenken.'

'Dank u wel, mevrouw Steadman,' zei Banks terwijl de deur al langzaam achter hen dichtviel. 'Dat is voorlopig meer dan genoeg. Tot morgen.'

Ze liepen langs dezelfde route terug naar de auto, die vanbinnen erg warm was omdat hij bijna de hele dag in de zon had gestaan, en reden terug naar Eastvale. Banks vond het jammer dat hij de Cortina niet had; het landschap smeekte om muziek. Hij moest het echter doen met Hatchley, die veel te hard over de weg scheurde en eindeloos doorzemelde over het feit dat hij buiten het kantoor van Gristhorpe nog nooit zoveel boeken bij elkaar had gezien. 'Vreemd mens, die mevrouw Steadman, vindt u ook niet?' vroeg hij ten slotte.

'Ja,' antwoordde Banks en hij tuurde naar zes bomen op een *drumlin* in de verte, die allemaal in dezelfde richting stonden gebogen. 'Ik moet eerlijk bekennen dat ik me niet op mijn gemak voel bij haar. Ik weet niet goed wat ik aan haar heb.'

7

Als die donderdagochtend om elf uur een avontuurlijke bergwandelaar boven op Crow Scar had gelopen, zou deze in het zuiden twee gedaanten hebben gezien die eruitzagen als glimmende zwarte kevers, gevolgd door groene en rode bladluizen, die traag langs Gratly Hill een weg naar beneden zochten, onderaan rechts afsloegen en Helmthorpe binnen gingen.

Voetgangers in High Street − zowel bewoners als toeristen − bleven stilstaan toen de begrafenisstoet voorbijtrok. Sommigen wendden hun blik af, anderen zetten hun pet af en een enkeling, blijkbaar bezoekers van buiten de streek, sloeg zelfs een kruisje.

Harold Steadman was een gelovig man geweest, omdat geloof voor hem iets was wat onlosmakelijk was verbonden met de mannen en hun daden die hadden geholpen om de streek die hij zo liefhad te vormen en op te bouwen; daarom was de begrafenis een traditionele, hoewel tegenwoordig zeldzame ceremonie op de begraafplaats die werd geleid door een geestelijke uit Lyndgarth.

Op de warmste dag van het jaar stond een bont gezelschap ongemakkelijk rondom het graf terwijl de eerwaarde Sidney Caxton de traditionele woorden citeerde: 'Te midden van het leven zijn wij in de dood; wie anders kunnen wij om hulp smeken dan U, o Heer... Gij kent de geheimen in onze harten, Heer; sluit niet Uw barmhartige oren voor ons gebed; spaar ons, Heer, heiligste van al.' Hierop volgde op verzoek van mevrouw Steadman Psalm 23: 'De heer is mijn herder, het ontbreekt mij aan niets. Hij laat mij rusten in groene weiden en voert mij naar vredig water... Al gaat mijn weg door een donker dal, ik vrees geen gevaar, want u bent bij mij, uw stok en uw staf, zij geven mij moed... Geluk en genade volgen mij alle dagen van mijn leven, ik keer terug in het huis van de Heer tot in de lengte van dagen.' Het was een zwaarmoedige tekst en een bijzonder passend afscheid van een man als Harold Steadman.

Sally Lumb, die samen met Hazel, Kathy, Anne en meneer Buxton, de hoofdmeester, de middelbare school van Eastvale vertegenwoordigde, vond het maar een droefgeestige, onaangename plechtigheid. Om te beginnen had ze het veel te warm in de smaakvolle, donkerblauwe outfit die haar moeder haar had laten aantrekken; haar bloes plakte letterlijk vast aan haar rug en de zweetdruppels die zo nu en dan langs haar rug gleden waren net kriebelende spinnen.

De eerwaarde Caxton pakte een handvol aarde en wierp deze op de kist: 'Het heeft de genadige God Almachtig behaagd om tot zich te nemen de ziel van onze dierbare broeder die van ons is heengegaan; wij vertrouwen zijn stoffelijk overschot toe aan de aarde...'

Om de tijd te verdrijven, gluurde Sally stiekem naar de andere aanwezigen. Penny Cartwright was de opvallendste verschijning. Ze was van top tot teen in het zwart gekleed, waartegen haar bleke gezicht scherp afstak; ze had heel weinig make-up gebruikt, net genoeg om de wallen onder haar ogen te camoufleren voor niet-oplettende kijkers en haar jukbeenderen, die haar het uiterlijk van een tragische romanheldin gaven, te benadrukken. Ze zag er werkelijk buitengewoon mooi uit, vond Sally, maar dan wel op een indringende, angstaanjagende, overweldigende manier. Daar stond tegenover dat Emma Steadman er in haar ouderwetse, onmodieuze, donkergrijze mantelpakje niet echt bijzonder uitzag. Ze had zich best een beetje kunnen opmaken voor de begrafenis, vond Sally, en ze bracht in gedachten wat rouge, oogpotlood en een lik lippenstift op het gezicht aan. Ze kreeg echter onmiddellijk wroeging, omdat ze op een moment als dit zulke mondaine gedachten koesterde; mevrouw Steadman was tenslotte altijd heel aardig tegen haar geweest.

'Uit stof zijt gij herrezen en tot stof zult gij wederkeren; in de zekere en besliste hoop van de wederopstanding in het eeuwige leven, door onze Heer Jezus Christus, die ons sterfelijk lichaam zal veranderen...'

Tussen de twee rouwende vrouwen stond Michael Ramsden, die volgens Sally veel weg had van de verdoemde, aan tuberculose lijdende jongemannen in de gotische zwartwitfilms op Channel Four waarnaar haar moeder zo graag keek. Aan de andere kant van Penny stond Jack Barker in een donker pak met een zwarte band om zijn arm. Hij zag er echt heel onstuimig en gevaarlijk uit – die Errol Flynn-snor, dat lichtje in zijn ogen – en Sally liet zich heel even meeslepen door een roekeloze fantasie.

De politieman, Banks, kon haar niet langer bekoren. Toegegeven, hij was op een pezige, knokige manier best knap om te zien en het litteken was erg mysterieus, maar ze had zijn ware aard leren kennen en hij was haar tegengevallen. Hij was een watje; hij had in Londen gewoond, had te midden van het avontuur geleefd en ontelbare kansen gehad om heldhaftig op te treden, maar had dat allemaal opgegeven om zich terug te trekken in dit godvergeten deel van het land. Duidelijk oud voor zijn tijd. Dokter Barnes was als altijd een onopvallende grijze muis en Teddy Hackett droeg een poenerig, gouden medaillon op zijn zwarte overhemd, dat fonkelde in de zon wanneer hij van zijn ene voet op zijn andere ging staan.

'... dat het gelijk Zijn glorieuze lichaam zal zijn, in overeenstemming met de almachtige wijze waarop Hij alles aan Hemzelf ondergeschikt weet te maken...'

Toen Sally haar aandacht weer op de ceremonie richtte, was alles al voorbij. Langzaam liepen de rouwenden weg, alsof ze de overledene met tegenzin voor eens en altijd achterlieten. Penny en Emma hadden hun zakdoek tevoorschijn gehaald en klemden zich ieder aan de arm van de dichtstbijzijnde man vast. In Penny's geval was dat Jack Barker en het viel Sally op dat ze een heel aantrekkelijk stel vormden. De anderen vertrokken in groepjes van twee of drie, maar de politieman slenterde in zijn eentje weg. Harold Steadman, op zijn laatste rustplaats neergelaten, was door zijn dood deel gaan uitmaken van de Dale waarvan hij bij leven zoveel had gehouden.

Nadat hij op het politiebureau van Helmthorpe een uur lang met Weaver had zitten praten over het gebrek aan vooruitgang, zat Banks om één uur alleen aan een witte tafel in de achtertuin van The Dog and Gun een glas shandy te drinken. De tafels om hem heen zaten allemaal vol. Toeristen bespraken hun vakantie, het weer, hun werk (of het ontbreken daarvan), en kinderen zoemden ongehinderd in het rond, net als de wespen die van glasranden naar de restjes Schwartzwalder Kirschtorte en kleverige kruimels vlogen die op de papieren bordjes waren achtergebleven.

Banks vond het gegil en gebabbel niet erg; hij kon zich indien nodig altijd en overal volledig afsluiten voor achtergrondlawaai. Hij zat in zijn hemdsmouwen aan zijn pijp te morrelen; het jasje van zijn donkere pak hing over de rug van een stoel. De pijp was een vervelend rotding. Hij ging steeds uit, raakte voortdurend verstopt en het bittere tabaksvocht druppelde continu vanuit de steel op zijn tong. Het paste echter wel bij hem; het was weer een stap vooruit in zijn poging om de identiteit en het imago te creëren die hij graag wilde ontwikkelen en uitstralen.

Een wesp landde doezelig op zijn mouw. Hij joeg hem weg. Aan de overkant van de glinsterende rivier met zijn verwilderde oevers speelde de dorpsclub cricket op een grasveld dat kort daarvoor was gemaaid. Door het trage tempo van het spel deed het geheel denken aan een pavane uit de Renaissance. Het harmonieuze samenspel van wit tegen een groene achtergrond, de felle tik van wilg tegen leer en het af en toe oplaaiende, korte applaus vermengden zich met de geur van gras en verhoogden het overheersende gevoel van vredige rust. Hij ging tegenwoordig nog maar zelden naar een wedstrijd − als hij al ging, verveelde hij zich na een paar *overs* al stierlijk − maar hij herinnerde zich de beroemde Engelse cricketspelers uit zijn schooltijd nog wel: Ted Dexter, 'Fiery' Fred Trueman, Ken Barrington, Colin Cowdrey; hetzelfde gold voor de spelletjes die hij in het klaslokaal met dobbelsteen en papier had gespeeld, waarbij hij zijn eigen kampioenschap van het graafschap had gecreëerd en zijn eigen Test Matchreeks. Alle clichés over cricket waren waar, bedacht hij peinzend; het spel bezat een typisch Engelse eigenschap, het gaf je het gevoel dat God tevreden in zijn hemel zat en alles in het Britse rijk in orde was.

Dat was echter verre van waar, ontdekte hij nu met een schok. Achter het veld rees de heuvelhelling op, aanvankelijk geleidelijk stijgend en doorkruist door stapelmuurtjes, maar allengs steiler en eindigend in de lange, hoge, kalkstenen boog van Crow Scar, waarboven Banks zwarte kraaien meende te zien rondcirkelen. Op die helling, voor het onvolmaakte perspectief van het oog ongeveer halverwege het cricketveld en de kalkstenen boog, bevond zich de plek waar Steadmans lichaam was aangetroffen.

Banks had het niet zo op begrafenissen begrepen en ergens was het eigenlijk ook een zinloze gewoonte om de begrafenis te bezoeken van mensen die hij nooit had gekend. Hij had op die manier nog nooit een moordenaar in de kraag gevat: geen bekentenissen aan de rand van het graf, geen mysterieuze vreemdeling die zich verdacht ophield achter een paar taxusbomen. Toch deed hij het en toen hij zijn redenen daarvoor probeerde te analyseren, ontdekte hij dat dit was vanwege de onbegrijpelijke, unieke band die hij met de overleden man voelde, een band die misschien wel nauwer was dan wanneer hij hem persoonlijk had gekend. In zekere zin zag Banks zichzelf als een aan het slachtoffer toegewezen wreker en op een bizarre manier werkte hij met de overleden man samen om het natuurlijke evenwicht te herstellen; ze waren collega's van het licht die de duisternis bestreden. In dit geval fungeerde Steadman als zijn gids uit de geestenwereld: een zwijgende, gedaanteloze gids wellicht, maar desondanks wel degelijk aanwezig. Banks' blik gleed weer naar de wedstrijd en hij zag nog net dat de batsman een slecht geplaatste *off-spinner* naar de rand van het veld sloeg. De bowler herstelde zich echter in de volgende twee worpen en het tempo vertraagde, omdat de batsman op een verdedigende tactiek moest overstappen. Mede door toedoen van de warme lucht verviel Banks opnieuw in diep gepeins, ditmaal over de anderhalf jaar dat hij in Yorkshire was.

Het landschap vond hij prachtig, dat sprak voor zich. Het was wild en ruig, heel anders dan de duinen in het zuiden, en de enorme uitgestrektheid was ontzagwekkend. En dan de mensen. Alles wat hij had gehoord over de aangeboren, koppige eigengereidheid van de bewoners van Yorkshire, hun norse manier van doen en de traagheid waarmee ze zich openstelden voor vreemden klopte tot op zekere hoogte, maar net als alle andere generalisaties deed het geen recht aan de werkelijkheid als geheel. Hij had langzaam maar zeker waardering gekregen voor hun stoïcijnse gevoel voor humor, hun scherpe gevatheid en gezonde verstand, de vriendelijke inborst die onder het weerbarstige uiterlijk schuilging.

Banks vond het juist wel prettig om een buitenstaander te zijn. Geen onbekende, zoals hij in de anonieme, internationale mensenmassa's in Londen was geweest, maar een buitenstaander. Hij wist dat hij dat ook altijd zou blijven, hoe diep hij zich hier uiteindelijk ook wortelde.

Hij klopte geërgerd zijn pijp leeg en probeerde zijn aandacht weer te richten op het lopende onderzoek. Deze zaak bevatte dezelfde smerige elementen als elke andere moord, maar in een omgeving als deze werd het gevoel van heiligschennis eens te meer uitvergroot. De hele manier van leven in de kleine Dale – de mensen, hun prioriteiten, hun normen en waarden, hun zorgen – was totaal anders dan die in Londen of zelfs in Eastvale. Gristhorpe had opgemerkt dat het feit dat hij een buitenstaander was in zijn voordeel kon werken, hem een fris perspectief zou geven, maar daar was Banks niet zo zeker van; hij kwam er op dit moment in elk geval geen stap mee verder.

Toen er een lange schaduw over de witte tafel viel, draaide hij zich om en hij zag nog net dat Michael Ramsden de pub binnen ging.

'Meneer Ramsden!' riep hij tegen zijn verdwijnende rug. 'Zou ik u even kunnen spreken?'

Ramsden kwam teruggelopen. 'Inspecteur Banks. Ik had u niet gezien.'

Banks dacht dat hij loog, maar dat hoefde niets te betekenen. Als politieman was hij eraan gewend dat mensen hem ontweken. Ramsden ging op het puntje van een stoel zitten en zijn lichaamstaal gaf duidelijk aan dat hij beslist niet van plan was om langer dan een minuut of twee te blijven.

'Ik had eigenlijk verwacht u wel bij de lunch na de begrafenis te zien,' zei Banks.

'Ik ben er heel even geweest. U weet hoe het er bij dergelijke gelegenheden aan toegaat: al die geveinsde vrolijkheid en camaraderie om te verhullen wat er eigenlijk is gebeurd. En er is altijd wel iemand die te veel drinkt en zich dan dwaas gedraagt.' Hij schokschouderde. 'Ik ben vrij snel weggegaan. U wilde me iets vragen?'

'Ja. Weet u heel zeker dat u zaterdagavond niet bent weggeweest?'

'Ja, natuurlijk weet ik dat zeker. Dat heb ik u al verteld.'

'Jawel, dat weet ik wel, maar ik wilde het toch even navragen. Zelfs niet een halfuurtje?'

'U hebt gezien waar ik woon. Waar had ik dan naartoe gemoeten?'

Banks glimlachte. 'Een wandeling? Een stukje hardlopen? Ik heb gehoord dat schrijvers wel eens last hebben van een schrijversblok.'

Ramsden lachte. 'Dat is maar al te waar. Maar nee, dat geldt niet voor mij, afgelopen zaterdag tenminste niet. Trouwens, Harry had een sleutel; hij had zichzelf kunnen binnenlaten en daar op me wachten.'

'Had hij dat al eens eerder gedaan?'

'Ja, één keer, toen het een latertje werd op kantoor.'

'Hij zou bijvoorbeeld niet bij een andere vriend in de omgeving langsgaan en later terugkomen?'

'Ik geloof niet dat Harry verder iemand kende in York en omstreken. Niet goed genoeg om onaangekondigd even bij aan te wippen, in elk geval. Waarom wilt u dit eigenlijk allemaal weten, als ik vragen mag?'

'We willen graag achterhalen waar meneer Steadman tussen kwart over tien en het tijdstip van overlijden is geweest. Er is trouwens nog iets anders,' ging Banks snel verder, omdat hij aanvoelde dat Ramsden rusteloos werd. 'Ik zou graag nog iets meer met u over vroeger willen praten, over uw relatie met Penny Cartwright.'

Ramsden zuchtte en maakte het zich iets gemakkelijker op zijn stoel. Er kwam een kelner in een wit jasje voorbij. 'Wilt u misschien iets drinken?' vroeg Banks.

'Laat ik dat maar doen, want ik heb zo het vermoeden dat u me wel een tijdje hier houdt. Het is allemaal al zo lang geleden, ik begrijp niet dat u verwacht dat ik me alles nog kan herinneren. En ik zie werkelijk niet in wat dit te maken kan hebben met Harry's overlijden.'

Banks bestelde twee pints bier. 'Als u even wilt luisteren, zal ik het uitleggen. Tien jaar geleden,' vervolgde hij, 'was een heel belangrijke periode in uw leven. Het was zomer. U was achttien, stond op het punt om naar de universiteit te gaan en had verkering met het mooiste meisje in Swainsdale. Harold en Emma Steadman kwamen zoals gewoonlijk een maand logeren in het pension van uw ouders. Uit alle verhalen blijkt dat het een zomer was om nooit te vergeten: lange wandelingen, excursies naar bezienswaardigheden in de omgeving. Dat herinnert u zich toch nog wel?'

Ramsden glimlachte. 'Ja, natuurlijk. Dat is waar ook. Ik realiseerde me alleen niet dat het alweer zo lang geleden was,' zei hij weemoedig.

'De tijd verstrijkt inderdaad snel,' zei Banks. 'Vooral wanneer je alle gevoel voor continuïteit bent kwijtgeraakt en er dan later op terugkijkt. Hoe dan ook, er kwam een einde aan. Dingen veranderden. Wat is er tussen Penny en u voorgevallen?'

Ramsden nam een slokje bier en verjoeg een vervelende wesp. 'Dat heb ik u al verteld. Net als de meeste verliefde tienerstelletjes groeiden we uit elkaar.'

'Hebt u daar ooit spijt van gehad?'

'Waarvan?'

'Dat het zo is gegaan. Misschien was u nu anders wel gelukkig met Penny getrouwd en zou dit alles niet zijn gebeurd.'

'Wat bedoelt u met dit alles? Ik zie het verband niet.'

'Penny's avonturen in de muziekwereld; uw vrijgezellenbestaan.'

Ramsden lachte. 'Zoals u het zelf zegt lijkt het wel een vreselijke ziekte, inspecteur. Ik mag dan misschien vrijgezel zijn, maar dat wil echt niet zeggen dat ik een celibatair leven leid. Ik heb minnaressen, een sociaal leven. Ik vermaak me uitstekend. En wat Penny betreft... tja, het is haar leven. Misschien is dit voor haar juist wel het beste; wie zal het zeggen?'

Banks probeerde zijn pijp aan te steken. Twee tafels verderop zette een baby in een kinderstoel een keel op. Zijn wangetjes zaten onder de aardbeienjam. 'En als Steadman nu eens niet tussen jullie was gekomen en er met haar vandoor was gegaan...?'

'Wat wilt u daarmee zeggen? Dat Harry en Penny samen iets hadden?'

'Nu ja, hij was ouder, volwassener. U zult toch moeten toegeven dat het een mogelijkheid is. Ze waren in elk geval heel veel samen. Is dat niet de reden waarom jullie uit elkaar zijn gegaan? Omdat jullie ruzie hebben gehad over Steadman?'

Ramsden schoof weer naar het puntje van zijn stoel. 'Nee, zeer zeker niet,' zei hij kwaad. 'Hoor eens, ik weet niet wie u dit heeft wijsgemaakt, maar het is allemaal gelogen.'

'Zijn jullie dan uit elkaar gegaan omdat Penny u niet wilde geven wat u van haar vroeg? En het wellicht wel aan Steadman gaf?'

Deze keer stond Ramsden zo te zien op het punt om op te springen en Banks een dreun te verkopen, maar hij haalde diep adem, krabbelde eens achter zijn oor en glimlachte. 'Weet u, u bent echt heel irritant,' zei hij. 'Ik kan me indenken dat mensen u alleen maar dingen vertellen zodat u ophoepelt.'

'Dat gebeurt inderdaad wel eens,' gaf Banks toe. 'Gaat u verder.'

'Misschien schuilt er een kern van waarheid in het eerste deel van uw vraag. Een man kan niet eeuwig blijven wachten, zoals u ongetwijfeld zelf ook wel weet. Ik was er absoluut aan toe en Penny was een heel knap meisje. Dat is toch heel natuurlijk? We waren allebei een beetje naïef en bang voor seks, maar het was ook niet echt prettig dat ze steeds nee zei.'

Banks lachte. 'Dat geloof ik graag,' zei hij veelbetekenend. 'Ik denk dat ik zelf ook tegen de muren was opgevlogen. Waarom zei ze steeds nee, denkt u? Had het iets met Steadman te maken? Of had ze misschien een ander vriendje?'

Ramsden dacht even met gefronste wenkbrauwen na voordat hij antwoord gaf. 'Nee, er was geen ander vriendje, daar ben ik heel zeker van. Ik denk dat het gewoon een morele kwestie was. Penny was een fatsoenlijk meisje en fatsoenlijke meisjes doen dat nu eenmaal niet. En wat Harry betreft geloof ik niet dat hij deed wat u suggereerde. Ik ben ervan overtuigd dat ik het op een of andere manier had geweten. Ik ergerde me er af en toe best aan dat ze zo'n nauwe band hadden. Niet dat ik vermoedde dat er iets aan de hand was, hoor, maar ze brachten heel veel tijd samen door, tijd die ze ook met mij had kunnen doorbrengen. Harry was veel zelfverzekerder dan ik. Ik was verlegen en onhandig. Dus ja, misschien was ik wel een beetje jaloers, maar niet op de manier die u denkt.'

'O? En wat denk ik dan?'

'Dat weet u best. U denkt aan het soort jaloezie dat vanbinnen aan je vreet en uiteindelijk tot moord leidt,' antwoordde hij met een lage, theatrale stem.

Banks lachte. Ramsden had zijn glas bijna leeg en wilde zo te zien niets liever dan zo snel mogelijk opstappen, maar er waren nog een paar kwesties die Banks wilde aankaarten. 'Hoe staat het met haar vader, de majoor? Gelooft u dat hij er iets mee te maken heeft gehad dat jullie uit elkaar groei-den?'

'Dat denk ik niet. Voorzover ik weet vond hij me wel geschikt. Hij is een beetje getikt, maar hij heeft het ons nooit echt moeilijk gemaakt.'

'Hebt u Penny later nog opgezocht? Jullie woonden op een gegeven ogen-blik toch allebei in Londen?'

'Dat kan wel kloppen. Ik heb haar daar echter nooit ontmoet. Toen het eenmaal voorbij was, hield het ook echt op.'

'Wat deed u wanneer ze weer eens met Steadman de hort op was?'

'U doet net of er iets onverkwikkelijks gaande was, maar dat was echt niet zo, inspecteur. Meestal gingen we allemaal mee, maar soms had ik er ge-woon geen zin. Ik las in die tijd erg veel. Ik had zojuist de geneugten van de literatuur ontdekt. Mijn leraar Engels in de eindexamenklas, meneer Nixon, was een briljante, inspirerende man en was er in één jaar tijd in ge-slaagd alle schade te herstellen die anderen in de voorgaande jaren hadden toegebracht. Voor het eerst in mijn leven kon ik genieten van Shakespeare, Eliot, Lawrence, Keats en al die anderen, iets wat me nog nooit eerder was gelukt. Wat ik probeer te zeggen is dat ik een zeer romantische, introspec-tieve jongeman was; ik vond het heerlijk om naast een "kabbelend beekje" te zitten en Wordsworth te lezen.'

'Wanneer u tenminste niet bezig was Penny in bed te krijgen,' zei Banks, die Wordsworth eens had uitgeprobeerd op aanraden van Gristhorpe en hem een ongelooflijk saaie zeurpiet had gevonden.

Ramsden bloosde. 'Tja, nu ja... ik was een heel normale puber; dat zal ik heus niet ontkennen.' Hij wierp een blik op zijn horloge. 'Hoor eens, ik wil niet onbeschoft zijn, maar ik moet echt terug naar kantoor. Kunt u me voordat ik vertrek vertellen waar deze fascinatie voor gebeurtenissen uit het verleden vandaan komt?'

'Dat weet ik zelf ook niet zo goed,' zei Banks en hij pakte zijn glas op. 'Ik volg gewoon mijn instinct.'

'En wat zegt uw instinct u?'

'Dat de moord op Harold Steadman geen impulsieve daad was; hij is van tevoren beraamd en heeft waarschijnlijk wortels in het verleden. Ziet u, jul-lie waren hier tien jaar geleden allemaal bij elkaar – u, Penny Cartwright, haar vader, de Steadmans – en nu bevinden jullie je weer allemaal min of meer op dezelfde plek. Achttien maanden nadat Steadman in Gratly is ko-men wonen, is hij dood. Vindt u dat niet vreemd?'

Ramsden streek de haarlok, die deze keer daadwerkelijk over zijn ogen hing, naar achteren, dronk zijn glas leeg en stond op. 'Als u het zegt, zal het wel zo zijn,' zei hij. 'Ik denk alleen dat uw instinct het bij het verkeerde eind heeft. Dingen zijn allang niet meer wat ze vroeger waren. Om te beginnen zijn er andere mensen bij gekomen. Als u denkt dat Harry's dood iets met Penny van doen heeft, zou ik als ik u was uw instinct maar eens op Jack Barker richten. Hij is de laatste tijd wel heel vaak bij haar, heb ik gehoord. Goedendag, inspecteur, en bedankt voor het bier.'

Banks keek Ramsden na toen deze tussen de witte tafels door zijn weg zocht en richtte zijn aandacht vervolgens weer op de cricketwedstrijd, waar net op dat moment op dramatische wijze een wicket omviel. De *bails* vlogen hoog door de lucht en de bowler stak zijn armen omhoog en riep: '*Owzat!*'

Banks dacht na over zijn gesprek met Ramsden en vroeg zich af of er iets van waarheid school in wat hij over Barker had gezegd. 'Van tijd tot tijd zijn mannen gestorven en hebben de wormen hen opgegeten, maar het was niet uit liefde.' Dat had zijn dochter Tracy als de schone Rosalinde gezegd in *Wat u wil*, dat haar klas in het examenjaar op de middelbare school van Eastvale had opgevoerd. Het was alleen niet waar; velen hadden uit liefde gemoord en velen waren voor de liefde gestorven. En Penny Cartwright was een vrouw die dergelijke sterke gevoelens kon oproepen.

Plotseling schoten twee F-III's van de nabijgelegen Amerikaanse luchtbasis brullend en krijsend door de lucht. Ze vlogen zo laag dat Banks bijna het gezicht van de piloten kon onderscheiden. Het kwam regelmatig voor in de Dales: vliegtuigen die door het vredige landschap scheurden en de idylle verstoorden wanneer ze door de geluidsbarrière braken. Op de helling onder Crow Scar renden schapen geschrokken naar een stapelmuurtje om dekking te zoeken. De mensen aan de tafeltjes drukten hun handen tegen hun oren en trokken een pijnlijk gezicht.

De vliegtuigen hadden de betovering voor Banks verbroken. Er moest die middag het nodige papierwerk worden verricht. Hij greep zijn jasje, dronk het glas leeg en vertrok voor de cricketwedstrijd afgelopen was.

De avondmaaltijd bij het gezin Banks was die dag een drukke aangelegenheid. Het leek eeuwen geleden dat het gezin voor het laatst compleet aan tafel had gezeten en gezamenlijk had genoten van een van Sandra's overheerlijke brouwsels: kip met een saus van dragon en witte wijn. Ze bezat het wonderbaarlijke talent om met de goedkoopste stukken vlees de heerlijkste gourmetmaaltijden te kunnen bereiden. Een eigenschap die kenmerkend was voor iemand die afkomstig was uit de arbeidersklasse en een aangeboren goede smaak bezat, meende Banks. Het enige wat ervoor nodig was, zei Sandra, die overduidelijk erg blij was met de complimentjes, was de juiste bereidingsmethode en even goed opletten met de saus.

Het gesprek werd grotendeels bepaald door de kinderen, die verslag deden van hun dagtochtje naar York.

'De kathedraal was echt gaaf,' vertelde Tracy, een intelligente veertienjarige met een passie voor geschiedenis. 'Wist jij dat daar meer gebrandschilderd glas te vinden is dan in alle andere kathedralen in Europa, pap?'

Banks toonde zich geïnteresseerd en verbaasd. Architectuur was tot op heden geen onderwerp geweest waarin hij zich had verdiept, maar het klonk steeds aantrekkelijker. Op dat moment las hij voornamelijk boeken over de geologie van de Dales.

'En de Five Sisters zijn werkelijk adembenemend,' ging Tracy verder.

'Vijf zussen?' vroeg Banks. 'In een kathedraal?'

'O, pap,' zei Tracy giechelend. 'Je weet ook echt niets, hè? De Five Sisters zijn lancetvensters in het noordelijke transept. Ze zijn gemaakt van grisailleglas. Dertiende-eeuws, vermoed ik. En het Rose Window...'

'Het was oersaai,' onderbrak Brian, die zich buitengesloten had gevoeld, haar nu. 'Een heleboel beelden van dode koningen en zo. Oude troep. Doodsaai.'

'Cultuurbarbaar,' kaatste Tracy beslist en op gezaghebbende toon terug. 'Ik durf te wedden dat je het monument voor aartsbisschop Scrope niet eens hebt gezien.'

'Scrope? Wie is dat?' vroeg Banks. Hoewel hij met Brian meevoelde, vond hij het niet juist om Tracy's opwinding in de kiem te smoren. Ze was nu op een leeftijd waarop het hartstikke gaaf was om haar ouders, die naar haar idee verschrikkelijk onwetend waren over het verleden dat hen omringde, iets te kunnen bijbrengen. Over niet al te lange tijd, bedacht Banks peinzend, zou dat allemaal voorbij zijn, in elk geval een aantal jaren, en zou haar leven alleen nog maar draaien om kleding, popmuziek, make-up, kapsels en jongens.

'Dat was een rebel,' vertelde Tracy. 'Hendrik IV heeft hem in 1405 laten executeren.'

'Och, hou toch op over al die data, wijsneus,' gooide Brian eruit. 'Je denkt zeker dat je alles weet.' Voordat Tracy kon reageren, richtte hij zich weer tot zijn vader om enthousiast over zijn eigen belevenissen te vertellen.

'We zijn met een boot over de rivier gevaren, pap, en toen is zij zeeziek geworden.' Hij wierp een verachtelijke blik in de richting van zijn zus. 'En toen zijn we langs een enorme chocoladefabriek gekomen. Ik en een paar andere jongens wilden mee met een rondleiding, maar dat mocht niet van de juf. Ze wilde alleen maar geschiedenis en zo laten zien, en al die stomme, smalle oude straatjes.'

'The Shambles,' onderbrak Tracy hem. 'En Stonegate en Petergate. Trouwens, van die chocola zou je alleen maar misselijk zijn geworden.'

'Daar had jij anders helemaal geen chocola voor nodig, hè?' zei Brian honend.

'Zo is het wel genoeg, Brian!' kwam Sandra tussenbeide. 'Nu ophouden, allebei!'

Brian bleef de rest van de avond mokken en Tracy wierp hem van tijd tot tijd een nijdige blik toe, totdat ze allebei naar boven gingen om televisie te kijken; intussen ruimde Sandra de tafel af en Banks hielp haar met de afwas. Nog altijd ruziënd werden de kinderen ten slotte in bed gestopt en Banks stelde voor om een slaapmutsje te nemen.

'Ik heb een nieuwe baan,' zei Sandra, terwijl ze de whisky inschonk. 'Nu ja, niet echt nieuw, maar anders.'

Banks vroeg wat het inhield. Sandra werkte drie ochtenden per week als receptioniste bij een tandarts in Eastvale.

'Meneer Maxwell gaat op vakantie en de praktijk gaat drie weken dicht; Peggy Matthews – de receptioniste van meneer Smedley – gaat in dezelfde periode weg.'

'Ze gaan toch hoop ik niet samen?'

Sandra lachte. 'Nee. Dat zou nog eens een fraai stel bedgenoten zijn. Maxwell gaat naar de Griekse eilanden en Peggy is van plan Weymouth te bezoeken. Blijkbaar heeft Smedley gevraagd of hij mij tijdens de afwezigheid van mijn baas misschien kon lenen. Maxwell heeft het aan me doorgegeven en ik heb ja gezegd. Dat kan toch wel? Wij hebben immers geen plannen.'

'Ja, dat is prima, van mij mag je. Ik kan niets plannen zolang het onderzoek in de zaak-Steadman nog loopt.'

'Fijn. Smedley is een echte perfectionist, heb ik gehoord. Met name wat betreft het aanbrengen van kronen, het bepalen van de juiste kleur en dergelijke. Hij is een van de beste tandartsen in Yorkshire.'

'Misschien ontmoet je daar dan wel de plaatselijke notabelen. Wie weet?' Sandra lachte. 'Peggy vertelde dat mevrouw Steadman een van zijn patiënten is. Ze ondergaat momenteel een wortelkanaalbehandeling en is tegenwoordig een beetje een plaatselijke beroemdheid.'

'Het is wonderbaarlijk,' zei Banks. 'Haar man wordt vermoord en plotseling verdringen de mensen zich om naar zijn vrouw te staren alsof ze tot het koninklijk huis behoort.'

'Zo vreemd is dat anders niet. Iedereen heeft een morbide, nieuwsgierige kant.'

'Ik niet. Zeg,' zei Banks, 'we zijn al een hele tijd niet uit geweest en er treedt morgen een folkzangeres op in Helmthorpe die erg goed moet zijn. Zin om erheen te gaan?'

'Snel op een ander onderwerp overstappen, hè? Helmthorpe? Wonen de Steadmans daar niet?'

'Ja.'

'Dit is toch geen werk, hè, Alan? Het houdt toch geen verband met het onderzoek?'

'Op mijn erewoord. We gaan er alleen naartoe om naar goede folkmuziek te luisteren, zoals we al zo vaak hebben gedaan. Vraag anders of Harriet en David ook mee willen.'

'Als ze een oppas kunnen krijgen. Het is wel erg kort dag. En Jenny Fuller? Denk je dat zij misschien zin heeft om te komen?'

'Die zit in Frankrijk,' zei Banks. 'Dat wist je toch? Die reis met wijnproeverijen. Ze is aan het eind van het studiejaar direct vertrokken.'

'Bofkont. Goed, dan bel ik Harriet wel. Als je maar belooft dat het niets met je werk te maken heeft! Ik heb geen zin om er een beetje bij te bungelen terwijl jij een of andere verdachte keihard aan de tand voelt.'

'Ik zweer het. En ik weet eigenlijk niet of ik het wel leuk vind wat je zojuist impliceerde. Ik voel nooit iemand keihard aan de tand.'

Sandra glimlachte. Banks ging iets dichter bij haar zitten en sloeg een arm om haar heen. 'Weet je...' begon hij.

'Sttt...' Sandra legde een vinger tegen zijn lippen. 'Ga mee naar bed.'

'Wat is er mis met de bank?' vroeg Banks en hij trok haar zachtjes naar zich toe.

Het kostte Sally Lumb moeite om in slaap te komen. Ze had *Woeste hoogten* weggelegd, omdat haar ogen vermoeid raakten, maar de slaap wilde maar niet komen.

Eerst dacht ze aan Kevin. Binnenkort zou ze hem zijn zin moeten geven, want anders ging hij op zoek naar iemand met meer ervaring. Hij balanceerde op het randje en ze kon hem niet veel langer blijven plagen. Dat wilde ze ook helemaal niet. De laatste keer dat ze bij elkaar waren geweest, die dag waarop ze Penny Cartwright hadden gezien, had ze hem heel dicht bij haar kruis laten komen; ze had zijn opwinding en hardheid tegen haar opening gevoeld, en ze had getrild en was helemaal nat geworden, precies zoals het in de boeken stond beschreven. Het was wreed van haar geweest om hem op dat moment tegen te houden, besefte ze, maar ze hadden geen voorbehoedsmiddelen bij zich gehad en ze wilde niet zwanger worden. Er waren echter manieren om dat te voorkomen. De volgende keer...

Ze draaide zich nog eens om in de hoop dat ze snel in slaap zou vallen, maar dacht toen weer aan wat haar die middag te binnen was geschoten en de gevolgen die daaruit voortvloeiden. Niet de auto die ze op zaterdagavond hadden gehoord – dat was niet belangrijk – maar iets wat indertijd niet helemaal tot haar was doorgedrongen, maar nu een veel onheilspellender betekenis met verstrekkende gevolgen had gekregen. Het was een echte aanwijzing en ze moest bedenken wat ze ermee ging doen. Ze zou er in elk geval niet mee naar de politie stappen, dat was één ding dat zeker was, stel dat ze ernaast zat, dan stond ze volledig voor schut! Bovendien was ze van plan om de zaak zelf op te lossen. Misschien werd ze dan de heldin van het dorp.

En de politie, dat waren toch allemaal maar sukkels; die kon ze gemakkelijk een stap voor blijven. Die kerel uit Londen had haar als een dwaas kind behandeld. Alsof hij zulke fantastische dingen had gedaan. Hij had zelf nota bene een opwindend leven in een wereldstad opgegeven voor het slaapverwekkende Swainsdale. Lieve hemel, voor hetzelfde geld had hij nu voor Scotland Yard gewerkt!

Terwijl ze ondanks haar woelige gedachten langzaam in slaap dommelde, werd haar duidelijk wat de eerste stap was. Als ze gelijk had, liep iemand gevaar; ze moest een waarschuwend signaal afgeven. Ze zou een geheime afspraak regelen en als haar vermoedens juist waren, kon ze daarna misschien een valstrik zetten. Deze gedachte was beangstigend, want ze zou zelf erg kwetsbaar zijn. Ze kon echter natuurlijk altijd nog Kevins hulp inroepen; hij was een grote, sterke knul en zou werkelijk alles voor haar doen. Toen Sally eindelijk de droomwereld binnen gleed die haar gewoonlijk in verwarring bracht en ergerde, zag ze de lichtjes van Londen als een diamanten ketting voor zich uitgestrekt. En waarom zou ze daarmee genoegen nemen, hield de droom haar voor. De beelden breidden zich uit, van foto's in tijdschriften tot televisieprogramma's: modellen van *Vogue* flaneerden over de Champs Elysées, beroemde actrices stapten onder de neonverlichting van Sunset Strip uit limousines en alle bekende televisiepersoonlijkheden die ze ooit had gezien, kletsten onder het genot van een cocktail met elkaar op een feestje in Manhattan... Al snel vervaagde alles echter weer en wat ze zich de volgende ochtend herinnerde, was het tamelijk absurde idee dat ze in Leeds was, een stad waar ze verschillende keren met haar moeder had gewinkeld. In haar droom leek het net een buitenlandse stad. Overal liepen agenten in uniform en Sally moest te voet verder met haar fiets aan de hand omdat ze geen rijbewijs had; tenminste, niet een dat in Leeds geldig was. Ze was daar, zo herinnerde ze zich vaag, omdat ze op zoek was naar een vogel, een witte, die was weggevlogen uit haar tuin, een enorm uitgestrekte, donkere vlakte, net een geploegd veld na een regenbui. Ze wist niet of de vogel haar huisdier was, of door iemand aan haar zorgen was toevertrouwd, of slechts een wild dier dat haar aandacht had getrokken, maar het was belangrijk en nu liep ze zoekend in die onbekende en toch ook vertrouwde stad met haar fiets aan de hand tussen politiemannen door...

Banks liet Finzi's *Intimations of Immortality* in de cassetterecorder van de auto glijden en nam bij de rotonde van Wetherby de afslag van de A1 naar de A58 richting Leeds. Het was vrijdagochtend halftwaalf, slechts vijf dagen na de vondst van Steadmans lichaam. Hatchley, die zich donderdagochtend na zijn bezoek aan Darlington niet helemaal fit had gevoeld, had Hacketts alibi grondig nagetrokken en ontdekt dat zijn verhaal inderdaad klopte. Ook Barnes telde niet langer mee; hoewel hij niet getrouwd was en niemand kon bevestigen dat hij na zijn bezoek aan mevrouw Gaskell direct naar huis was gegaan, waren zijn financiën helemaal in orde en was er in de twintig jaar dat hij nu als huisarts in Helmthorpe werkzaam was niet één keer iets voorgevallen wat duidde op medisch wangedrag of iets dergelijks. Eerder die ochtend had Banks in zijn kantoortje de enorme stapel papierwerk weggewerkt waaraan hij de vorige dag was begonnen: afschriften van verhoren, kaarten en overzichten van de activiteiten van alle betrokkenen met de tijden ernaast, lijsten met nog niet gestelde of onbeantwoorde vragen. Hij had het forensische materiaal nogmaals doorgenomen, maar niets nieuws ontdekt. Weaver en zijn mannen waren nog steeds bezig met het buurtonderzoek in het dorp, op de camping en de boerderijen in de omtrek, maar de kans dat ze na zo lange tijd nog nieuwe bewijzen boven tafel zouden krijgen, werd snel kleiner.

Het koor zette zachtjes in en herhaalde dwars door de solopartij van de bariton heen het openingsthema – '*There was a time when meadow, grove, and stream...*' – en Banks vergat heel even zijn vaak onsmakelijke werk. Finzi's muziek maakte Wordsworths gedicht draaglijk.

Nadat hij de Great North Road met zijn onophoudelijke stroom vrachtwagens eenmaal achter zich had gelaten, bleek het een vrij aangename rit te zijn, die hij in een rustig tempo aflegde. Het was de snelste route, die hij nog kende van de vorige keer, toen hij naar Leeds had gemoeten om een pandjesbaas te ondervragen in verband met een reeks inbraken. Dat was echter op een grauwe, regenachtige dag aan het eind van oktober geweest. Nu was het zomer en reed hij door het vredige, groene platteland zoals je dat zo vaak in de nabijheid van grote Engelse steden aantrof.

Met Finzi op de achtergrond rookte Banks genietend zijn pijp, maar toen deze voor de tweede keer uitging, nam hij niet de moeite hem opnieuw aan te steken. Al snel bevond hij zich in de omgeving van Seacroft. Hij concentreerde zich op de verkeersborden; de torenflats leken allemaal op elkaar en er waren maar een paar oriëntatiepunten waaraan hij iets had. Ten slotte bereikte hij via een tunnel het stadscentrum en hij zette zijn auto in de buurt van het oude raadhuis. Vanaf die plek kon hij de hoge witte toren van het bibliotheekgebouw zien waarover Gristhorpe hem die ochtend tijdens een korte geschiedenis van de stad en haar architectuur had verteld.

Banks had niet van tevoren bedacht hoe hij de docenten wilde aanpakken; hij was van plan om puur op zijn gevoel af te gaan. Hij had voor zijn vertrek gebeld en een lunchafspraak gemaakt met Darnley en Talbot in een pub vlak bij de universiteit. Hoewel het semester officieel was afgelopen, kwamen ze nog steeds vrijwel elke dag naar kantoor om hun onderzoek voort te zetten of simpelweg om hun vrouw niet voor de voeten te lopen. Darnley, met wie Banks had gesproken, vond het vooruitzicht van een gesprek met de politie bijzonder spannend, zo had hij met de onbevangenheid van een buitenstaander gezegd, alsof hij het over de paringsgewoonten van maki's had.

Banks moest een heel uur zien te overbruggen en wilde daarom Gristhorpes advies opvolgen en een kijkje gaan nemen in het oude raadhuis. Het was een imposant, Victoriaans gebouw, compleet met gecanneleerde zuilen, een gigantisch koepeldak, een torenklok en een paar leeuwen die de toegang bij de brede stenen trap bewaakten. De stenen gevel, zo te zien zandsteen, zag er licht en schoon uit. Gristhorpe had hem verteld dat deze enkele jaren geleden was gezandstraald, aangezien dergelijke gebouwen na meer dan honderd jaar in een industrierijke omgeving vrijwel allemaal zwart uitsloegen.

Banks bewonderde de massieve omvang en krachtige, klassieke lijnen van het pand. Hij had het idee dat de burgerlijke trots die in de bouw was gaan zitten, haast tastbaar werd onder zijn blik. Koningin Victoria was bij de spectaculaire officiële opening aanwezig geweest. Ze had waarschijnlijk vrij veel tijd gespendeerd aan het openen van gebouwen, bedacht Banks peinzend.

Hij waagde zich in het gebouw, liep langs de standbeelden van Victoria en Albert in de foyer naar de grote hal, die zo te zien recent was gerestaureerd. Langs de muren stonden gigantische pilaren van een soort marmer doorspekt met roze, groen en blauw, en het plafond was opgedeeld in felgekleurde, vierkante panelen met vergulde randen. Hoog boven hem waren motto's en spreuken aangebracht die bij de vrome Victorianen enorm geliefd waren geweest: ALS DE HEER HET HUIS NIET BOUWT, VERGEEFS ZWOEGEN DE BOUWERS; ALS DE HEER DE STAD NIET BEWAAKT, VERGEEFS DOET DE WACHTER ZIJN RONDE; LABOR OMNIA VINCIT. Achter het orkestgedeelte bevond zich een majestueus pijporgel.

Banks wierp een blik op zijn horloge en wandelde langzaam naar buiten; zijn voetstappen weergalmden in de stilte. Ja, het was inderdaad indrukwekkend en hij begon een beetje te begrijpen wat Steadman zo fascinerend had gevonden aan de geschiedenis van het noorden.

Hij herinnerde zich echter ook Hacketts opmerking over valse, geromantiseerde ideeën over het verleden. De rijke stadsfunctionarissen en kooplui hadden alles gedaan wat in hun vermogen lag om ervoor te zorgen dat de route die koningin Victoria aflegde niet door de arme, smerige delen van de stad voerde en de vele rijen overvolle, dicht op elkaar gebouwde huisjes met lekkende daken en vochtige muren, waar het grootste gedeelte van de bevolking in anonimiteit woonde. Door de inspanningen van het volk en in hun naam, de naam van burgerlijke trots, konden dergelijke pracht en praal worden gebouwd, maar zelf waren ze gedoemd om in armoede te leven en voor wilde beesten te worden uitgemaakt. Gristhorpe had verteld dat er zelfs een man was geweest, een apotheker, die de lucht buiten voor zijn winkel had geparfumeerd toen de koninklijke processie voorbijkwam. Het hing er maar net vanaf aan welke kant je stond, dacht Banks bij zichzelf, vanuit welk perspectief je het bekeek.

Hij raadpleegde zijn kleine plattegrond, wandelde tussen het oude raadhuis en de bibliotheek door naar Caverley Street, passeerde daar het nieuwe gemeentehuis, een wit gebouw met twee identieke, spitse torens en kleurrijke tuinen, en vervolgde zijn weg langs het ziekenhuis en de hogeschool van Leeds tot hij de universiteitscampus bereikte. Ten slotte stond hij op een vierkante binnenplaats die werd omgeven door moderne, kantoorachtige gebouwen. Het leek in de verste verte niet op de dromerige torenspitsen van Oxford en Cambridge, maar Leeds was dan ook een exponent van de nieuwere universiteiten.

Met wat hulp van een magere, bebrilde secretaresse vond hij Darnleys kantoor bij de geschiedenisfaculteit. Na een korte, stevige handdruk stelde Darnley voor om te gaan lunchen in een pub.

'Talbot komt daar straks ook naartoe,' legde hij uit. 'Hij zit momenteel in een bespreking met een van zijn doctoraalstudenten.'

Hij voerde Banks mee over een zandpad achter het gebouw naar een smal, met kinderhoofdjes geplaveid straatje. De pub was onderdeel van een hotel en stond een stukje van de weg af aan het eind van een kleine oprit. Omdat het zo'n warme, zonnige dag was, namen ze plaats aan een van de tafeltjes die buiten stonden.

Darnley was een lange man van een jaar of veertig, goed gebouwd en fit. In zijn stem klonk nog vaag een noordelijk accent door en hij was niet de verstrooide professor die Banks had verwacht te zullen aantreffen. Zijn korte, bruine haar was netjes gekamd en hoewel zijn pak iets te groot leek, was het van goede kwaliteit. Waarschijnlijk had het hem perfect gepast toen hij het kocht, vermoedde Banks, en was hij daarna zoals zoveel mannen van zijn leeftijd uit vrees voor hartaanvallen en andere aan een zittend leven inherente aandoeningen meer gaan bewegen.

Beide mannen dronken met half dichtgeknepen ogen tegen de zon Guinness van de tap en Banks legde pijp, tabak en aansteker op de tafel.

'Aha, een pijproker, zie ik,' merkte Darnley op. 'In navolging van Maigret,

zeker? Ben het zelf ook even van plan geweest, maar het is mij te omslach-
tig. Ik heb er jaren over gedaan om te stoppen met roken, ben eerst gaan
minderen en toen overgestapt op mildere merken, maar uiteindelijk kwam
ik tot de conclusie er maar één goede manier is om echt te stoppen: er van
de ene dag op de andere compleet mee kappen.'

'Dat is beslist niet zo eenvoudig geweest als u het doet overkomen,' zei
Banks en hij stopte zijn pijp.

'Nee. Nee, dat was het zeker niet.' Darnley lachte. 'Ik heb een paar keer
een terugval gehad. De laatste tijd speel ik echter vrij veel squash en tennis,
en daarnaast loop ik elke dag een paar kilometer hard. U zou ervan opkijken hoe dergelijke bezigheden je van het roken afhelpen. U zult het niet geloven, maar een jaar geleden woog ik te veel, dronk ik te veel!'

'Op aanraden van een dokter?'

'Die wond er geen doekjes om. "Als je zo doorgaat, mijn beste kerel, dan
geef ik je nog hooguit tien jaar." Het spande erom wat het als eerste zou
begeven: hart, lever of longen. Maar als ik mijn leven beterde, was volgens
hem alles mogelijk. Nu ja, niet in zoveel woorden dan, maar ik begreep wat
hij bedoelde.' Hij zag dat Banks zijn pijp opstak. 'Ach,' zei hij, 'u zult in uw
beroep wel rekwisieten nodig hebben. Om een vals gevoel van veiligheid te
creëren en dergelijke.'

Banks glimlachte en gaf toe dat het inderdaad hielp. Hij mocht de nieuwsgierige, intelligente blik in Darnleys ogen wel.

'Ik hoop dat u niet denkt dat het bij mij ook nodig is. Ik ben toch hopelijk
geen verdachte?' Hij glimlachte toen hij dit zei, maar de spanning was duidelijk af te lezen aan zijn op elkaar geperste lippen.

'Nog niet,' antwoordde Banks en hij keek hem even strak aan.

'Touché. Als ik mezelf straks in die positie manoeuvreer, slaat u dat aanbod
dus zeker niet af?'

'Daarover zou ik me als ik u was maar niet al te druk maken,' stelde Banks
hem gerust. Hij probeerde in gedachten te bepalen hoe hij deze nerveuze,
intelligente man, die onder zijn bijdehante, speelse uiterlijk ongetwijfeld
een waanzinnig scherpe geest verborg en een gecompliceerd, misschien
zelfs sluw karakter, het beste kon aanpakken.

Hij zou het spel nog iets langer meespelen, in de overtuiging dat de luchthartige stemming met de komst van Talbot wel zou omslaan. 'Misschien
kunt u me in dat geval beter even vertellen waar u afgelopen zaterdagavond bent geweest,' zei hij.

Darnley keek hem vermaakt, maar tegelijkertijd onderzoekend aan. 'Tja, inspecteur, ik heb voor het afgelopen weekend helemaal geen alibi. Ik had nog veel werk liggen, dus ik heb de hele zaterdagavond examens zitten nakijken en daarna heb ik een nieuw artikel gelezen over het bloedbad bij Peterloo. Uiteraard was mijn vrouw ook thuis, maar ik neem aan dat dit niet telt?'

Banks lachte. 'Daar kan ik natuurlijk pas iets over zeggen wanneer ik haar heb ondervraagd.'

'U bent een listig man. Nee, dat is natuurlijk ook zo.'

'Waarom was u gisteren niet bij de begrafenis?'

'Ik was niet uitgenodigd. Niemand van ons trouwens. Ik had zelfs geen idee dat deze gisteren was. Ik wist sowieso alleen maar wat Harry was overkomen, doordat ik het in de *Yorkshire Evening Post* had gelezen.'

'U had geen contact meer met hem?'

'Daar komt het min of meer op neer, ja.'

Na nog wat grappen over en weer en een glas donker bier van de tap leek Darnley zich iets te ontspannen. In een poging het gesprek een iets zakelijker karakter te geven vroeg Banks de professor naar zijn werk: 'Ik neem aan dat u ook rekwisieten gebruikt? Het zal vast niet meevallen om in uw eentje een uur lang voor honderd studenten te staan praten.'

'Zoals u het zegt lijkt het inderdaad vrij gruwelijk,' gaf Darnley toe. 'Je raakt er natuurlijk wel aan gewend, maar u hebt gelijk: er speelt altijd een beetje plankenkoorts mee, totdat je op dreef bent. Ik heb echter altijd mijn aantekeningen bij me om op terug te kunnen vallen. Geen enkele ervaren docent staat ooit met zijn mond vol tanden tijdens een college. Je kunt er altijd een beetje omheen kletsen zonder dat de studenten het merken. Soms heb ik wel eens het idee dat als ik hun zou vertellen dat Adolf Hitler een van de grote helden uit de twintigste-eeuwse politiek is, ze dat zonder tegensputteren zouden opschrijven. Maar rekwisieten... tja... iedereen zoekt gewoonlijk naar een houding waarin hij zich prettig voelt. Grappig eigenlijk. Sommige mensen ijsberen heen en weer, anderen hangen over de katheder en weer anderen zitten met over elkaar geslagen armen op de rand van een lessenaar. Ik ken iemand die tijdens zijn colleges altijd met zijn sleutels zat te spelen. De ellende was dat die dingen in zijn broekzak zaten en zijn studenten allemaal dachten dat hij met zichzelf zat te spelen.'

Ze lachten allebei. 'En Harry Steadman?' vroeg Banks nonchalant.

Darnley kneep zijn ogen tot spleetjes. 'Harry was erg goed,' antwoordde hij. 'Hoewel het contact was verwaterd en ik hem sinds zijn vertrek amper heb gezien, hadden we een tijdlang een heel nauwe band en ik vond het heel erg om te horen dat hij was overleden. We waren eerder collega's dan vrienden, als daar tenminste een verschil tussen zit. Hij was bijzonder intelligent, maar ik neem aan dat u dat al weet. Ambitieus ook, maar dan alleen wat betreft zijn eigen vakgebied. Hij geloofde echt in wat hij deed: lesgeven, research, nieuw terrein ontginnen. Hij was er vast van overtuigd dat het waardevol was voor de maatschappij. En dat is tegenwoordig zeldzaam, geloof me. Er heerst een enorm cynisme in het onderwijs, vooral nu de regering ons blijkbaar niet meer zo belangrijk vindt.'

Banks knikte. 'Dat geldt ook voor de politie. Je strijdt een verloren strijd, zo lijkt het tenminste vaak, en dat leidt er niet bepaald toe dat mensen eer van hun werk hebben.'

'De regering hecht tenminste nog enige waarde aan jullie werk: salarisverhoging, het werven van nieuwe mensen, moderne materialen.'

'Klopt,' zei Banks instemmend. 'Alleen had dat allemaal al veel eerder moeten gebeuren.' Hij wilde zich niet laten verleiden tot een discussie over het onderwerp, vooral niet omdat hij de nodige bezwaren had tegen de manier waarop de regering de politie blijkbaar als een privé-leger van goedbetaalde zware jongens leek te beschouwen, dat naar willekeur kon worden ingezet tegen mensen met terechte klachten en een in de grondwet verankerd recht om die te uiten. Een politieman met een humanistische, socialistische overtuiging was voor Darnley waarschijnlijk moeilijk te bevatten, dacht hij bij zichzelf. Bovendien behoorde hij tot het hogere echelon – de CID, mensen die werden betaald om na te denken – en hoefde hij geen mensenmenigtes in bedwang te houden of het proletariaat de hersens in te slaan.

'Ik benijd u,' zei Darnley. 'Dat is het. Ik zou zo graag zien dat wij een groter stuk van de taart kregen. Academici hebben ook hun trots, neemt u dat maar van mij aan. Harry was een uitstekende docent en wist altijd enthousiasme te genereren onder zijn studenten. Dat is tegenwoordig met de concurrentie van televisie, videospelletjes en god weet wat nog meer niet gemakkelijk. Als wat ik zeg te veel wegheeft van een goede referentie voor Harry moet u het maar zeggen, maar het is echt waar. Hij was vooral gek op research, het echte veldwerk, en dat is ook de reden waarom hij is weggegaan. Toen hij genoeg geld had om te doen wat hij wilde, heeft hij die kans met beide handen aangegrepen. Sommige collega's hadden waarschijnlijk de boel de boel gelaten en waren naar het zuiden van Frankrijk afgereisd om daar een lui, zondig, luxueus leventje te leiden, maar Harry niet. Hij was een bijzonder toegewijd man.'

Op dat moment voegde zich een kleinere, mollige man bij hen, die op een paar grijze plukjes haar boven zijn oren na geheel kaal was. Op zijn lage voorhoofd lag een permanente, diepe frons geëtst en hij had een klein tuitmondje dat hem een vrij knorrig, vrekkig uiterlijk gaf. Zijn beschaafde stem was verbazingwekkend zacht en Banks vroeg zich af hoe hij zich in een flinke zaal vol studenten verstaanbaar wist te maken. Hij bleek een vrij gesloten man te zijn en nadat ze sandwiches met rosbief en een nieuwe ronde donker bier hadden besteld, luisterde hij stilletjes naar het gesprek dat Banks en Darnley voortzetten.

'Ik geloof dat ik nu een vrij aardig beeld heb van meneer Steadmans leven als wetenschapper en docent,' zei Banks. 'Dat is iets waarover iedereen het wel eens is: intelligent, toegewijd, geobsedeerd zelfs.'

Talbots afkeuring was duidelijk van zijn gezicht te lezen en toen hij zijn mond opendeed, riep zijn stem het beeld op van de voor Cambridge zo typerende binnenpleinen, halfzachte professoren en glaasjes Amontillado in de namiddag. 'Eh, inspecteur, een obsessie is iets wat we als wezenlijk ongezond zouden kunnen definiëren, vindt u ook niet? Ik wil natuurlijk niet muggenziften over semantiek, maar het staat toch vast dat de term een associatie oproept met geestelijke instabiliteit. Harold Steadman was zeer zeker niet instabiel; daarom kan hij onmogelijk geobsedeerd zijn geweest.' Tijdens het praten fronste hij voortdurend zijn wenkbrauwen, alsof hij werkelijk overstuur was door het gebruik van de term.

'Het spijt me, professor Talbot,' zei Banks verontschuldigend. 'Het was niet mijn bedoeling te suggereren dat het zo ernstig was. Nee, ik ben me er terdege van bewust dat er een verschil is tussen toewijding en obsessie. Wat ik graag zou willen weten is of hij nog tijd had voor andere zaken. Een sociaal leven, bijvoorbeeld. Ging hij met veel mensen om, bezocht hij vaak feestjes, ging hij regelmatig met bekenden iets drinken?'

Talbot staarde echter somber zwijgend naar zijn drankje en leek de precieze definitie van de term 'geobsedeerd' te overdenken, alsof excentrieke zaken als 'een sociaal leven' alleen aan de lagere klassen waren voorbehouden.

'Weet je, Godfrey,' zei Darnley opgewekt, zonder de hooghartige minachting van zijn collega op te merken, 'misschien zit de inspecteur er niet eens zo heel erg ver naast.' Hij keek naar Banks en knipoogde. 'Harry lustte op

zijn tijd best een borreltje en bezocht een enkele keer ook wel faculteitsfees-
tjes. Hij voelde zich echter nooit helemaal op zijn gemak in gezelschap,
vooral niet wanneer hij om het zo te zeggen een beetje een vreemde eend
in de bijt was en er niemand was met wie hij over zijn vakgebied kon praten. Hij gaf niets om sport, keek nooit televisie en was helemaal geen rok-
kenjager.'
'Wilt u zeggen dat hij zich slecht op zijn gemak voelde in het gezelschap
van niet-academici?'
'O, nee, helemaal niet. Integendeel zelfs. Harry was zeer zeker geen ge-
leerde snob. Hij heeft me vlak na zijn verhuizing eens uitgenodigd om
naar Gratly te komen en daar hebben we een heel leuke avond doorgebracht in een sjofele lokale pub met een detectiveschrijver en een paar andere mannen. Nee, Harry kon met iedereen een gesprek aanknopen. Dat
was juist een van zijn bezwaren tegen het universitaire leven, het overheersende intellectuele snobisme. Nee, wat ik eigenlijk bedoelde, is dat hij helemaal in zijn werk opging en omdat zijn werk in wezen met mensen te
maken had, verkeerde hij juist graag in hun gezelschap. Zijn onderzoeksge-
bied kent een heel menselijk element, moet u weten. Het is niet allemaal
abstract. Hij was geïnteresseerd in gewone mensen, hun achtergrond en
manier van leven. Ik neem aan dat u weet dat zijn specialiteit industriële
archeologie en de Romeinse bezetting waren? Daarnaast was hij echter
ook dol op folkmuziek, plaatselijke mythen en legenden, dat soort dingen.
Hij vond de geschiedenis van de vakbonden en de eerste radicalen uit de
arbeidersklasse fascinerend. Je zou kunnen zeggen dat Harry zich juist
enorm thuis voelde bij de gewone man, alleen had hij geen geduld voor
het nietszeggende gebabbel dat je op feestjes zo vaak hoort. Hij had de neiging om het gesprek altijd in de richting van een onderwerp te sturen dat
hem interesseerde.'
Talbot knikte schoorvoetend ten teken dat hij het hiermee eens was en stak
een sigaret op. 'Laat ik het zo zeggen, inspecteur Banks,' zei hij op de toon
van een professor die het tegen een onbetekenend studentje heeft. 'Als u nu
met Harold Steadman kon gaan zitten praten, zou hij u waarschijnlijk naar
uw werk vragen en hoe u tegenover uw beroep staat, gewoon om het gesprek op gang te brengen. Hij zou willen weten waar u vandaan komt en
naar de achtergrond van uw familie informeren. Als wat u hem vertelde
hem interesseerde – bijvoorbeeld omdat uw vader lid was geweest van
een vakbond of een boerenknecht uit de Dales was – zou hij daarover door-

vragen; anders zou hij u iets vertellen over de geschiedenis van uw streek, hoe die zich verhield ten opzichte van de rest van het land, wat de Romeinen er allemaal hebben gedaan enzovoort. De meeste mensen vonden hem heel aangenaam gezelschap. Hij voelde ook altijd heel goed aan wanneer hij zijn toehoorders verveelde, wist wanneer hij zijn mond moest houden en even naar anderen moest luisteren. Je kreeg trouwens zelden iets uit hem wanneer hij je saai vond,' voegde Talbot eraan toe en hij tikte behendig de as van zijn sigaret. 'Zo is het toch, Darnley?'

Darnley knikte.

'En mevrouw Steadman?' vroeg Banks. 'Zagen jullie haar vaak toen ze nog in Leeds woonden?' Hij keek naar Talbot, die plotseling op zijn praatstoel leek te zitten, maar het antwoord kwam van Darnley.

'In het begin wel. Best een knap jong ding, eigenlijk. Ze waren natuurlijk net in een nieuwe omgeving komen wonen en wilden graag wat mensen leren kennen, zodat ze zich snel thuis zouden voelen. Na een tijdje trok ze zich echter een beetje terug, net als de meeste echtgenotes van faculteitsmedewerkers trouwens. Dat gebeurt vrij vaak. Mijn vrouw laat tegenwoordig voor geen geld haar neus nog zien op een feestje van de universiteit. Ze vinden het namelijk erg saai, ziet u. En na een aantal jaren maken ze zich niet meer zo druk over hun uiterlijk. Kan het ze niet zoveel meer schelen hoe ze eruitzien.'

Banks wist niet of de professor het nu over zijn eigen vrouw had of over Emma Steadman.

Het gesprek richtte zich weer op algemene onderwerpen, waarbij Darnley het leeuwendeel voor zijn rekening nam, en Banks begreep al snel dat hier verder geen waardevolle informatie te halen viel.

Toen hij vertrok, droeg hij in gedachten het beeld met zich mee van een jong, pasgetrouwd stel – wellicht niet eens zo heel anders dan Sandra en hij in het begin – waarvan de man aan het begin staat van wat waarschijnlijk een gerenommeerde wetenschappelijke carrière zou worden. Lange zomervakanties in het huis van de Ramsdens in Gratly; de jonge, ambitieuze Michael die verkering had met Penny, de schoonheid van de Dale; het leven vredig en onschuldig, en voor iedereen een prachtige toekomst in het verschiet.

Voor Steadman werd alles er alleen maar beter op; voor Emma betekende het een teruggetrokken, saai, huishoudelijk bestaan; voor Penny volgde een wild, opwindend leventje in een roerige wereld waaruit ze eenzaam en cynisch terugkeerde; voor Ramsden hield het een gestage klim in langs de ladder van de uitgeverij en een terugkeer naar het geliefde noorden. Het klonk allemaal zo idyllisch, maar nu was een van hen er niet meer. Wat was er misgegaan en waarom?

Een uur later had hij nog steeds geen antwoord gevonden op deze vraag, maar ondanks het dikke wolkendek reed hij met een verlicht gemoed door de Dale en zong hij luidkeels mee met Brittens bewerking van Oudengelse folksongs.

Onder de verachtelijke, wellustige blik van de oude Griek dronken ze cola en kletsten ze over jongens. Hazel Kirk had de avond ervoor haar eerste afspraakje gehad met Terry Preston, de zoon van de plaatselijke kruidenier, en ze prikkelde de fantasie van haar vriendinnen met een verslag van haar pogingen om zijn dwalende handen uit de buurt van haar geslachtsdelen te houden. Een enkele keer bloosde ze wanneer ze de ondefinieerbare gevoelens beschreef die ze had gehad wanneer ze in haar missie faalde.

Sally Lumb, die normaal gesproken tijdens dergelijke gesprekken heel belangstellend – en zelfs een beetje neerbuigend – was, maakte een vrij afwezige indruk. Het was de anderen ook opgevallen, maar Hazel was echt niet van plan om haar moment in de schijnwerpers te laten verpesten, omdat mevrouw zat te mokken.

Anne Downes, die wellicht iets gevoeliger was voor stemmingen en in elk geval minder interesse had voor jongens en hun onverklaarbare verlangens, wachtte geduldig tot Kathy Chalmers was opgehouden met giechelen en probeerde toen het gesprek op een ander onderwerp te brengen.

'Ze hebben hem nog steeds niet opgepakt,' merkte ze op en ze zette haar bril recht.

'Wie niet?' vroeg Hazel kortaf, geïrriteerd omdat haar aandacht van andere, belangrijkere gedachten werd afgeleid.

'De moordenaar, natuurlijk. Wie anders? De man die meneer Steadman heeft vermoord.'

'Hoe weet je nu dat het een man was?' vroeg Hazel. Het was een vraag die ze bij ontelbare televisieprogramma's had gehoord.

'Dat ligt toch het meest voor de hand,' zei Anne verachtelijk snuivend. 'Als hij door een vrouw bewusteloos is geslagen en helemaal naar dat weiland onder Crow Scar gesleept, moet ze wel bijzonder sterk zijn geweest.'

'Mevrouw Butterworth kan het anders best hebben gedaan,' zei Kathy.

Ze giechelden allemaal. Mevrouw Butterworth was de vrouw van de slager, een enorme vrouw met een rood hoofd die bijna een kop groter was dan haar timide, kleine echtgenoot.

'Doe niet zo dwaas,' zei Anne glimlachend. 'Waarom zou ze? En trouwens, zo'n inspannend karwei had haar waarschijnlijk een hartaanval bezorgd.'

'Jimmy Collins heeft me verteld dat de politie met Penny Cartwright en de majoor heeft gepraat,' zei Kathy. 'Volgens hem stonden ze bij die oude man zo weer buiten de deur.'

'Hoe kan Jimmy Collins dat nu weten?' vroeg Anne.

'Hij was beneden in de winkel. "Waar een wil is, is een weg," zegt mijn moeder altijd. Volgens mij heeft Penny het gedaan. Ik denk dat Penny en meneer Steadman een hartstochtelijke verhouding met elkaar hadden, en dat zij wilde dat hij zijn vrouw verliet om met haar te trouwen, maar dat hij dat weigerde en dat ze hem toen heeft vermoord.'

'Zeg toch niet zulke stomme dingen,' zei Anne. 'Als dat echt zo was, had ze mevrouw Steadman vermoord en niet hem.'

Daar had Kathy geen antwoord op, maar Hazel pakte de draad op. 'Nou, als dat niet de reden was,' zei ze, 'dan was er misschien wel iets anders. Iedereen weet dat ze jarenlang is weggeweest en drugs heeft gebruikt en pro... prom...'

'Promiscue is geweest?' opperde Anne.

'Inderdaad, wijsneus: promiscue, dat zeg ik toch. Misschien heeft ze wel een baby van hem gekregen of wist hij iets over haar verleden. Ze kenden elkaar al zo lang.'

De anderen zwegen en lieten dit bezinken. 'Je zou best wel eens gelijk kunnen hebben,' gaf Anne toe, 'maar ik geloof nooit dat ze hem zou vermoorden omdat ze een kind van hem had, jij wel? Ik denk dat Jack Barker het heeft gedaan.'

'Waarom?' vroeg Kathy.

'Misschien deed hij wel research voor zijn volgende boek,' grapte Hazel.

'Of misschien is hij verliefd op Penny Cartwright en wilde hij meneer Steadman uit de weg hebben, zodat hij haar helemaal voor zich alleen heeft,' zei Anne. 'Er is trouwens nog iets, ik heb gehoord dat de politie Teddy Hackett laatst heel hard heeft aangepakt.'

'Hij zag inderdaad een beetje bleek toen ik hem tegenkwam,' voegde Hazel eraan toe.

'Mijn vader heeft hen een paar weken geleden ruzie horen maken, Hackett en meneer Steadman,' vertelde Anne.

'Ik denk niet dat ze geloven dat hij het heeft gedaan,' redeneerde Hazel, 'want anders hadden ze hem wel in zekere bewaring genomen. Ik durf te wedden dat hij een waterpas alibi heeft.'

'Het is "waterdicht", suffie,' zei Anne lachend. 'En niet "in zekere bewaring genomen", maar "in verzekerde bewaring gesteld".'

'Wat maakt dat nou uit, juffrouw Betweter? Jullie snappen me heus wel.'

'Ik vraag me af wie ze is,' zei Kathy. 'De vrouw die Teddy Hackett een alibi heeft verschaft.'

Daar moesten ze allemaal om lachen. In hun ogen was Hackett met zijn hangsnor, zijn terugtrekkende haargrens, zijn gouden medaillons en zijn over de dure gesp uitpuilende bierbuik een belachelijke figuur, het mannelijke equivalent van een vrouw van middelbare leeftijd in minirok.

'Wat denk jij, Sally?' vroeg Anne. 'Je bent zo stil vandaag.'

'Ik heb wel een paar ideetjes,' antwoordde Sally langzaam en rustig. 'Maar die moet ik eerst uitzoeken.'

Na die opmerking liep ze weg, de anderen wederom met open mond achterlatend en niet wetend of ze haar nu moesten geloven of niet.

8

Om halfacht zat de The Dog and Gun vrijwel helemaal vol. Het was een lange, smalle ruimte met slechts één smal pad in het midden. Het publiek zat in groepjes aan kleine tafels en er was een kelner in een wit livrei ingehuurd, zodat de aanwezigen niet steeds hoefden op te staan om iets te drinken te halen. Hij bewoog zich onhandig tussen de menigte door en het dienblad vol zwarte en amberkleurige drankjes wiebelde dreigend op schouderhoogte. De jukebox was die avond uitgezet en er werd zachtjes folkmuziek gedraaid, zodat de aanwezigen een normaal gesprek konden voeren. De lampen aan de muren wierpen een donkere oranje gloed over de ruimte en bij de bar glansden de koperen reling, de gepoetste tapkranen en de gekleurde flessen voor de spiegels je tegemoet. Aan de andere kant van de ruimte stond een laag, houten platform, te improvisatorisch om voor een echt podium te kunnen doorgaan, met daarop een aantal microfoons op standaards, twee flinke speakers, drie hoge krukken en een versterker waarvan het rode lampje al brandde.

Banks en Sandra zaten met Harriet en David ongeveer halverwege aan de rechterkant. Harriet had een elfjesachtige uiterlijk, was levendig en intelligent, en reed met de bibliotheekbus langs een aantal geïsoleerd liggende dorpjes in de Dales. Haar man David werkte als assistent-bankmanager in Eastvale en om eerlijk te zijn vond Banks hem een beetje een saaie piet. David had blijkbaar iets gezegd waarop een knikje niet volstond en een echt antwoord werd verwacht, maar Banks had naar een jonge kampeerder zitten kijken die waarschijnlijk nog geen achttien was, maar toch de gevolgen van overmatig drankgebruik vertoonde in zijn verlangen om indruk te maken op zijn vriendinnetje.

'Pardon?' zei Banks en hij hield zijn hand achter zijn oor.

'Ik zei: ik neem aan dat je door jouw werk bij de politiemacht wel alles van computers zult afweten,' herhaalde David. 'Ik heb je vast zitten vervelen.'

'Nee, hoor, helemaal niet,' jokte Banks. Hij drukte de tabak in zijn pijp stevig aan en stak deze ondanks de boze frons die Sandra in zijn richting wierp toch aan. 'Echt niet. Ik weet inderdaad wel het een en ander van computertalen.' Hij moest glimlachen om het wat formele 'politiemacht'. Wat een vreemde manier om naar zijn werk te kijken, dacht hij bij zichzelf. Welke macht? De macht om de wet te handhaven en de orde te bewaren misschien? De macht van goed tegen kwaad? Het was een stijve, droge uitdrukking die zijn werk in feite nauwelijks recht deed.

Terwijl hij David het weinige vertelde wat hij over het onderwerp wist, zag Banks Penny Cartwright samen met Jack Barker binnenkomen. Ze liepen gezamenlijk naar het platformpje vooraan, waar een paar stoelen voor hen waren vrijgehouden. Kort daarop stapte een zenuwachtige, puisterige jongeman het podium op die tegen de microfoons tikte, drie of vier keer '*testing*' in elk ervan zei en vervolgens iedereen verwelkomde op de folkavond in The Dog and Gun. Een voor een verstomden de gesprekken, totdat uiteindelijk alleen de barman nog hoorbaar was die zijn verkopen aansloeg op de kassa en het voortdurende gebrom van de versterker. Toen de jongeman te dicht bij een van de microfoons kwam, piepte deze oorverdovend en hij deed snel met een pijnlijk gezicht een paar passen achteruit. Banks verstond niet alle namen van de artiesten die op het programma stonden, maar begreep dat Penny tweemaal veertig minuten zou optreden: de eerste keer om halfnegen en de tweede keer rond kwart over tien.

Na nog een aantal opmerkingen en een korte introductie klauterde een duo het podium op. De jongen had alleen een gitaar bij zich, maar het meisje stelde verschillende eeuwenoude, onbekende snaarinstrumenten op de vloer om haar heen op. Ze begonnen met een nummer van Bob Dylan en wat ze aan talent misten, maakte ze met hun enthousiasme meer dan goed, vond Banks. Na het applaus grapte de jongen wat over de noten die hij niet had gehaald en verontschuldigde hij zich voor zijn niet al te verfijnde techniek. Daarmee wist hij het publiek voor zich in te nemen en de meesten waren daarna bereid om de ruwe kantjes van zijn spel door de vingers te zien.

Het meisje zei niets, maar concentreerde zich op het stemmen van wat volgens Banks een mandoline moest zijn. Ze speelde tijdens het volgende nummer, een medley van oude Engelse dansen, bijzonder goed. Het publiek luisterde over het algemeen respectvol en aandachtig, hoewel er af en toe storinkjes optraden wanneer de kelner langskwam en er drankjes werden besteld. Iemand droeg de dronken jonge kampeerder op om zijn kop te houden.

Banks en David bestelden om beurten een rondje, een pint bitter voor henzelf en bier met limoen voor de dames. Banks kon niet al te veel drinken, omdat hij niet in aangeschoten toestand wilde worden gezien in het dorp waar hij een moordonderzoek leidde. Twee pints in anderhalf uur was niet slecht, hield hij zichzelf voor, maar het was dan ook pas even na achten. Hij was zich ervan bewust dat hij steeds sneller ging drinken naarmate sluitingstijd naderde.

De eerste pauze brak aan en mensen stonden op om naar het toilet of de bar te lopen. Jack Barker kwam over het smalle pad zijn kant uit gelopen en toen hij Banks met zijn gezelschap zag zitten, bleef hij even staan.

'Goedenavond,' zei hij en hij stak zijn hand uit. 'Wat een verrassing dat ik u hier tegenkom. Ik had geen flauw idee dat u een folkliefhebber was.' Aan de glans in zijn ogen was te zien dat zijn opmerking ironisch was bedoeld. 'Vindt u het goed als ik heel even aanschuif?' Voordat Banks hierop kon reageren, had hij al een stoel bijgetrokken van een van de nabijgelegen tafels. 'Komt u speciaal voor mevrouw Cartwright?'

'Het is eigenlijk juffrouw Cartwright,' verbeterde Banks hem vinnig. 'Inderdaad. Ik heb gehoord dat ze erg goed is.' Zijn stem klonk kortaf; hij wilde Barker zo snel mogelijk weg hebben.

'Dan staat u een waar feest te wachten, inspecteur. Mensen komen van heinde en verre om Penny Cartwright te horen zingen. Ze heeft hier in de omgeving een geweldige reputatie, vooral sinds ze roem en fortuin heeft opgegeven en is teruggekeerd naar haar wortels. Daar hebben de mensen wel waardering voor.'

Uit wat Banks had gehoord, had hij opgemaakt dat waardering niet direct het juiste woord was voor de roddels waarmee Penny's terugkeer naar haar wortels was omgeven, maar hij hield zijn mond. Barker was blijkbaar in een snoeverige bui en er was geen enkele manier om hem de mond te snoeren zonder ronduit onbeleefd te zijn. Sandra kwam terug van het damestoilet en keek nieuwsgierig naar Barker. Er was geen ontsnappen aan, besefte Banks en hij vloekte inwendig; hij zou hen aan elkaar moeten voorstellen. Barker schonk de vrouwen een Clark Gable-glimlach waarop hij volgens Banks beslist heel lang en hard had geoefend.

'Aangenaam,' zei hij theatraal en hij pakte Sandra's hand. 'Ik had nooit gedacht dat de vrouw van een politieman zo charmant en knap zou zijn.' Banks was geïrriteerd; David keek met een wezenloze grijns op zijn gezicht toe.

Barkers charmante gedrag en het gemak waarmee hij zich in gezelschap bewoog, waren niet het enige waaraan Banks zich ergerde. Een band opbouwen met de bewoners was één ding, maar dat hij nu met zijn vrouw in het openbaar vriendschappelijk keuvelend met een verdachte werd gezien, botste totaal met zijn instinct als politieman. Om te beginnen vond hij dat hij te veel aandacht trok en dat was iets waaraan hij een grondige hekel had. Gristhorpes advies – ga ernaartoe en zorg dat ze met je praten – was allemaal leuk en aardig, maar er moest wel ergens een grens worden getrokken. Hij was hier nu niet in zijn officiële hoedanigheid en de joviale sfeer beviel hem helemaal niet. Hij beet op zijn pijp, die weer eens was uitgegaan en gaf alleen wanneer het niet anders kon eenlettergrepige antwoorden.

'U voelt u hier blijkbaar helemaal thuis,' merkte Sandra op nadat Barker haar had verteld wat hij voor de kost deed. 'Is het niet zo dat schrijvers over het algemeen met de nodige achterdocht worden bekeken?'

Barker knikte. 'Dat klopt. Aanvankelijk vonden ze het maar niets dat ik hier kwam wonen,' antwoordde hij. 'Helemaal niets. U hebt gelijk, in kleine gemeenschappen bekijken mensen schrijvers vaak met het nodige wantrouwen en daar hebben ze gegronde redenen voor. In sommige dorpen heeft men slechte ervaringen met kerels die er zijn komen wonen, een plekje hebben veroverd en vervolgens vernietigende, kritische stukken hebben geschreven, waarbij ze vrijwel geen moeite hebben gedaan om namen en identiteiten onherkenbaar te maken. Het is vergelijkbaar met hoe sommige bewoners in India fotografen zien, als mensen die hun ziel stelen. En terecht. Het type schrijver dat zij in gedachten hebben, heeft totaal geen scrupules. Ze bezorgen ons allemaal een slechte naam.'

'Vindt u dan niet dat schrijvers een beetje meedogenloos moeten zijn?' vroeg Harriet. 'Vooral bij het beschrijven van de werkelijkheid?'

'Misschien wel. Degenen over wie ik het heb, misbruiken echter eerst de gastvrijheid van mensen en ruïneren hen vervolgens op papier. Sommige schrijvers winnen zelfs eerst het vertrouwen van mensen en creëren dan situaties, manipuleren gebeurtenissen, gewoon om te zien hoe hun "personages" reageren. Ik heb bijvoorbeeld eens een man gekend die regelmatig feestjes organiseerde. Dit was in Londen. Bijzonder overdadige aangelegenheden waarvoor kosten noch moeite werden gespaard – champagne, Schotse single malt, Beluga-kaviaar, kwarteltjes – veel meer dan de aanwezigen op één avond op konden. En wanneer iedereen helemaal teut was en mensen ruzie met elkaar kregen of iemand zijn handen niet van de partner van iemand anders kon afhouden, zat hij zo nuchter als wat in een hoekje in gedachten aantekeningen te maken. Het duurde vrij lang voordat mensen doorkregen wat zich daar eigenlijk afspeelde – iedereen had het ten-slotte altijd enorm naar zijn zin – maar jawel hoor, op een gegeven ogen-blik doken ze, amper vermomd, op in verhalen die werden gepubliceerd in tijdschriften en werden ze door hun vrienden en collega's herkend. Er zijn huwelijken gesneuveld, reputaties te gronde gericht. En dat alles in naam van "de kunst". Na een tijdje nam het aantal feestvierders drastisch af.'

'Wat is er van hem terechtgekomen?' vroeg Harriet, die op het puntje van haar stoel zat.

Barker schokschouderde. 'Verder gegaan met zijn leven, vermoed ik. Ik heb geen flauw idee waar hij nu is. Nieuwe bronnen aangeboord. Hij pu-bliceert nog steeds regelmatig.'

'Doet u dat ook, meneer Barker?' vroeg Sandra. 'Mensen inpalmen en dan hun ziel stelen?'

Barker lachte. 'Zeg toch Jack,' zei hij en Banks voelde dat zijn bovenlip ver-achtelijk omkrulde. 'Nee, dat doe ik zeer zeker niet. In het begin bejegende iedereen me vrij achterdochtig, maar zo zijn ze hier nu eenmaal altijd met mensen van buitenaf, zoals ze ons noemen. Na een tijdje heeft iemand, uit nieuwsgierigheid neem ik aan, een paar van mijn boeken gelezen; dat voor-beeld werd gevolgd door iemand anders en al snel ging hun commentaar als een lopend vuurtje door het dorp. Toen iedereen eenmaal doorhad dat ik verhalen over cynische privé-detectives schrijf die zich in de jaren dertig van de vorige eeuw in Californië afspelen, kwamen ze tot de conclu-sie dat ik geen bedreiging vormde. Geloof het of niet, maar ik heb hier nu zelfs enkele fans.'

'Dat weet ik,' zei Harriet. 'Ik heb heel wat van je boeken in de bibliotheek-bus vervoerd.'

Barker schonk haar een brede glimlach. 'Zodra ze beseffen dat je onge-vaarlijk bent,' ging hij verder, 'nemen ze je op in de gemeenschap, voor-zover dat bij buitenstaanders tenminste mogelijk is. Dat gold ook voor Harry.'

'Wat was er dan met Harry?' vroeg Banks, die zijn best deed om zo noncha-lant mogelijk over te komen, maar daarin volledig faalde. Sandra keek hem met gefronste wenkbrauwen aan omdat hij de sfeer verpestte.

'Wat ik bedoelde,' legde Barker uit, 'is dat Harry op zijn eigen manier ook een schrijver was, maar in zijn geval maakte niemand zich daarover echt druk, omdat hij over de Romeinen en oude loodmijnen schreef. Alleen mensen als Penny en Michael Ramsden waren daarin geïnteresseerd. De meeste mensen vinden het veel te droge kost.' Hij wierp een blik op de dames en glimlachte weer, blijkbaar in de verwachting het gesprek zo op een ander onderwerp te kunnen brengen.

'Kent u Ramsden goed?' vroeg Banks, die zich niets aantrok van Barkers onbehaaglijke gezichtsuitdrukking en Sandra's nijdige blikken. Harriet en Sandra kletsten nu samen over iets anders en David zat er wat verloren bij.

'Ik heb hem wel eens ontmoet,' antwoordde Barker kortaf.

'Wat vindt u van hem?'

'Een aardige gozer,' zei hij en hij zocht met zijn blik steun bij de vrouwen in de hoop de sfeer luchtig te houden. 'U kunt van een schrijver natuurlijk niet verwachten dat hij aardige dingen zegt over een redacteur. Heb ik net twee hele dagen aan een prachtige, beschrijvende alinea zitten schaven en dan wil mijn redacteur hem eruit knippen omdat dat het tempo vertraagt.'

'Ramsden is toch niet uw redacteur?' hield Banks vol.

'Grote hemel, nee. Hij houdt zich alleen maar bezig met wetenschappelijke publicaties.'

'Was u op de hoogte van de relatie van Ramsden en Penny Cartwright?'

'Dat is jaren geleden. Waar wilt u in vredesnaam naartoe?'

'Ik probeer slechts de verwarde kluwen aan relaties te ontwarren,' antwoordde Banks glimlachend. 'Meer niet.'

'Ik geloof dat ze zo weer gaan beginnen,' zei Barker en hij stond op. 'Excuseert u me.' Hij boog kort voor Harriet en Sandra, en liep toen weer naar zijn stoel bij het podium. Het was bijna halfnegen. Toen het licht werd gedempt, zag Banks nog net dat hij een paar woorden wisselde met Penny en een blik achterom wierp. Toen fluisterde Barker iets in Penny's oor en Penny keek achterom en lachte.

Terwijl de ceremoniemeester aan een breedsprakige, onsamenhangende introductie begon, boog Sandra zich naar Banks toe. 'Je hebt hem wel een beetje hard aangepakt,' zei ze. 'Was dat nu echt nodig? Je had beloofd dat dit een gezellig avondje uit zou worden.'

Banks mompelde nukkig een verontschuldiging en richtte al zijn aandacht op zijn pijp. Het was niet voor het eerst dat zijn werk zich in zijn privé-leven mengde, maar het veroorzaakte nog altijd onenigheid. Misschien had Sandra verwacht dat dit door de verhuizing allemaal zou veranderen. Een heel nieuw leven, wat een onzin, dacht Banks bij zichzelf. Een andere omgeving, maar dezelfde mensen met dezelfde gebreken. Hij gebaarde naar de kelner dat hij nog een rondje moest komen brengen. Verdomme,

laat iemand anders straks maar naar huis rijden. Het was tenslotte een gezellig avondje uit, hield hij zichzelf ironisch voor.

Onder enthousiast applaus en luidruchtig gefluit van achter uit de pub
kwam Penny Cartwright het podium op gelopen. Banks was nog altijd woedend: op Barker vanwege zijn o, zo charmante, bijdehante gedrag; op Sandra, omdat ze erop was ingegaan; en op zichzelf, omdat hij de stemming
had verpest. Hij nam nijdig een flinke slok van zijn nieuwe pint bitter en
staarde kwaad naar zijn pijp, alsof dat onooglijke voorwerp de oorzaak
was van al zijn ellende. Het ding was echter weer eens uitgegaan en hij
was het spuugzat om hem elke keer weer te stoppen, leeg te kloppen,
schoon te maken en opnieuw aan te steken.

Penny begon met een a capella versie van een ballade die *Still Growing*
heette. Het was een triest verhaal over een gearrangeerd huwelijk tussen
een vrouw en een jongen op de rand van volwassenheid. De man overleed
op jonge leeftijd en de weduwe treurde: '*O once I had a sweetheart, but now I
have none. Death has put an end to his growing.*' Het verhaal werd eenvoudig en
zonder veel omhaal verteld, en Banks merkte dat hij net als bij opera geheel door de muziek in beslag werd genomen en dat zijn ergernissen van
zo-even naar een duister hoekje van zijn geest waren verbannen. Haar
stem was zowel hartstochtelijk als beheerst, de stem van een overlevende
die met oprecht medeleven zingt over degenen die zijn heengegaan en
minder geluk hebben gehad. Ze was een alt en haar stem was lager dan
Banks had verwacht, hees bij de lagere noten, maar zuiver en helder bij
de hogere.

Toen het nummer was afgelopen, klapte Banks hard. Sandra keek hem met
opgetrokken wenkbrauwen en een bewonderende glimlach aan. Er volgden andere nummers uit dezelfde folktraditie, waarbij Penny zichzelf
soms begeleidde op een gitaar of een andere jonge vrouw zich bij haar
voegde met een dwarsfluit of viool. Tussen de verhalen over demonische
geliefden en verboden affaires door speelden ze ook luchthartige dans-
deuntjes en sensatiebeluste ballades zoals *The Murder of Maria Marten*.

Hoewel hij van de muziek genoot, merkte Banks dat zijn gedachten toch
afdwaalden naar Barkers reactie op de naam Michael Ramsden. Daar
was meer aan de hand dan de gebruikelijke antipathie tussen schrijver en
uitgever. Ramsden was een goede vriend van Steadman geweest en kende
Penny Cartwright al sinds hun jeugd. Misschien zagen ze elkaar toch vaker
dan ze hem hadden verteld? Was Barker gewoon jaloers? En als hij jaloers

was op Ramsden, lag het dan niet voor de hand dat hij dat ook op Steadman was geweest?

Banks keek naar Penny en zijn blik viel op Barkers knappe profiel met de scherpe gelaatstrekken. Hij was natuurlijk verliefd op haar. Ramsden had gelijk gehad toen hij die mogelijkheid opperde. Wie kon hem dat kwalijk nemen? Ze bezat een stralende schoonheid en een ontroerend talent. Ramsden en zij waren echter uit elkaar gegaan. Natuurlijk was dat jaren geleden gebeurd, nog voordat ze tot volle bloei was gekomen, hun verliefdheid was slechts kalverliefde geweest. Toch bleven dergelijke zaken vaak lang hangen in kleine gemeenschappen. Sommige boosaardige roddelaarsters uit het dorp zouden Penny altijd blijven beschouwen als dat grillige meisje dat die aardige Michael Ramsden was kwijtgeraakt, die jongen die zo succesvol was geworden. Hoe dacht Ramsden werkelijk over het verbreken van hun relatie?

Banks legde zijn pijp in de asbak en Penny kondigde het laatste nummer van haar eerste optreden aan: *Like Musgrave and Lady Barnard.*

Om een uur of negen vertrok Sally Lumb uit het huis aan Hill Road. Aangezien het vrijdag was, was haar moeder met mevrouw Crawford naar de bingo in Eastvale en deed haar vader in The Bridge mee aan een dartswedstrijd. Ze zouden niet voor elf uur terug zijn, dus ze had genoeg tijd. Geen lastige vragen waarop ze deze keer antwoord moest geven.

Ondanks de zich opstapelende wolken was het een warme avond: zelfs een beetje te warm en plakkerig. Sally wist uit ervaring dat dergelijke voortekenen erop duidden dat er onweer op komst was. Ze liep langs de heuvelhelling omlaag en sloeg bij The Bridge links af de High Street in. Op dit tijdstip was het altijd rustig in Helmthorpe; de meeste mensen zaten dan in een van de pubs of in hun woonkamer voor de beeldbuis geplakt. Tot sluitingstijd zou er weinig leven te bespeuren zijn, tenzij een groep kampeerders het te bont maakte bij de disco in The Hare and Hound en Big Cyril hen eruit zette.

Ze wandelde door de straat en bleef bij The Dog and Gun even stilstaan. De voordeur stond open en ze hoorde dat er binnen werd gezongen. Ze herkende Penny Cartwrights stem. Sally had haar wel eens eerder gehoord, maar wist niet dat ze die avond in het dorp zou optreden. Ze wierp een blik op haar horloge. Tijd zat. De woorden van het nummer zweefden op de klamme lucht naar buiten:

'A grave, a grave, Lord Barnard cried,
To put these lovers in;
But bury my lady on the top
For she was of noble kin.'

Met deze bekende melodie in haar hoofd liep Sally verder en aan het oostelijke uiteinde van de High Street bleef ze even bij de brug staan om naar de
brede beek te luisteren die eronderdoor stroomde. Ze liep snel verder, verliet de weg en klom langs de hoge, verwilderde, zuidelijke helling van de
Dale omhoog, voorbij de plek waar Kevin en zij laatst Penny waren tegengekomen. Ze had een afspraak waaraan ze zich moest houden, een waar-
schuwing die ze moest afgeven. Binnenkort zou alles voorbij zijn.

Tijdens de pauze kwam Penny Cartwright op weg naar buiten langs Banks
gelopen en ze wierp hem een kil glimlachje toe ten teken dat ze hem had
gezien. Barker, die haar op de voet volgde, knikte en boog kort voor Harriet en Sandra.
'Ze is erg talentvol en knap,' zei Sandra toen ze weg waren. 'Ze is toch zeker niet een van jouw verdachten?'
Banks vertelde haar alleen dat Penny met het slachtoffer bevriend was geweest en Sandra vroeg niet verder. Ze bespraken de muziek, die ze alle vier
erg mooi hadden gevonden, bestelden nog wat drankjes en zaten lijdzaam
een godzijdank kort optreden met hedendaagse 'folkprotestsongs' uit in afwachting van Penny's tweede optreden. Om kwart over tien kwam ze terug
en ze liep direct naar het podium.
Deze keer had haar optreden een andere, ietwat afstandelijke sfeer. Ze
zong nog steeds vol overgave, maar de emotionele lading van zo-even
ontbrak. Banks luisterde aandachtig naar de ballades en werd getroffen
door de gelijkenis tussen de gevoelens en gebeurtenissen waarover de
oude liederen spraken en die waarmee hij momenteel te maken had. Hij
vroeg zich af hoe de ballade van Harry Steadman zou eindigen. Er werd
natuurlijk niemand 'aan de hoogste tak opgeknoopt'; dat gebeurde tegenwoordig niet meer. Wie zou in dat lied uiteindelijk de moordenaar blijken
te zijn? Wat was zijn motief en wat zou Banks' aandeel in het nummer
zijn? Plotseling was het net of hij zich in een andere eeuw bevond en
deze mooie jonge vrouw, wier schoonheid werd verdiept door de teleurstellingen en wreedheden des levens waarvan haar stem sprak, in het licht

van de schijnwerper een tragische ballade zong over de moord op Harry Steadman.

De plotselinge overgang naar een vlot meezingliedje scheurde hem ruw los uit zijn dagdroom. Hij dronk zijn glas leeg en verlangde onmiddellijk ongeduldig naar het volgende. Hij was dronken, of op zijn minst aangeschoten, en het was bijna sluitingstijd. Als Barker verliefd was op de jonge vrouw, en als er inderdaad iets tussen Steadman en haar was geweest... als Ramsden nog steeds... als mevrouw Steadman wist... als Steadman en zijn vrouw helemaal niet zo'n goed huwelijk hadden gehad als iedereen hem wilde doen geloven... De losse gedachten dwarrelden als rook uit zijn pijp omhoog en vervlogen in de lucht.

Toen het optreden na een luid en langdurig applaus was afgelopen, hield Banks een voorbijkomende kelner aan en bestelde hij nog een pint voor zichzelf en een kleintje voor David. Sandra keek hem enigszins verwijtend aan, maar hij haalde zijn schouders op en grijnsde dwaas. Hoewel hij nooit problemen had gehad met alcohol, besefte hij dat hij soms gedachteloos als een puber een groot aantal pints kon wegwerken. Hij zag dat Sandra bang was dat hij zichzelf voor schut zou zetten, maar wist dat hij er wel tegen kon. Zoveel had hij nu trouwens ook weer niet gehad. Als hij genoeg tijd had, kon er nog best eentje bij.

Er was onweer op komst, dat wist Sally heel zeker. Ze zat met bungelende benen over de warme stenen van de lage brug naar de zonsondergang te kijken. Toen de zon met achterlating van een roodgouden aureool achter de heuvels was weggezonken, was het net of het licht vanuit het midden van de aarde omhoog scheen en het reliëf belichtte van de dikke grijze wolken die zich hoog boven Sally's hoofd hadden verzameld. Insecten zoemden in de windstille, klamme lucht.

Het was een geïsoleerde plek, ideaal voor een kwestie als deze en vrijwel niet toegankelijk voor auto's. Tijdens de wandeling ernaartoe had Sally genoten van de vredige rust en de vreemde, gespannen trillingen die de stilte voorafgaand aan de storm veroorzaakte. De kleuren waren feller, de wilde bloemen en het ruwe gras frisser, en de schaduwen van de wolken vormden een bijna tastbare massa op de helling in de verte.

Ze was een beetje zenuwachtig en wist niet waarom. Het was het onweer, hield ze zichzelf voor, de elektrische lading in de lucht, de geïsoleerde ligging, de groeiende duisternis. Zo direct zou de wind door het hoge gras op de heide jagen en zou de regen over de Dale striemen. Het was een perfecte plek voor een geheime ontmoeting, dat begreep ze wel. Als iemand hen samen zag, zou de inspecteur dat misschien te horen krijgen en zouden er lastige vragen worden gesteld. Ze wilde dit zelf afhandelen, wellicht een leven redden en de moordenaar vangen. Toch wist ze diep vanbinnen dat de trillingen niet alleen door het weer werden veroorzaakt.

Ze gooide nonchalant een steentje van de brug in de ondiepe, traag voort-kabbelende beek. Na de regen zou hij veel sneller onder de High Street van Helmthorpe door stromen, sprankelend en ruisend met het frisse, nieuwe water dat langs de heuvelhelling omlaag zou denderen.

Ze tuurde op haar horloge. Tien over halftien. Ze was het wachten zat en wilde maar dat het voorbij was. De laatste sporen van de zonsondergang verdwenen snel toen het wolkendek zich boven haar hoofd samenpakte. Een wulp krijste klaaglijk in de verte. De omgeving deed haar een beetje denken aan een woestenij uit een gotische roman. Ze vond het eng, ook al was ze hier heel vaak geweest. Een zwerm roeken zwierde als met olie besmeurde doeken door de lucht. Sally ving een geluid op dat de stilte doorbrak. Een auto. Ze spitste haar oren, wierp nog een steentje in de beek en stond toen op om over het pad uit te kijken. Ja, ze zag koplampen die omlaag doken en weer oplichtten op de kronkelende weg. Het zou niet lang meer duren.

Om vijf uur in de ochtend barstte het onweer eindelijk los. Harde donder-slagen wekten Banks uit een onprettige droom. Hij had een droge mond en een duf hoofd. Daar ging hij dan met zijn zogenaamde zelfbeheersing. Ge-lukkig had hij zichzelf niet voor schut gezet, zoveel wist hij nog wel.

Om Sandra niet wakker te maken, liep hij op zijn tenen naar het raam, waar hij naar de achtertuin tuurde; hij was net op tijd om een kartelige lichtflits van noord naar zuid door de hemel te zien klieven. Traag vielen de eerste dikke, zware regendruppels. Ze spatten met tussenpozen tegen het raam uiteen en tikten op de dakpannen van het schuine dak van het schuurtje; toen ging het harder regenen en kletterden de druppels luidruch-tig op de bladeren van de bomen die langs het steegje stonden dat achter de tuinpoort liep. Al snel gutste de regen in dikke stralen langs het raam en via de dakpannen in de goot, waar het water gorgelend in de afvoer verdween. Banks zocht op de tast zijn weg naar de badkamer, slikte daar twee tablet-ten Panadol en kroop weer in bed. Sandra was niet wakker geworden en de kinderen waren ook rustig gebleven. Hij herinnerde zich nog dat Tracy vroeger bang was geweest voor onweer en altijd naar het bed van haar ouders was gevlucht, waar ze zich veilig tussen hen in had genesteld. Nu ze echter wist waardoor de elektrische bedrijvigheid werd veroorzaakt – beter zelfs dan Banks – was die angst verdwenen. Brian had het nooit echt erg gevonden en vond het veel vervelender dat bij onweer 's avonds de stekker van de televisie eruit werd getrokken, soms zelfs midden in zijn favoriete programma. Dat was iets wat Banks' vader altijd had gedaan en Banks volgde zijn voorbeeld zonder eigenlijk goed te weten waarom.

Nu de spanning door het losbreken van de storm van het ene moment op het andere uit de lucht was verdwenen, viel Banks luisterend naar het regelmatige getik van de regen weer in een onrustige slaap. Veel te snel naar zijn zin ging de wekker alweer af en moest hij zich klaarmaken om naar zijn werk te gaan.

Toen Banks bij het bureau aankwam, was het daar tot zijn verbazing ongebruikelijk druk. Hoofdinspecteur Gristhorpe zat al op hem te wachten.

'Wat is er aan de hand?' vroeg Banks, terwijl hij zijn doorweekte regenjack in de kleine kast hing.

'Er wordt een jong meisje vermist,' zei Gristhorpe en hij fronste zijn borstelige wenkbrauwen.

'Uit Eastvale?'

'Haal eerst even wat koffie voor jezelf. Dan bespreken het we daarna wel.' Banks nam zijn mok mee naar de kleine kantine en schonk verse, zwarte koffie voor zichzelf in. Terug in zijn kantoor ging hij aan zijn bureau zitten. Hij nam een slok van de warme drank en wachtte geduldig tot Gristhorpe uit zichzelf iets zei. Hij wist dat het geen enkele zin had om de hoofdinspecteur op te jagen.

'Helmthorpe,' zei Gristhorpe ten slotte. 'Vlak nadat het onweer was losgebarsten werd de wijkagent daar, ene Weaver, gewekt door een stel ongeruste ouders. Blijkbaar was hun dochter niet thuisgekomen en ze waren enorm bezorgd. De moeder vertelde dat ze wel vaker laat wegbleef – ze heeft er de leeftijd voor, een jaar of zestien – dus hadden ze zich niet direct zorgen gemaakt. Toen ze wakker werden van de storm en het meisje nog altijd niet terug bleek te zijn... Blijkbaar had ze dat nog niet eerder gedaan.'

'Hoe heet ze?'

'Sally Lumb.' De woorden galmden vlak en onherroepelijk in Gristhorpes Yorkshire-accent door de kamer.

Banks wreef over zijn gezicht en dronk nog wat koffie. 'Ik heb haar kortgeleden gesproken,' zei hij uiteindelijk. 'Hier in mijn kantoor. Ze wilde met me praten.'

Gristhorpe knikte. 'Dat weet ik. Ik heb het verslag gelezen. Daarom wilde ik je ook spreken.'

'Een knap meisje,' zei Banks bijna in zichzelf. 'Zag er ouder uit dan ze was. Zestien. Was geïnteresseerd in acteren. Ze wilde weg, naar de grote stad.' Plotseling moest hij aan Penny Cartwright denken, die in zoveel grote steden was geweest en uiteindelijk toch weer naar Helmthorpe was teruggekeerd.

'Dat wordt al uitgezocht, Alan. Je weet net zo goed als ik hoe de meeste van deze zaken aflopen. Naar alle waarschijnlijkheid is ze naar Manchester of Londen gegaan. Haar moeder heeft Weaver verteld dat er de laatste tijd thuis een paar keer ruzie is geweest. Blijkbaar kon ze niet echt met haar vader overweg. Het is heel goed mogelijk dat ze gewoon is weggelopen.'

Banks knikte. 'Dat zou inderdaad ook kunnen, ja.'

'Denk je dat het iets anders is?'

'Dat heb ik niet gezegd.'

'Nee, maar zo kwam het wel over.'

'Shock, denk ik. Misschien is er een ongeluk gebeurd. Ze heeft een vriendje met wie ze overal naartoe gaat. U weet wel, afgelegen plekjes waar ze kunnen zoenen en vrijen. Het stikt hier in de omgeving van de oude loodmijnen en dalletjes.'

'*Aye*, het is mogelijk. Voorlopig moeten we daar maar van uitgaan of anders dat ze ertussenuit is geknepen. We hebben haar beschrijving naar alle grote steden gefaxt. Ik hoop bij god maar dat we niet met een lustmoordenaar te maken hebben.' Hij zweeg even en staarde door het raam naar Market Street en het plein, die er verlaten bij lagen in de gestaag vallende regen. Slechts een paar mensen trotseerden met opgestoken paraplu het weer. 'Het probleem is dat we er in dit weer geen reddingsteams op uit kunnen sturen,' ging hij toen verder. 'Het is momenteel veel te gevaarlijk op de heide en de heuvelhellingen.'

'Wat denkt u dat er is gebeurd?' vroeg Banks.

'Ik?' Gristhorpe schudde zijn hoofd. 'Geen idee, Alan. Zoals ik net al zei, heb ik dat verslag van jullie gesprek nogmaals gelezen en ik heb niets gevonden wat erop duidt dat ze belangrijke informatie voor ons had. Ze heeft ons alleen geholpen om het tijdstip vast te stellen waarop het stoffelijk overschot daar is gedumpt. Ze heeft niet echt iets gezien.'

'U bedoelt dat ze dus voor niemand een bedreiging vormde, ook voor de moordenaar niet?'

'*Aye*. Natuurlijk ga je verbanden zien wanneer zoiets als dit gebeurt. Je zou een heel slechte politieman zijn als je dat niet deed. Je mag je er alleen niet op blindstaren. Voorlopig moeten we een moord oplossen en tevens een vermist meisje opsporen.'

'U denkt dus dat er wellicht een verband bestaat?'

'Dat hoop ik niet. Dat hoop ik verdomme maar niet. Het is al erg genoeg om te weten dat er daarbuiten ergens iemand rondloopt die al een moord op zijn geweten heeft; de gedachte dat hij misschien ook zo'n jong kind heeft vermoord, is nog veel erger.'

'We weten nog niet zeker of ze dood is, hoofdinspecteur.'

Gristhorpe staarde Banks een tijdje onbeweeglijk aan en draaide zich toen weer om naar het raam. 'Nee,' zei hij. 'Was er verder nog iets? Iets wat een verband aantoont tussen haar en de zaak-Steadman?'

'Voorzover ik weet niet. Ik heb haar alleen die ene keer gezien, toen ze me kwam vertellen dat ze een auto had gehoord. Na afloop had ik de indruk dat ze het me bijzonder kwalijk nam dat ik het uitgaansleven van de grote stad had opgegeven. Toen ze hier zat, werd net Willy Fisher opgebracht. Hij stribbelde nogal tegen en heeft een potje geworsteld met twee jongens in uniform, en ik denk dat ze daardoor een beetje overstuur was.'

'Wat wil je daarmee precies zeggen, Alan?'

'Dat weet ik eigenlijk niet. Misschien alleen maar dat als haar daarna nog iets te binnen is geschoten, ze wellicht geen behoefte voelde om ermee naar mij te komen.'

'Dat mag je jezelf niet aanrekenen,' zei Gristhorpe en hij stond op om weg te gaan. 'Laten we maar hopen dat ze gewoon is weggelopen. Dat spoor zal echter wel even moeten worden nagetrokken. Was je nog van plan om vandaag naar Helmthorpe te gaan?'

'Nee. Het is buiten zo gruwelijk dat ik eigenlijk wat papierwerk wilde afhandelen. Hoezo?'

'Dat papierwerk kan een andere keer wel. Ik zou het prettiger vinden als je wel ging.'

'Natuurlijk. Wat wilt u dat ik daar doe?'

'Praat even met haar vriendje. Zoek uit of hij haar gisteravond heeft gezien en zo nee, waarom niet. Verder heb ik van Weaver gehoord dat ze vaak met drie andere meisjes in een cafeetje rondhing. Misschien kun je ook even met hen gaan babbelen. Weaver heeft de namen en andere gegevens voor je. Benader hen zo informeel mogelijk. Als ze iets wist of er een theorie over had, zal ze die eerder met haar vriendinnen hebben besproken dan met haar ouders. Nergens voor nodig om hen ermee lastig te vallen.' Banks keek opgelucht. Hij had twee keer eerder naar de ouders van een vermist kind moeten gaan en het was de lastigste opdracht die hij kon bedenken.

'De rest doe ik wel,' voegde Gristhorpe eraan toe. 'Zodra het een beetje opklaart, zetten we zoekteams aan het werk.'

'Zal ik dan nu maar meteen vertrekken?' vroeg Banks.

'Het hoeft niet op stel en sprong. Misschien kun je juist beter tot halverwege de ochtend wachten. Ik heb niet echt veel verstand van tienermeisjes, maar ik kan me niet voorstellen dat ze nu al wakker zijn. Misschien is het het beste als je hen in dat cafeetje aanspreekt. Dat is een iets aangenamere omgeving voor een dergelijk gesprek en bovendien heb je hen daar waarschijnlijk allemaal in één keer te pakken.'

Banks knikte. 'Houdt u me op de hoogte, hoofdinspecteur?'

'Ja, uiteraard. Laat Weaver even weten dat je er bent. Ik zal brigadier Hatchley straks ook die kant op sturen. Op dit moment heeft hij genoeg om handen met het verspreiden van de beschrijving van het meisje.'

'Nog één klein dingetje,' zei Banks. 'Misschien is het een goed idee om iemand contact te laten opnemen met theatergezelschappen, toneelscholen en dergelijke. Als ze is weggelopen, bestaat er een gerede kans dat ze in dat wereldje te vinden is.'

'*Aye*,' zei Gristhorpe, 'dat zal ik doen.' Toen verliet hij met een vermoeid, zorgelijk gezicht het kantoor.

Buiten kwam de regen nog steeds met bakken uit de lucht vallen en het zag er niet naar uit dat het ooit zou ophouden. Banks staarde naar het steeds verschuivende patroon van paraplu's van voetgangers die elkaar bij het oversteken van het plein op weg naar hun werk probeerden te ontwijken. Hij wreef over zijn kin en voelde een ruw plekje dat het elektrische scheerapparaat had overgeslagen. Gristhorpe had gelijk; ze moesten dit in samenhang met de kwestie Steadman bekijken. Ook moest er meteen werk van worden gemaakt en ironisch genoeg moesten ze eigenlijk hopen dat ze het bij het verkeerde eind hadden.

Banks nam het afschrift van zijn gesprek met Sally door en probeerde zich haar voor de geest te halen zoals ze in zijn kantoortje had gezeten. Was er iets wat ze hem niet had verteld? Terwijl hij het getypte verslag las dat hij op basis van zijn neergekrabbelde aantekeningen had gemaakt, dacht hij terug aan haar gezicht, de stiltes die waren gevallen en de veranderingen in haar lichaamshouding. Nee. Als er verder nog iets was geweest, moest dat haar na hun gesprek pas te binnen zijn geschoten en wellicht was ze toen met die informatie of ideeën naar de verkeerde persoon gestapt. Banks deed zijn best om het beeld van Sally die bont en blauw geslagen in een verlaten mijnschacht werd geduwd op afstand te houden, maar het liet zich niet gemakkelijk verjagen. Sally mocht dan misschien niets liever hebben gewild dan naar de grote stad te gaan, maar ze was op hem overgekomen als een verstandig en mogelijk zelfs berekenend meisje, het type dat heel openlijk zou vertrekken wanneer het juiste tijdstip was aangebroken. Volgens haar moeder was er thuis niets voorgevallen wat zo erg was dat ze daarom zou weglopen. Er was weliswaar regelmatig ruzie geweest, maar haar ouders leken eerder veel te toegeeflijk dan streng. Banks probeerde zijn pijp op te steken en dacht intussen terug aan zijn eigen jeugd en de talloze keren dat hij te laat was thuisgekomen. Het verdomde kreng werkte zoals gewoonlijk weer eens niet mee. In een opwelling van woede en frustratie smeet hij hem door de kamer en de steel brak in tweeën.

Toen Banks die zaterdagochtend Helmthorpe naderde, rukten de kleurrijke tenten aan de overkant van de rivier in de wind en de regen wild aan hun touwen, als de zeilen van onzichtbare boten, en het donkere water deinde woest op en neer. In dit weer leken de huizen net grauwe, vormloze klompen natuursteen en gingen de hellingen aan weerszijden van het dal volledig schuil achter een vochtige nevel. Enkele dorpsbewoners en onfortuinlijke vakantiegangers beenden door de straten.

Banks reed het kleine parkeerterrein naast het politiebureau op en de eerste die hij binnen tegenkwam was agent Weaver. Hij zag bleek en had donkere vlekken onder zijn ogen.

'We kunnen niet eens een zoektocht organiseren,' zei hij en hij wees door het raam naar buiten. 'Onze mensen zouden vastlopen op de heide en het zicht is vreselijk slecht.'

'Dat weet ik,' zei Banks. 'Nog iets gevonden?'

Weaver schudde zijn hoofd. 'Haar ouders hebben haar vlak voordat ze die avond rond halfacht weggingen voor het laatst gezien. Haar vriendinnen hebben haar eerder die middag in dat cafeetje nog gezien. We hebben amper tijd gehad om navraag te doen, inspecteur. Sommigen van mijn mannen zijn nog bezig. Als het goed is, komen er over niet al te lange tijd meer gegevens binnen.'

Banks knikte. 'Heeft ze tegen niemand gezegd waar ze naartoe ging?'

'Nee. Haar moeder dacht dat ze misschien ergens met haar vriendje had afgesproken.'

'Is dat ook zo?'

'Hij zegt van niet, inspecteur.' Weaver wees in de richting van een verfomfaaide jongeman in een kletsnat T-shirt en een doorweekte spijkerbroek, wiens haar door de regen tegen zijn schedel zat geplakt. 'Hij zit daar. Hij is nogal overstuur en ik zie geen enkele reden om hem niet te geloven.'

'Hebben jullie hem ondervraagd?'

'We hebben alleen even met hem gepraat, inspecteur. Hem niet echt ondervraagd. Ik bedoel, ik dacht dat ik dat beter kon overlaten aan...'

'Het is al goed, Weaver,' zei Banks met een goedkeurende glimlach. 'Je hebt juist gehandeld.'

Hij liep naar Kevin, die zonder met zijn ogen te knipperen naar een 'Misdaad loont niet'-poster zat te staren en op zijn nagels beet. Banks stelde zichzelf voor en ging op de bank zitten.

'Hoe lang ken je Sally al?' vroeg hij.

Kevin wreef in zijn ogen. 'Al jaren. Maar we hebben pas sinds deze zomer verkering.'

'Wat vind je van Swainsdale?'

'Hè?'

'Hoe vind je het om in de Dales te wonen? Sally vindt het eigenlijk maar niets, hè? Had ze het er niet vaak over dat ze weg wilde?'

'O, *aye*, ze had het bijna over niets anders,' zei Kevin verachtelijk. 'Sally zat vol praatjes. Had allerlei grootse plannen.'

'Denk je niet dat het mogelijk is dat ze is weggelopen naar Londen of een andere grote stad?'

Kevin schudde zijn hoofd. 'Nee. Dat zie ik haar niet zomaar doen. Daarom maak ik me ook zoveel zorgen. Dat zou ze me echt wel hebben verteld.'

'Misschien is ze ook wel voor jou weggelopen.'

'Wat is dat nou weer voor stomme opmerking? We hadden nog maar pas verkering. We zijn verliefd.' Hij boog zich voorover en liet zijn hoofd in zijn handen zakken. 'Ik hou van haar. We willen trouwen, een eigen boerderijtje beginnen... Ik ken Sally en ze zou nooit zomaar weglopen zonder iets tegen me te zeggen. Echt niet.'

Banks zei niets. Wat Kevin ook dacht, er was nog steeds hoop. Hij geloofde echter niet dat Sally Lumb genoegen zou nemen met een rustig boerenleven in de Dales. Kevin moest nog veel over vrouwen en hun dromen leren, maar hij leek zo op het eerste gezicht een fatsoenlijke, eerlijke knul. Banks was het met Weaver eens dat er waarschijnlijk geen kwaad in de jongen school, maar toch moest hij de ondervraging voortzetten.

'Heb je Sally gisteren gesproken?' vroeg hij.

Kevin schudde zijn hoofd.

'Gisteravond ook niet?'

'Nee. Ik heb cricket gespeeld met een paar vrienden van me in Aykbridge.'

'Wist Sally daarvan? Verwachtte ze niet dat ze je nog zou zien?'

'*Aye*, ze wist ervan. Je hoeft elkaar toch niet elke avond te zien?' zei hij fel. 'Dan ben je elkaar zo zat. Soms moet je toch ook eens wat anders kunnen doen, of niet dan?'

Hij zocht de schuld bij zichzelf en Banks hielp hem om het schuldgevoel te verdringen. Hij had hem nog iets willen vragen over de avond waarop Sally en hij de auto hadden gehoord; hij wilde eigenlijk weten of ze er nog iets over had gezegd, of dat een van hen misschien iets had opgemerkt wat ze hem nog niet hadden verteld. Maar als hij dat deed, begreep hij nu, zou hij Kevin alleen maar op bepaalde gedachten brengen en zou de jongen vast en zeker gaan geloven dat Sally's verdwijning op een of andere manier verband hield met de moord op Steadman. Dat zou uiteindelijk toch wel gebeuren, maar nu liever nog niet. Als er iets was, zou Kevin dat waarschijnlijk wel uit zichzelf melden in de hoop dat ze daardoor Sally zouden vinden.

Het liep tegen het middaguur. Als de meiden elkaar zoals gewoonlijk in het cafeetje ontmoetten, zouden ze er nu wel zitten, vertelde Weaver hem. Banks liep snel naar zijn auto. Bij goed weer had hij de korte afstand te voet afgelegd, maar na enkele tellen in de regen droop het water al vanaf zijn doorweekte kraag in zijn nek.

De drie meisjes zaten zwijgend bij elkaar en speelden met het rietje dat uit hun blikjes cola stak. Banks vertelde hun wie hij was, trok een stoel bij en nam plaats aan het tafeltje met het bevlekte, gebarsten formicablad. De videospelletjes en flipperautomaat stonden uit.

'Denken jullie dat Sally het soort meisje is dat zonder iemand iets te zeggen zou weglopen?' was zijn eerste vraag.

Ze schudden alle drie langzaam hun hoofd. Het meisje met het alledaagse gezicht en de bril met dikke glazen dat zichzelf als Anne Downes had voorgesteld, antwoordde: 'Sally heeft vaak geweldige plannen. Alleen daar blijft het altijd bij. Ze kan nergens naartoe. Ze kent helemaal niemand buiten Swainsdale.'

'Ging het goed met haar op school?'

'Redelijk,' antwoordde Kathy Chalmers, het meisje met het hennarode haar. 'Ze is best slim. Geen studiebol of zo. Ze hoefde nooit hard te studeren om toch goede cijfers te halen. Ze slaagt straks vast en zeker voor al haar examens.'

'Een verstandig meisje, dus?'

'Net zo verstandig als iedere andere tiener,' antwoordde Anne Downes en de ironie ontging Banks niet. 'Dat hangt er maar vanaf hoe je het bekijkt.'

Kathy giechelde even en bloosde. 'Sorry,' zei ze verontschuldigend en ze sloeg een hand voor haar mond. 'Haar ouders vonden haar misschien niet zo verstandig. U weet hoe ouders zijn.'

Banks wist uit ervaring wat ze bedoelde. 'Ze is dus niet het soort meisje dat snel...' Hij zweeg even om naar woorden te zoeken waarmee hij de uitdrukking 'in moeilijkheden raakte' en alle bijbetekenissen waarmee deze gepaard ging kon vermijden. 'Ze veroorzaakte geen problemen, was niemand tot last?'

Kathy schudde haar hoofd. 'Nee. Helemaal niet. Ze is netjes opgevoed. Kan met de meeste leraren overweg. Ze heeft wel altijd grootse plannen, zoals Anne net al zei. Een dromer. Ze zou nooit iets doen om iemand te kwetsen.'

Banks vroeg zich af of de meisjes Sally's verdwijning in verband brachten met de zaak-Steadman; het lag voor de hand dat ze hun over haar bezoekje aan het politiebureau van Eastvale had verteld en hij wilde weten of ze daar verder nog iets over had gezegd. Ook nu was het probleem dat hij geen slapende honden wilde wakker maken.

'Ik neem aan dat jullie weten dat ze een paar dagen geleden bij me is geweest?' merkte hij nonchalant op. 'Ik ben het trouwens helemaal met jullie beschrijving eens: intelligent, vol plannen, welopgevoed. Alleen heeft ze me niet echt veel over haar plannen verteld.'

Kathy Chalmers bloosde weer. Het derde meisje, Hazel Kirk, had tot nu toe nog niets gezegd en voelde zich blijkbaar slecht op haar gemak. Opnieuw was het Anne Downes die antwoordde, met een directheid die perfect in balans was met haar vroegrijpe intelligentie.

'Neem nu die moordzaak,' begon ze. 'Ik neem aan dat ze daarover met u wilde praten?'

Banks knikte.

'Tja, ze vond het allemaal erg glamoureus en opwindend, alsof het iets was wat ze op televisie volgde. Niet dat ze het niet vreselijk vond van meneer Steadman, hoor, dat vonden we natuurlijk allemaal verschrikkelijk, maar zij zag het vanuit een heel ander standpunt. Voor Sally was het één groot avontuur. Begrijpt u wat ik bedoel? Het was allemaal een spelletje waarin zij de heldin was.'

Dit was precies waarop Banks had gehoopt. Hij gaf Anne een goedkeurend knikje. 'Praatte ze er vaak over?' vroeg hij.

'Ja, maar ze deed heel geheimzinnig,' antwoordde Anne.

'Alsof ze iets wist wat verder niemand wist?'

'Ja, precies. Ik geloof dat ze zichzelf nogal belangrijk vond, omdat ze iets had gezien en met u had gesproken. Ze vond u in het begin een lekker stuk.' Anne zei dit met een stalen gezicht, alsof ze eigenlijk niet goed begreep wat de uitdrukking betekende. 'Ze was alleen een beetje teleurgesteld over uw reactie. Ik weet niet wat er was, want dat heeft ze niet gezegd, maar in de loop van de week deed ze steeds geheimzinniger.'

'Heeft ze iets specifieks gezegd?'

'O, ze heeft ons wijs willen maken dat ze iets op het spoor was,' zei Anne en ze duwde haar bril recht. 'Dat ze wist wie het had gedaan. Dat is alles. Vage opmerkingen, meer niet. Voorzover ik weet heeft ze er niets mee gedaan.'

Banks zag enorm op tegen het onvermijdelijke moment waarop de betekenis van zijn vragenreeks tot Anne zou doordringen. Dat gebeurde gelukkig echter niet. Hij bedankte de meisjes en toen hij opstond om te vertrekken, merkte hij nogmaals op dat Hazel Kirk een erg afwezige indruk maakte. Hij wilde haar er niet ter plekke naar vragen, maar even laten sudderen om te zien wat er dan zou gebeuren.

9

Hij moest zich weer op de zaak-Steadman concentreren. Hoe verontrustend haar verdwijning ook was, er bestond altijd een kans dat Sally Lumb elk moment in Birmingham of Bristol opdook, dacht Banks bij zichzelf. Steadman was echter dood en zijn moordenaar liep nog steeds vrij rond.

Nadat hij Weaver had verteld waar hij naartoe ging, reed hij de heuvel op naar Gratly, waar hij direct na het smalle, lage bruggetje in het hart van het gehucht rechts afsloeg en zijn auto ten slotte stilzette voor Jack Barkers verbouwde boerderij aan de rand van de brede beek. Het water kolkte hier al sneller en luidruchtiger over de trapsgewijs omlaag lopende plateaus. Over een dag of twee, wanneer de regen vanaf de heide en de hoger gelegen hellingen naar beneden was gesijpeld, zou het water in een oorverdovende stortvloed veranderen.

Toen hij aanbelde, besefte Banks opeens dat hij nog niet eerder bij Barker thuis was geweest en hij vroeg zich af wat de woning hem over de man zou vertellen.

'O, bent u het, inspecteur,' zei Barker verrast, nadat hij Banks vrij lang voor de deur had laten wachten. 'Komt u binnen. Neemt u mij niet kwalijk dat ik zo verbaasd reageer, maar ik krijg hier zelden bezoek.'

In de gang trok Banks zijn kletsnatte regenjas en schoenen uit, voordat hij achter Barker aan naar binnen liep. Hoewel het niet koud was, was er met de regen wel degelijk een vochtige kilte in de steen doorgedrongen en Banks bedacht dat hij zijn jasje maar beter kon aanhouden.

'Zou u het vervelend vinden om in mijn werkkamer te gaan zitten?' vroeg Barker. 'Daar is het iets warmer. Ik heb zitten werken en de koffiepot staat daar ook. U ziet eruit alsof u wel iets kunt gebruiken.'

'Uitstekend idee,' antwoordde Banks en hij liep achter zijn gastheer aan door een spaarzaam gemeubileerde woonkamer en via een zeer smalle, stenen trap naar een knus kamertje aan de achterkant van het huis met uitzicht op de vallei. Twee muren werden volledig in beslag genomen door boeken en tegen een derde, waarin zich ook de deur bevond, stonden een dossierkast en een klein bureau dat bezaaid was met papieren. Barkers schrijftafel met daarop een brommende elektrische typemachine was voor het raam geplaatst. In de stromende regen leek de steil oprijzende heuvelhelling net een impressionistisch schilderij. Midden in de kamer stond een lage salon-tafel. Het rode lichtje van het automatische snelfilterapparaat brandde en de koffiepot van vuurvast glas was half gevuld met geurige, zwarte koffie. Naast de tafel stonden twee kleine, comfortabele leunstoelen. De mannen gingen zitten met een kop koffie, voor beiden zwart, zonder suiker.

'Het spijt me dat ik u tijdens uw werk stoor,' zei Banks en hij nam een slokje van het verkwikkende vocht.

'Het geeft niet. Dat is nu eenmaal het risico van het vak.'

Banks trok vragend een wenkbrauw op.

'Wanneer je thuis werkt, ben je nu eenmaal altijd thuis,' legde Barker uit. 'Een gemakkelijke prooi dus voor colporteurs en de belastingdienst. Op een of andere manier staat het oude puriteinse arbeidsethos de meeste mensen niet toe om te accepteren dat het schrijven van boeken in de ver-trouwde omgeving van je eigen huis echt werk is, als u begrijpt wat ik be-doel. Ik begrijp dat niet. Vóór de Industriële Revolutie was het de ge-woonste zaak van de wereld dat mensen, wevers bijvoorbeeld, thuis werkten. Tegenwoordig moet werk iets zijn waaraan we een hekel hebben, iets wat wordt uitgevoerd in een rumoerige, smerige fabriek of een steriel, in neonlicht badend kantoor. Niet persoonlijk bedoeld, hoor.'

Aan de glinstering in zijn ogen kon Banks echter zien dat Barker mild de spot met hem dreef. 'Zo had ik het ook niet opgevat,' antwoordde hij. 'Ik zou het in dit weer juist wel prettig vinden om iets meer tijd in mijn kantoor door te brengen en iets minder vaak door de Dales te hoeven banjeren.'

Barker glimlachte en haalde een sigaret uit het pakje dat op tafel lag. 'Ik krijg hier gelukkig echter zelden bezoek, afgezien van een enkele colpor-teur,' zei hij. 'Ik trek de stekker van de telefoon er trouwens ook vaak uit. Het werk schoot lekker op. Ik zat net in een goed gedeelte en het is mijn gewoonte om even te pauzeren wanneer alles zo vlot loopt. Dan heb ik later echt weer zin om verder te gaan.'

'Een interessante werkgewoonte,' merkte Banks op en hij probeerde weer-stand te bieden aan het verlangen dat in hem opborrelde toen Barker zijn sigaret opstak en diep inhaleerde.

'Sorry,' zei Barker en het was alsof hij Banks' gedachten had gelezen, want hij bood hem een sigaret aan.

Banks schudde zijn hoofd. 'Ik wil juist stoppen.'

'Ja, natuurlijk. U rookt pijp, is het niet? Ga uw gang. Ik vind het werkelijk niet erg.'

'Hij is kapot.'

Nadat ze hartelijk hadden gelachen om de absurde situatie rond de kapotte pijp, bezweek Banks voor de verleiding. 'Misschien neem ik toch maar een sigaret,' zei hij. Toen hij er een aanpakte, zag hij dat Barker zich voorbereidde op de vragen die onvermijdelijk zouden komen. De sigaret smaakte heerlijk. Net zo heerlijk als in zijn herinnering. Hij kuchte niet, werd niet misselijk. Het was net alsof hij het roken van sigaretten nooit helemaal had opgegeven, alsof hij met een oude, verloren gewaande vriend was herenigd. 'Wat kan ik deze keer voor u doen?' vroeg Barker met onnodig veel nadruk op 'deze keer'.

'Ik neem aan dat u het al hebt gehoord van dat meisje uit het dorp, Sally Lumb?'

'Nee. Wat is er dan met haar?'

'Weet u dat echt niet? Ik had gedacht dat dergelijk nieuws in een kleine gemeenschap als deze enorm snel de ronde zou doen. Van Harold Steadman was iedereen binnen de kortste keren op de hoogte.'

'Nadat ik Penny gisteravond na haar optreden naar huis heb gebracht, ben ik de deur niet meer uit geweest.'

'Het meisje wordt vermist,' vertelde Banks hem. 'Ze is gisteravond niet thuisgekomen.'

'Grote hemel!' zei Barker en hij staarde door het raam. 'Maar als ze in dit weer buiten is blijven rondzwerven en is verdwaald... Wat denkt u?'

'Het is nog te vroeg om dat al te weten. Ze kan inderdaad zijn verdwaald, ja. Ze is echter hier in de omgeving opgegroeid en ze leek me een verstandig kind.'

'Weggelopen?'

'Dat is ook een mogelijkheid. We trekken het na.'

'U gelooft alleen niet dat dit het geval is?'

'We weten het gewoon nog niet.'

'Is er al een zoekteam ingezet?'

'Dat kan in dit weer niet.'

'Maar dan nog... Er moet toch iets worden gedaan.'

'We doen wat we kunnen,' verzekerde Banks hem. 'Kende u haar?'

Barker kneep zijn ogen tot spleetjes. 'Ik kan niet zeggen dat ik haar echt kende. Ik ben haar natuurlijk wel eens tegengekomen en we groetten elkaar ook altijd wel. En ze is een keertje bij me geweest voor een of ander schoolproject. Knap meisje.'

'Heel knap,' zei Banks instemmend.

'Ik neem echter aan dat dit niet was waarover u met me wilde praten, of wel?'

'Nee.' Banks drukte zijn sigaret uit. 'Ik wilde u iets vragen over Penny Cart-wright.'

'Wat dan?'

'Bent u verliefd op haar?'

Barker lachte, maar Banks zag de gespannen uitdrukking in zijn ogen. 'Wat een vraag. Ik weet niet of ik u moet zeggen dat dit u niets aangaat of u moet complimenteren met uw opmerkingsvermogen.'

'Het antwoord is dus ja?'

'Ik zal maar bekennen dat ik inderdaad tot over mijn oren verliefd ben op Penny. Welke warmbloedige, jonge vrijgezel is dat nu niet? Alleen zie ik niet in wat mijn gevoelens voor haar hiermee te maken hebben.'

'Denkt u dat ze een affaire had met Harold Steadman?'

Barker staarde Banks een tijdje aan. 'Voorzover ik weet niet,' antwoordde hij toen langzaam. 'Maar ja, wat weet ik daar nu van?'

'U kende hen allebei vrij goed.'

'Dat klopt. Maar het privé-leven van een man... of een vrouw...? Als ze zoiets voor de rest van de wereld verborgen wilden houden, was dat echt niet zo moeilijk geweest. Zelfs hier moet dat te doen zijn. Hoor eens, ik wil uw vraag best beantwoorden, maar u moet goed beseffen dat het puur en alleen mijn eigen mening is. Ze hebben me in elk geval geen van tweeën in vertrouwen genomen. En ik zou zeggen: nee, ze hadden geen affaire. Zoals u al hebt geraden, ben ik gek op Penny en in dat licht bezien ben ik uiteraard bijzonder geïnteresseerd in al haar relaties. Voorzover ik heb kunnen zien, was hun vriendschap echter gebaseerd op wederzijds respect en bewondering, niet op seksuele lust.'

Dit was vrijwel precies hetzelfde wat Banks ook van Penny zelf en Emma Steadman te horen had gekregen. De enige die blijkbaar anders over Penny en Harold Steadman dacht, was de majoor, die waarschijnlijk ten prooi was gevallen aan zijn eigen waanideeën. Maar stel dat hij toch gelijk had?

'U reageerde gisteravond nogal fel toen ik Michael Ramsden ter sprake bracht,' gooide Banks het over een andere boeg. 'Is er een speciale reden waarom u een hekel aan hem hebt?'

'Ik heb geen hekel aan hem. Ik ken hem amper. Hij is een paar keer in The

Bridge geweest met Harry en hij komt altijd heel vriendelijk over. Ik moet wel toegeven dat ik hem iets stiekems vind hebben, iets onprettigs, maar dat is slechts een onbeduidende, persoonlijke opvatting, dat raakt verder kant noch wal.'

'Ik neem aan dat u van zijn relatie met Penny afweet?'

'Ja, en ik ben ook best bereid om toe te geven dat ik last heb van de instinctmatige jaloezie van een verliefd man. In dat opzicht benijdde ik Harry wellicht ook wel een beetje vanwege zijn relatie met haar. Ze hadden zo'n nauwe, vanzelfsprekende band. Ik kan helaas echter geen aanspraak maken op Penny's gevoelens. En wat Ramsden betreft, dat was jaren geleden. Toen waren ze eigenlijk nog kinderen.'

'Waar was u toen?'

'Wat? In de nacht van de 12e februari, 1963, van zo laat tot zo laat...?'

'U begrijpt wel wat ik bedoel.'

'Tien jaar geleden?'

'Ja.'

'Toen woonde ik in Londen, in een piepklein eenkamerwoninkje in Notting Hill, waar ik heuse romans schreef die niemand wilde kopen. Toen ik naar Gratly verhuisde, woonde Penny hier nog niet – we hebben elkaar pas ontmoet toen ze weer terugkwam – maar ik heb haar ooit eens zien optreden in het zuiden van het land.'

'Waarom zijn Ramsden en Penny uit elkaar gegaan, denkt u?'

'Hoe moet ik dat nu weten? Dat is niet een vraag waarmee ik me heb beziggehouden. Waarom gaan jonge stelletjes uit elkaar? Ik vermoed dat ze doorhadden dat ze ieder een andere richting op wilden. Jezus, ze waren nog zo jong.'

'Michael woonde toen toch nog bij zijn ouders thuis, hè? In hetzelfde huis waarin Steadman en zijn vrouw tijdens hun vakanties kwamen logeren.'

'Ja,' antwoordde Barker. 'Tien jaar geleden. Dat was vlak voordat Ramsden naar de universiteit ging. Penny was bezig haar talent te ontdekken. Harry heeft me eens verteld dat hij haar folkliedjes leerde die hij had verzameld.'

'En de tieners groeiden gewoon uit elkaar?'

'Nu ja, Michael ging studeren en Penny trok overal naartoe met de band. Dergelijke folkmuziek was toen erg populair. Nog steeds trouwens. Er komt altijd vrij veel publiek op af.'

'Hoe is Penny eigenlijk ontdekt?'

'Voorzover ik weet op de gebruikelijke manier. Een agent van een platen-maatschappij was in het land op zoek naar nieuwe folktalenten. Hij gaf haar de kans om een demo op te nemen en weg was ze. En dat was dus dat, zoals men dat zo plastisch zegt.'

'Heeft ze het met u vaak over het verleden gehad, over de periode dat ze weg was?'

'Nee, niet echt.' Het gesprek had nu toch Barkers belangstelling gewekt. Hij schonk weer een kop koffie in en Banks bietste nog een sigaret. 'U weet vast wel, inspecteur,' ging hij verder, 'dat iedereen een fase in zijn leven kent waarop hij niet trots is. Vaak worden we door omstandigheden in de gelegenheid gesteld om ons zorgeloos en onverantwoordelijk te ge-dragen, en de meesten van ons grijpen die kans graag aan. Ik vind het bij-zonder pijnlijk om te moeten bekennen dat ik ooit als piepjonge nozem een paar stoelen heb vernield in ons aftandse, plaatselijke bioscoopje.' Hij grin-nikte. 'U gaat me nu toch hoop ik niet arresteren, hè?'

'Ik denk dat de termijn voor het vernielen van stoelen inmiddels wel is ver-jaard,' antwoordde Banks glimlachend. 'Bovendien is het verduiveld lastig te bewijzen.'

'Nu voel ik me pas echt oud,' verzuchtte Barker. 'Maar snapt u nu wat ik bedoel? Penny was niet alleen jong en onervaren, maar ook voor het eerst van haar leven redelijk vermogend, populair, iemand die bij het hippe groepje hoorde. Ongetwijfeld heeft ze geëxperimenteerd met drugs en over seks werd toen niet moeilijk gedaan. *"Make Love, Not War"*, zoals ze in-dertijd zeiden. Het belangrijkste is echter dat ze volwassen is geworden, het allemaal achter zich heeft gelaten en haar leven weer op de rails heeft ge-zet. Heel veel mensen overleven de moderne-muziekwereld niet. Penny wel. Wat ik wel eens zou willen weten, is waarom u in vredesnaam zo geob-sedeerd bent door gebeurtenissen van tien jaar geleden.'

'Geen idee,' antwoordde Banks en hij wreef over het litteken naast zijn oog. 'Iedereen geeft enorm hoog op van Steadman. Hij had blijkbaar niet één vijand. Toch heeft iemand hem vermoord. Vindt u dat niet vreemd? Hij is niet beroofd en zijn lichaam is naar de helling onder Crow Scar gebracht. We weten niet waar hij is vermoord. Wat ik eigenlijk wil zeggen, meneer Barker, is dat als het antwoord niet in het heden ligt, wat blijkbaar het geval is, het wel in het verleden moet liggen, hoe on-waarschijnlijk dat ook klinkt.'

'En heeft deze achtergrondinformatie u nieuwe aanwijzingen opgeleverd?'

'In het geheel niet. Nog niet. Er is echter nog iets wat me bezighoudt. Kan het zijn dat Harold Steadman homoseksueel was?'

Barker verslikte zich bijna in zijn koffie. 'Dat spant helemaal de kroon,' sputterde hij en hij depte de gemorste koffie uit zijn schoot. 'Hoe komt u daar nu in godsnaam weer bij?'

Banks zag geen enkele reden om hem te vertellen dat deze gedachte afkomstig was van brigadier Hatchley, die op zijn gebruikelijke, onbehouwen manier in de Queen's Arms had opgemerkt: 'Nog even over Steadman en die logeerpartijtjes bij Ramsden thuis. Denkt u dat hij misschien van de verkeerde kant was?'

Banks had moeten toegeven dat dit iets was wat hij nog niet had overwogen; hij had klakkeloos aangenomen dat Steadman inderdaad voor zijn werk leefde en dat de tweedaagse bezoeken hadden plaatsgevonden omwille van de redenen die Ramsden en mevrouw Steadman hem daarvoor hadden gegeven.

'Stel nu eens dat je gelijk hebt,' had Banks gezegd, 'dan schieten we daar eigenlijk nog niets mee op. Zijn vrouw kan hem niet uit afschuw hebben vermoord, ze heeft een alibi. En Ramsden zou zijn minnaar niet om het leven hebben gebracht, ook al had hij daar wellicht wel de gelegenheid toe.'

'Chantage,' had Hatchley geopperd. 'Steadman was een rijk man.'

'Ja. Dat is een mogelijkheid. Wie heeft hem dan volgens jou gechanteerd?'

'Dat kan iedereen zijn geweest die hem kende. Barker. Dat meisje. Barnes. Een van zijn oude vrienden uit Leeds.'

'Dan moeten we dat maar natrekken,' had Banks gezegd. 'Informeer jij hier en daar eens naar Ramsden, dan zal ik navraag doen in Helmthorpe. Verwacht er echter niet al te veel van. Ik heb zo'n gevoel dat we hiermee op de verkeerde weg zitten.'

Hoe vraag je iemand of een vriend van hem homoseksueel was, vroeg hij zich af. Plompverloren, zonder er doekjes om te winden? Hoe konden zij dat nu weten? Als Ramsden tien jaar geleden heteroseksueel was geweest, dacht Penny beslist dat hij dat nu ook was en misschien wist ze toch meer van Steadmans seksuele voorkeuren af dan ze had laten blijken.

Dus nu zat hij in Barkers werkkamer te wachten tot deze van de schok was bekomen en de vraag kon beantwoorden. Toen hij eindelijk zover was, was zijn antwoord een tikje teleurstellend. Barker verklaarde eenvoudigweg dat dit onmogelijk was en wilde onder druk alleen toegeven dat alles, hoe buitenissig ook, mogelijk kón zijn, maar dat dit nog niet hoefde te betekenen dat het dat daarom ook wás.

'Hoor eens,' zei Barker en hij boog zich een stukje voorover, 'ik weet dat ik in deze zaak een verdachte ben. Ik heb geen alibi en ik kan u er blijkbaar niet van overtuigen dat ik echt niets tegen Harry had – ik ben trouwens ook geen homo, voor de goede orde – maar ik verzeker u dat ik hem niet heb vermoord en ben bereid u te helpen waar ik kan. Ik zie alleen niet in hoe ik u kan helpen en ik hoop dat u het niet vervelend vindt dat ik het zeg, maar sommige zijwegen die u inslaat zijn naar mijn mening ronduit dwaas.'

'Dat snap ik best,' zei Banks, 'maar ik ben degene die beslist wat relevant is en wat niet.'

'U vergaart overal stukjes informatie en voegt die dan bij elkaar. Ja, zo gaat dat natuurlijk. Wij mogen slechts een heel klein stukje van de olifant aanraken. U bent de enige die het hele beest krijgt te zien.'

Banks moest lachen om de analogie. 'Uiteindelijk wel, ja,' zei hij. 'Ik hoop het. Wat schrijft u momenteel of praat u niet graag over uw werk zolang u er nog mee bezig bent?'

'Ik vind het niet erg. U hebt me juist op een idee gebracht. Al die stukjes die in elkaar moeten worden gepast. Ik geloof dat ik dat kan gebruiken. Het is een nieuw boek in de Kenny Gibson-serie. Hebt u daar wel eens iets van gelezen?'

Banks schudde ontkennend zijn hoofd.

'Nee, natuurlijk niet,' zei Barker. 'Ik zou toch onderhand wel moeten weten dat de meeste politiemensen geen detectives lezen. Nu ja, Kenny Gibson is een privé-detective in Los Angeles en omstreken. Historische setting, de jaren dertig van de vorige eeuw. De meeste achtergrondinformatie haal ik uit Raymond Chandler en oude *Black Mask*-tijdschriften, maar dat mag u beslist aan niemand vertellen! Deze keer werkt hij voor een rijke dame uit de hogere kringen wier echtgenoot is verdwenen. De plot is helemaal af; ik heb vooral moeite met de personages en de sfeer.'

'Seks en geweld?'

'In elk geval genoeg om een paar duizend exemplaren te verkopen.'

'Ik heb een vraagje,' zei Banks terwijl hij opstond om te vertrekken. 'Puur uit belangstelling, hoor. Werkt u alles vanuit... de plot, de ontknoping?'

'Grote god, nee,' antwoordde Barker, die achter hem aan de trap af liep. 'De plot wijst zich tijdens het schrijven vanzelf. Dat hoop ik tenminste. Als het goed gaat, blijven er bij elke nieuwe wending steeds minder mogelijkheden over, totdat het overduidelijk is wie de dader is. Ik weet eigenlijk nooit helemaal hoe het van dag tot dag zal verlopen. Anders zou het wel heel saai zijn, denkt u ook niet?'

'Misschien wel,' antwoordde Banks en hij trok zijn regenjas en zijn schoenen aan. 'Wat schrijven betreft wel. In fictie. In het echte leven ben ik daar minder zeker van. Het zou heel wat eenvoudiger zijn als ik wist wie de dader was zonder eerst het hele boek te hoeven schrijven en alle fouten te maken die bij dat proces horen. Tot ziens en bedankt voor de moeite.'

'Graag gedaan,' zei Barker.

Banks rende snel door de regen naar zijn auto.

In High Street zag Banks Penny Cartwright bij The Bridge naar binnen gaan. Na een blik op zijn horloge en kort overleg met zijn rammelende maag bedacht hij dat het allang lunchtijd was; hij zou wel een stuk pastei en een pint lusten, als de pubbaas tenminste nog wat te eten had.

Penny stond bij de bar haar paraplu uit te schudden en keek vluchtig achterom toen hij binnenkwam.

'Mag ik nu niet eens meer iets drinken zonder dat de politie meteen opduikt?' vroeg ze fel.

'Natuurlijk wel,' antwoordde Banks. 'Ik zou het zelfs een enorme eer vinden als u de lunch met me zou willen gebruiken.'

Penny keek hem achterdochtig aan. 'Is dit zakelijk of puur voor de aardigheid, inspecteur?'

'Ik wil gewoon even met u babbelen.'

'"Babbelen?" "Verhoren" bedoelt u zeker. Vooruit dan maar. Ik ben ook gek ook. U betaalt.'

Ze hadden geluk en konden nog net twee stukken pastei met steak en champignons krijgen. Penny bestelde een dubbele whisky en Banks liep met hun drankjes in de hand achter haar aan naar een tafeltje.

'Waarom knappen ze het hier niet een beetje op?' vroeg hij en hij keek met opgetrokken neus om zich heen.

'Waarom zouden ze? Ik had u nooit ingeschat als een liefhebber van stijgbeugels en koperen ondersteken.' Penny zette haar paraplu tegen de open haard, ging zitten en woelde met een hand door haar haren.

Banks lachte. 'Laat ik nu altijd hebben gedacht dat het een soort kruik was. Nee, dat ben ik ook niet, integendeel zelfs. Geef mij maar een kwispedoor en zaagsel op de vloer. Ik dacht alleen dat de eigenaar een renovatie zou beschouwen als een manier om op de lange termijn meer klanten binnen te halen.'

'Inspecteur Banks! Ik kan wel merken dat u nog geen Yorkshire-man in hart en nieren bent. Over een paar vieze vlekken doen we hier niet moeilijk. Het gezelschap en de ale zijn het enige wat telt, en hier kunnen de bewoners beide vinden.'

Banks grijnsde en slikte haar kritiek met een nederige zucht.

'Wat wilt u nu weer van me weten?' vroeg Penny, die een sigaret had opgestoken en ontspannen achterover leunde.

'Ik heb gisteravond genoten van uw optreden. Ik vond de nummers mooi en u hebt een prachtige stem.'

Bloosde ze nu een beetje? Banks kon het niet goed zien, want de verlichting was gedempt. Ze bedankte hem echter stotterend voor het complimentje en voelde zich duidelijk opgelaten.

De pastei werd gebracht en ze aten beiden zwijgend een paar happen, voordat Banks het gesprek voortzette.

'Ik zit vast. Ik kom er niet uit. En nu wordt er ook nog een meisje vermist.'

Penny fronste haar wenkbrauwen. 'Ja, dat heb ik gehoord.'

'Kent u haar? Wat denkt u dat er kan zijn gebeurd?'

'Ja, ik ken Sally oppervlakkig. Ze wilde altijd alles weten over de grote, wijde wereld buiten Helmthorpe. Ik geloof dat het haar ergens een beetje tegenviel dat ik dat allemaal achter me heb gelaten en ben teruggekomen. Ik heb haar altijd heel verstandig gevonden. Ik kan me echt niet voorstellen dat ze zomaar zou weglopen. Ze is trouwens net als ik hier geboren en getogen. Ze kent de omgeving als haar broekzak, dus is het evenmin erg waarschijnlijk dat ze is verdwaald.'

'Welke mogelijkheid blijft er dan nog over?'

'Daar denk ik liever niet aan. Je hoort zo vaak dat er in de grote steden jonge meisjes worden vermist. Maar hier...' Penny huiverde. 'Het zou er natuurlijk op kunnen wijzen dat we een maniak in ons midden hebben. Wat doet de politie eigenlijk, afgezien van mij op de lunch trakteren?'

Dat was al de tweede keer dat iemand Banks die vraag stelde en ook deze keer vond hij het bijzonder deprimerend dat zijn antwoord zo mager was. Penny snapte echter wel dat de weersomstandigheden zijn werk bemoeilijkten; ze wist hoe gevaarlijk Swainsdale daardoor kon zijn en toonde verbazingwekkend veel begrip voor Banks' zichtbare frustratie.

Ze aten zwijgend verder. Toen ze klaar waren, legde Banks zijn mes en vork neer, en hij keek Penny aan.

'Vertel me eens iets over uw vader,' zei hij.

'U lijkt wel een psychiater. Wat moet ik dan over hem vertellen?'

'U weet ongetwijfeld beter dan wie ook hoe opvliegend hij kan zijn.'

'Daar heb ik hem waarschijnlijk ook wel de nodige aanleiding toe gegeven.'

'De stad en een losbandig leven?'

Ze knikte. 'Alleen klinkt het uit uw mond stukken erger dan het in werkelijkheid was. Wat zou u in mijn plaats hebben gedaan? Alles was nieuw voor me. Ik had geld, mensen die ik als mijn vrienden beschouwde. Het was een opwindende tijd, iedereen probeerde allerlei nieuwe dingen uit, gewoon omdat het kon. Na mijn vertrek heeft mijn vader heel lang niet met me willen praten. Ik kon het hem niet uitleggen; het was thuis gewoon zo benauwend. Toen ik terugkwam, was hij echter heel lief voor me en hij heeft me geholpen met de verhuizing naar de cottage. Ik weet dat hij het als zijn taak ziet om als mijn beschermer op te treden. En ja, hij heeft een opvliegend karakter. Maar verder is hij ongevaarlijk. U verdenkt hem er toch niet van dat hij Harry iets heeft aangedaan?'

Banks schudde zijn hoofd. 'Niet meer, nee. Dit was te goed gepland, helemaal niet zijn manier van aanpak. Ik wilde alleen weten hoe u erover dacht. Vertelt u me dan eens iets meer over Michael Ramsden.'

Penny pakte nerveus weer een sigaret. 'Wat wilt u over hem weten?'

'U had vroeger toch verkering met hem? Zou ik er misschien ook een mogen?'

'Natuurlijk.' Penny gaf hem een Silk Cut. 'U weet dus dat we vroeger verkering hebben gehad. Nu en? Dat is jaren geleden. Een heel ander leven.'

'Was u verliefd?'

'Verliefd? Inspecteur, op je zestiende is verliefd zijn het gemakkelijkste wat er is, vooral wanneer iedereen wil dat je het bent. Michael was die knul met een veelbelovende toekomst en ik dat talentvolle meisje. Het was het enige vriendje tegen wie mijn vader geen bezwaar maakte en hij neemt het me nog altijd erg kwalijk dat we niet zijn getrouwd.'

'Waren jullie dat dan van plan?'

'We hadden het er wel eens over gehad om ons te verloven, zoals de meeste jongeren vroeg of laat doen. Het is er echter nooit van gekomen. Ik was jong en naïef. Michael was nog maar een jochie. Dat is werkelijk alles.'

Penny verschoof wat op haar stoel en streek haar haren over haar schouders naar achteren.

'Was het een seksuele relatie?'

'Dat gaat u verdomme helemaal niets aan.'

'Heeft hij u gedumpt?'

'We zijn gewoon uit elkaar gegroeid.'

'En dat is alles?'

'Dat is alles wat u van mij te horen krijgt.' Penny stond op om te vertrekken, maar Banks greep haar bij de arm. Ze staarde hem woedend aan en hij liet snel los, alsof hij een elektrische schok had gehad. Ze wreef over de spier.

'Het spijt me,' zei hij. 'Gaat u toch weer zitten. Ik ben nog niet klaar. Moet u horen, misschien hebt u de indruk dat ik voor de lol in uw privé-leven zit te wroeten, maar dat is niet zo. Het kan me werkelijk geen zier schelen met wie u naar bed bent geweest en met wie niet, welke drugs u hebt gebruikt en welke niet, tenzij het verband houdt met de moord op Harold Steadman. Is dat duidelijk? Het kan me zelfs niet schelen hoeveel hasj u tegenwoordig rookt.'

Penny keek Banks onderzoekend aan. Toen knikte ze.

'Waarom zijn jullie uit elkaar gegaan?' vroeg Banks nogmaals.

'Als u een nieuw drankje voor me haalt, zal ik u dat vertellen.'

'Hetzelfde?' Banks stond op en liep naar de bar.

Penny knikte. 'Ik kan alleen niet beloven dat het interessant wordt, hoor,' riep ze hem na.

'Alles aan onze relatie was even onvolwassen,' zei ze toen Banks terugkwam met een pint en een dubbele whisky. 'We wisten allebei niet beter totdat er iets anders voorbijkwam.'

'Een andere man?'

'Nee. Dat kwam later pas. Veel later.'

'Bedoelt u dan Michaels studie en uw zangcarrière?'

'Ja, deels wel. Zo eenvoudig was het alleen ook weer niet.'

'Wat wilt u daarmee precies zeggen?'

Penny fronste haar wenkbrauwen, alsof haar zojuist iets te binnen was geschoten of ze een vluchtige herinnering probeerde te grijpen. 'Dat weet ik niet zo goed. We groeiden gewoon uit elkaar. Het was tien jaar geleden in de zomer. Net zo warm als nu. Ik zei al dat het niet echt spannend zou worden.'

'Er moet toch een reden voor zijn geweest.'

'Waarom wilt u dat weten?'

'Omdat ik denk dat de verklaring voor Steadmans dood in het verleden ligt en ik daar zo veel mogelijk over wil weten.'

'Waarom denkt u dat?'

'Ik ben degene die hier de vragen stelt. Heeft hij u gedumpt omdat u niet met hem naar bed wilde?'

Penny blies een rookwolk de lucht in. 'Goed, ik wilde inderdaad niet met hem neuken. Is dat wat u wilde horen?' Het woord was duidelijk bedoeld om Banks te shockeren.

'Zegt u het maar.'

'O, dit is werkelijk onuitstaanbaar. Hier.' Ze wierp hem een sigaret toe. 'Misschien speelde seks inderdaad wel een rol. Hij bleef in elk geval aandringen. Misschien had ik gewoon moeten toegeven. Ik weet het niet... Ik weet zeker dat ik er klaar voor was. Toen veranderde hij opeens. Gedroeg hij zich teruggetrokken en afstandelijk. Alles voelde opeens zo raar aan. Ik veranderde zelf ook. Ik trad toen al op in de pubs in het dorp en Michael bereidde zich voor op zijn studie aan de universiteit. Harry en Emma waren al een tijdje hier en het was warm, erg warm. Emma wilde bijna nooit naar buiten, omdat ze zo snel verbrandde. Harry en ik brachten vrij veel tijd door bij de Romeinse opgraving bij Fortford. Daar waren ze toen net mee van start gegaan. We hebben ook veel gewandeld, lange wandelingen in de zon.'

'Ging Michael dan met jullie mee?'

'Soms wel. Hij was toen niet echt in dat soort zaken geïnteresseerd. Hij had net de geneugten ontdekt van de Engelse literatuur en gaf alleen nog maar om Shelley, Keats, Wordsworth en D.H. Lawrence. Hij zat meestal met zijn neus in een poëziebundel, ook wanneer hij bij ons was. Dat wil zeggen, wanneer hij tenminste niet probeerde zijn handen onder mijn rok te krijgen.'

'Dat zal ongetwijfeld de invloed van Lawrence zijn geweest.'

Penny's mond vertrok in een vluchtige glimlach. Ze hief een hand op en streek het haar weg van haar voorhoofd. 'Misschien wel.'

'En mevrouw Steadman?'

'Zoals ik net al zei, zat ze niet graag in de zon. Wanneer we met de auto gingen, kwam ze wel eens mee en dan bleef ze onder een geïmproviseerde parasol in de berm zitten, waar we dan als personages uit een roman van Jane Austen picknickten. Zij was trouwens ook niet echt geïnteresseerd in de Romeinen of folktradities. Misschien was het niet echt een goed huwelijk, dat weet ik niet. Ze hadden in elk geval weinig met elkaar gemeen, maar ze hadden er vrede mee en ik geloof niet dat ze elkaar vervelend behandelden. Harry had eigenlijk nooit moeten trouwen. Hij ging veel te veel op in zijn werk. Wat ik me voornamelijk herinner is dat hij en ik over de heide wandelden en probeerden wilde bloemen te identificeren.'

Steadman moest toen ergens in de dertig zijn geweest, rekende Banks uit, en Penny zestien. Een leeftijdsverschil waarbij onderlinge aantrekkingskracht niet geheel onmogelijk was. Integendeel zelfs: het was precies de leeftijd die een meisje van zestien aantrekkelijk zou hebben gevonden en Steadman was tot aan het eind van zijn leven een knappe, erudiete man geweest.

'Was u niet stiekem een beetje verliefd op Harry?' vroeg hij. 'Dat zou toch heel normaal zijn geweest?'

'Misschien wel. Het belangrijkste – maar dat schijnt maar niet tot u te willen doordringen – is echter dat Harry gewoon niet zo in elkaar stak. Hij was helemaal niet sexy. Meer een oom. Ik weet dat u het moeilijk vindt om dat te geloven, maar het is echt waar.'

Als ik het niet geloof, dacht Banks bij zichzelf, dan is dat in elk geval niet omdat niemand heeft geprobeerd me daarvan te overtuigen. 'Is het mogelijk dat Michael de relatie anders zag?' opperde hij. 'Als een bedreiging wellicht? Een oudere man met meer ervaring. Kan het zijn dat hij zich daarom zo vreemd gedroeg?'

'Ik kan niet zeggen dat ik daar ooit over heb nagedacht,' antwoordde Penny.

Banks wist niet zeker of hij haar geloofde; ze loog of ontweek bepaalde onderwerpen zo stelselmatig dat hij er steeds meer van overtuigd begon te raken dat ze niet alleen een goede zangeres was, maar ook een uitmuntende actrice.

'Maar het is mogelijk?'

Ze knikte. 'Misschien wel. Hij heeft er alleen nooit iets over tegen me gezegd. Je zou toch verwachten dat hij dat wel had gedaan?'

'Jullie hebben geen ruzie gehad? Michael heeft er nooit iets van gezegd dat u met Harry op pad ging? Hij stond er niet op om altijd met jullie mee te gaan?'

Penny schudde bij elke vraag ontkennend haar hoofd.

'Hij was erg verlegen en slungelig,' zei ze. 'Hij vond het moeilijk om zich in emotioneel opzicht te uiten. Als hij er al iets van dacht, dan hield hij dat voor zichzelf en leed hij in stilte.'

Banks nam een slokje Theakston's en probeerde intussen te bedenken hoe hij de volgende vraag het beste kon stellen. Penny reikte hem weer een Silk Cut aan.

'Als ik u een beetje doorheb, inspecteur,' zei ze, 'lijkt u te willen impliceren dat Michael Ramsden Harry wellicht heeft vermoord.'

'Is dat zo?'

'Ach, kom nu toch! Waarom wilt u anders weten of hij jaloers was?'

Banks zei niets.

'Ze zijn later heel goed met elkaar bevriend geraakt,' ging Penny verder. 'Toen Michael was afgestudeerd en belangstelling kreeg voor plaatselijke geschiedenis, heeft hij Harry enorm geholpen. Hij heeft zelfs de uitgeverij waar hij werkte overgehaald om Harry's boeken uit te geven. Hun relatie ging veel verder dan die tussen auteur en uitgever.'

'Dat had ik me al zitten afvragen,' onderbrak Banks haar en hij greep zijn kans. 'Is het mogelijk dat ze een homoseksuele relatie hadden? Ik weet dat het raar klinkt, maar denkt u er eens rustig over na.'

In tegenstelling tot Barker dacht Penny serieus over de vraag na, voordat ze tot de conclusie kwam dat ze dat ten zeerste betwijfelde. 'Als dit maar geen valstrik is,' zei ze. 'Ik hoop dat u niet probeert me hierdoor zover te krijgen dat ik toegeef intieme informatie over Harry's seksuele voorkeur te bezitten.'

Banks lachte. 'Ik ben niet half zo sluw als u wel denkt.'

Ze kneep haar ogen achterdochtig tot spleetjes. 'Dat zal wel. Maar goed,' ging ze verder, 'ik kan u echt niet helpen. Je zou denken dat je over een vriend die je al jaren kent alles weet, maar dat is niet zo. Voorzover ik weet, kan Harry best homoseksueel zijn geweest. Michael daarentegen heb ik altijd een heel normale puber gevonden, maar er is geen enkele reden waarom hij niet bi zou kunnen zijn. Wie kan dat tegenwoordig nog zien?'

Ze had gelijk. Bank had zelf meegemaakt dat hij er pas tijdens het onderzoek naar de zelfmoord van een brigadier van de Metropolitan die hij al zes jaar kende – een getrouwde man met twee kinderen – achter kwam dat hij homoseksueel was.

'Zo te horen denkt u nog steeds dat Michael het heeft gedaan,' zei ze. 'U valt ons allemaal, al zijn vrienden, voortdurend lastig. Waarom? Waarom hebt u de pik op ons? En zijn vijanden dan? Kan het niet zijn dat Harry is vermoord door iemand die op doorreis was?'

Banks schudde zijn hoofd. 'In tegenstelling tot wat de meeste mensen altijd denken,' zei hij, 'komen dergelijke moorden slechts zelden voor. Ik vermoed dat de mythe van de dakloze, moordlustige zwerver door de aristocratie is verzonnen om te voorkomen dat ze zelf werden verdacht. Meestal worden mensen vermoord door een familielid of bekende en het motief is vaak geld, seks, wraak of de behoefte om nadelige informatie te verbergen. In het geval van Harold Steadman hebben we geen bewijzen gevonden die duiden op inbraak en zijn we er tot dusver niet in geslaagd om een vijand uit zijn verleden op te sporen. Neemt u maar van mij aan dat we echt heel diep graven, mevrouw Cartwright. We hebben de alibi's nagetrokken van iedereen buiten de naaste groep familie en vrienden die mogelijk een reden, hoe minimaal ook, kan hebben gehad om hem te vermoorden. Heus, mensen die over het platteland rondzwerven en anderen zonder enige aanleiding het hoofd inslaan komen niet zo vaak voor. Tot op heden duiden de statistieken en het bewijsmateriaal erop dat het iemand dichter bij huis is geweest. Volgens zijn vrienden en kennissen was hij echter zo volmaakt dat hij geen vijanden kan hebben gehad, dus waar moet ik dan zoeken? Het is wel duidelijk dat meneer Steadman een veel gecompliceerder man was dan de meeste mensen hebben toegegeven en zijn netwerk was evenmin eenvoudig. Deze moord is niet in een opwelling gepleegd, of anders was de moordenaar bang of koelbloedig genoeg om ons van het juiste spoor af te leiden door het lichaam te verplaatsen.'

'Dus u blijft ons lastigvallen totdat u weet wie het is?'

'Ja.'

'Bent u er al dichtbij?'

'Als dat zo is, dan heb ik dat zelf nog niet door, maar zo werkt het trouwens ook niet. Het is geen kwestie van er steeds dichterbij komen alsof je er met een camera op inzoomt; het gaat erom dat je zoveel stukjes en beetjes bij elkaar weet te krijgen dat er een herkenbaar patroon in de chaos ontstaat.'

'En u weet nooit wanneer dat is?'

'Inderdaad. Je kunt nooit van tevoren voorspellen wanneer dat moment aanbreekt. Het kan in de komende tien seconden zijn of pas over tien jaar. Je weet niet hoe het patroon eruit zal zien, dus misschien herken je het niet eens direct. Je komt er echter snel genoeg achter dat er een ontwerp ligt en niet langer slechts een map vol losse weetjes en feitjes.'

'Kan geld het motief zijn geweest?' vroeg Penny. 'Harry zat goed in de slappe was.'

'Hij heeft geen testament opgemaakt, wat erg dom van hem was. Het spreekt voor zich dat alles nu naar mevrouw Steadman gaat. Het zou ons veel beter zijn uitgekomen als hij alles aan de National Trust had nagelaten, want dan hadden we de eerste de beste geschifte natuurbeschermer kunnen oppakken die we konden vinden, maar het leven is helaas niet zo eenvoudig als in een roman. Motief en gelegenheid gaan in deze zaak beslist niet hand in hand.'

'Dat moet dan een enorm probleem voor u zijn.'

'Inderdaad. Heb ik zo een beetje duidelijk gemaakt waarom ik jullie lastigval?'

'Luid en duidelijk, dank u wel,' zei Penny en ze maakte schertsend een buiginkje.

'Spreekt u Michael tegenwoordig nog vaak?'

'Nee, niet echt vaak. Af en toe in The Bridge. Nadat we uit elkaar zijn gegaan, heeft hij zich bij mij altijd erg slecht op zijn gemak gevoeld. U wilt toch niet beweren dat Michael nog steeds verliefd op me is, hè? Even kijken of ik het goed heb begrepen. Hij dacht dus dat Harry en ik al die jaren terug een affaire hadden, en heeft me daarom losgelaten. Al die tijd is hij echter wrok blijven koesteren. Hij wist door de jaren heen Harry's vertrouwen te winnen, heeft rustig afgewacht tot hij de kans kreeg om hem uit de weg te ruimen en nu eindelijk wraak kunnen nemen. Klopt het zo een beetje?'

Banks lachte, maar het klonk hol. Misschien had Ramsden inderdaad een goed motief, maar het creëren van gelegenheid zou hem beslist niet zijn meegevallen. Om te beginnen kon hij moeilijk in Helmthorpe de hele avond op het parkeerterrein blijven rondhangen, zelfs als hij zeker had geweten dat Steadman daar naartoe zou gaan. En als Steadman naar York was gegaan, hoe was zijn auto dan weer in Helmthorpe teruggekomen? Ramsden kon onmogelijk twee auto's hebben bestuurd en hij zou zijn eigen auto nodig hebben gehad om weer thuis te komen. Zo laat reden er 's avonds geen bussen meer en een taxi zou veel te veel risico's met zich hebben meegebracht.

'Bespottelijk,' zei Penny, alsof ze Banks' gedachten had geraden. 'Nu begrijp ik wat u bedoelt met dat vastzitten.' Ze dronk het glas leeg, zette het neer en stond op om te vertrekken.

Banks bleef peinzend zitten, dronk smachtend naar een sigaret het glas leeg en zag toen dat Hatchley binnenkwam. De brigadier bracht twee pints mee en liet zich op de stoel zakken die Penny zojuist had verlaten.

'Nog nieuwe ontwikkelingen?' vroeg Banks.

'Weavers mannen hebben met iemand gesproken die Sally Lumb op vrijdagmiddag om vier uur in een telefooncel aan Hill Road heeft gezien,' meldde Hatchley. 'En weer iemand anders denkt dat hij haar om een uur of negen in de High Street in Helmthorpe heeft zien lopen.'

'In welke richting?'

'Oostelijke.'

'Dan kan ze werkelijk overal naartoe zijn gegaan.'

'Behalve dan naar het westen,' zei Hatchley. 'Ik heb trouwens contact opgenomen met een vriendje van me in York. Hij houdt daar alle homo's in de gaten, en er is hun niets bekend over Ramsden. Helemaal niets.'

'Dat had ik eigenlijk ook niet verwacht,' zei Banks somber. 'We zitten op het verkeerde spoor, Hatchley.'

'Dat kan best zo zijn, maar wie zet ons dan op het goede?'

Banks tuurde naar de regen die langs het smerige raam omlaag gleed en slaakte een diepe zucht. 'Denk je dat er een verband is tussen die twee?' vroeg hij. 'Steadman en dat meisje?'

Hatchley veegde zijn lippen af met de rug van zijn hand en liet een boer. 'Beetje erg toevallig, hè? Dat meisje is de enige die iets weet over het dumpen van Steadmans lichaam en nu wordt ze vermist.'

'Ze had ons al verteld wat ze wist.'

'Jawel, maar wist de moordenaar dat ook?' vroeg Hatchley.

'Doet dat er iets toe? Hij wist niet eens dat iemand hem had gehoord toen hij Steadman onder Crow Scar begroef, tenzij...'

'Tenzij het meisje hem dat had verteld.'

'Precies. Per ongeluk of met opzet. Maar dan gaan we er nog steeds van uit dan ze meer wist dan ze ons heeft verteld, dat ze wist wie het was.'

'Niet als ze het per ongeluk heeft verraden,' merkte Hatchley op. 'Zo'n kind vertelt natuurlijk alles aan haar vriendinnen en laat dan misschien doorschemeren dat ze meer weet dan ze eigenlijk weet. Het is maar een klein gat, vergeet dat niet. Het is hier geen Londen. Je kunt hier gemakkelijk worden afgeluisterd en nieuwtjes doen snel de ronde.'

'Dat tentje,' mompelde Banks.

'Wablief?'

'Dat tentje waar ze altijd met haar vriendinnen rondhing. Vooruit, we

moeten die meisjes nogmaals ondervragen. Als ze weten wat Sally wist, lopen zij misschien ook gevaar. Ik wilde niet dat ze zouden denken dat Sally
was vermoord of dat haar verdwijning iets met Steadman te maken had,
maar we kunnen ze nu niet langer ontzien.'

Hatchley dronk haastig zijn pint op, kwam moeizaam overeind en slenterde achter hem aan.

10

Anne Downes vond het zowel zenuwslopend als opwindend om in het politiebureau te zijn. Niet dat het bureau zelf nu zoveel voorstelde, maar er heerste zo'n gewichtige drukte: mensen die af en aan liepen, telefoons die voortdurend overgingen, het telexapparaat dat ratelde. De twee andere meisjes schonken minder aandacht aan hun omgeving en leken volledig in beslag genomen door hun eigen beslommeringen. Hazel was er het ergst aan toe: ze beet op haar nagels en schoof ongedurig heen en weer alsof ze sint-vitusdans had; Kathy hing quasi-nonchalant op haar stoel, alsof het haar geen steek interesseerde, maar beet intussen zo hard op haar lip dat deze rood zag.

De politieagente die hen had opgehaald en naar het bureau had gebracht, was best aardig geweest en de kleine, aantrekkelijke inspecteur had glimlachend beloofd dat hij hen niet lang zou ophouden. Ze beseften echter allemaal dat er iets aan de hand was.

Anne werd als eerste de kleine verhoorkamer binnengeroepen. De muren waren kaal en hoewel er slechts twee stoelen en een tafel stonden, leek de ruimte propvol. Het was het soort kamer waarin je acuut last kreeg van claustrofobie.

Banks zat tegenover Anne en in de hoek bij het smalle, getraliede raam stond een politieagente met een opschrijfboekje in de hand.

'Ik wil je graag nog een paar dingen vragen, Anne,' zei Banks.

Ze keek hem onderzoekend aan en knikte.

'Om te beginnen neem ik aan dat je wel weet waarom ik jullie nogmaals wilde spreken?'

'Ja,' antwoordde Anne. 'U denkt dat Sally is vermoord, omdat ze iets wist.'

Een beetje van zijn stuk gebracht door haar directheid vroeg Banks wat zij ervan dacht.

'Ik denk dat dit inderdaad een mogelijkheid is,' antwoordde Anne en er verscheen een diepe rimpel op haar jonge voorhoofd. 'Ik heb u al verteld dat ik niet geloof dat ze is weggelopen of verdwaald en dan blijft er weinig over om uit te kiezen, hè, vooral gezien die andere zaak die er speelt.'

Ze zou een goede inspecteur zijn, dacht Banks bij zichzelf, snel, opmerkzaam, denkt logisch na. 'Heb je eventueel nog andere suggesties?' vroeg hij.

'Misschien zat ik ernaast,' zei Anne en haar stem trilde een beetje.

'In welk opzicht?'

'Toen ik zei dat Sally een grote mond had, altijd grootse plannen had. Misschien wist ze echt iets. Misschien dacht ze wel dat ze beroemd zou worden als ze het zelf oploste.'

'Waarom zou ze dat doen?'

Anne zette haar bril recht en schudde haar hoofd. Er welden dikke tranen in haar ogen op, die door de dikke brillenglazen nog eens werden uitvergroot. 'Dat weet ik niet,' antwoordde ze.

'Heeft ze je ook maar iets verteld waaruit bleek dat ze wist wie de dader was? Denk even goed na. Wat dan ook.'

Anne vermande zich en dacht diep na. 'Nee,' zei ze ten slotte. 'Ze liet alleen doorschemeren dat ze iets wist en een of ander raadsel had opgelost. Ze zei wel dat ze wist wie het was, maar ze heeft niet gezegd wie of zo. Ze zei dat ze het eerst zeker wilde weten, dat ze niemand moeilijkheden wilde bezorgen.'

'Hebben Sally's ouders thuis een telefoon?'

'Ja. Al heel lang. Hoezo?'

'Kun je een reden bedenken waarom Sally op vrijdagmiddag naar een telefooncel is gegaan?'

'Nee.'

'Kan het zijn dat ze Kevin wilde bellen of een ander vriendje misschien? Ik weet dat ouders niet altijd even begrijpend zijn.'

'Kevin was haar enige vriendje en Sally's ouders wisten van hem af. Ze waren het er niet helemaal mee eens, maar hij is best een aardige knul en ze deden er niet al te moeilijk over.'

'Heeft Sally gezegd waar ze vrijdagavond naartoe ging?'

'Nee. Ik wist niet eens dat ze ergens naartoe zou gaan.'

'Dank je wel, Anne,' zei Banks.

De politieagente liet haar uit en haalde toen Kathy Chalmers op. Kathy was inmiddels erg van streek, maar er vloeiden geen tranen en hoewel ze vaag leek te beseffen waar het allemaal om ging, had ze er niets aan toe te voegen.

Het laatste meisje, Hazel Kirk, was een heel ander verhaal. Ze begreep net als de anderen heel goed wat er gaande was, maar deed alsof ze van niets wist. Ze zei dat ze zich niet kon herinneren of Sally iets had gezegd wat erop wees dat ze wist wie de moordenaar was. Hoe langer Banks haar ondervroeg, des te onrustiger en gespanner ze werd. Uiteindelijk barstte ze in snikken uit en riep ze tegen Banks dat hij haar met rust moest laten. Hij gaf de politieagente een knikje en zij kwam naar voren om met haar te praten, terwijl hij de kamer verliet.

Hatchley zat op de rand van Weavers bureau door de verslagen van de regionale politie en de spoorwegen te bladeren. Toen Banks kwam aangelopen, keek hij op: 'Succes?'

Banks schudde zijn hoofd. 'De eerste is de intelligentste, maar ook zij kon ons vrijwel niets vertellen. Wat ze heeft gezegd, bevestigt echter wel onze vermoedens. Als Sally dacht te weten wie de moordenaar was en ergens met hem had afgesproken, weten we vrij zeker wat er met haar is gebeurd. Het moet iemand zijn geweest die ze kende, iemand voor wie ze niet bang was. Er moet toch een motief zijn, verdomme, en waarschijnlijk ligt het recht voor onze neus.' Hij sloeg met een vuist op het bureau, een onverwachte, gewelddadige uitbarsting die Hatchley totaal verraste. Het herinnerde hem eraan dat zijn baas uit een ruwe omgeving kwam. Hij was geen ploeterende bureaufrik; hij was gewend aan actie.

'Heb je een sigaret voor me?' vroeg Banks.

'Ik dacht dat u was gestopt en op de pijp was overgestapt,' zei Hatchley en hij overhandigde hem zijn pakje Senior Service.

'Niet meer. Ik heb dat verrekte ding nooit kunnen uitstaan.'

Hatchley glimlachte en gaf hem een vuurtje. 'Dan stel ik voor dat u voortaan weer uw eigen sigaretten koopt, inspecteur,' zei hij.

De deur van de verhoorkamer ging open en Hazel Kirk kwam rustig naar buiten om zich bij haar vriendinnen te voegen die met elkaar hadden zitten fluisteren en zich afvroegen wat er was gebeurd. De politieagente bleef met een bezorgde uitdrukking op haar gezicht in de deuropening staan en wenkte Banks.

'Wat is er?' vroeg hij en hij deed de deur achter zich dicht.

'Dat meisje, inspecteur,' begon de vrouw. 'De reden waarom ze zo van streek was. Misschien is het belangrijk.'

'Ja? Vertel dan.'

'Sorry, inspecteur. Ze was zo overstuur, omdat Sally haar had verteld dat ze dacht dat ze wist wie de moordenaar was en toen Hazel thuiskwam, heeft ze dat aan haar ouders verteld.' Ze zweeg even. Banks nam een trekje van zijn sigaret en wachtte tot ze uit zichzelf verderging. 'Ze wuifden het een beetje lacherig weg en zeiden dat Sally Lumb altijd al een erg levendige fantasie had gehad, maar een paar weken eerder had haar vader onenigheid gehad met Steadman en nu dacht Hazel...'

'Ja, ik kan wel raden wat ze dacht,' zei Banks. Ondanks al zijn goede kanten was Steadman voor een aantal dorpsbewoners vast en zeker een lastpak geweest. 'Waar ging het deze keer over?' vroeg hij. 'Ruzie over land of een overtreding van de normen en waarden?'

'Sorry?'

'Het spijt me, het doet niet terzake,' zei Banks. 'Vertel verder. Wat was de achtergrond ervan?'

'Dat heeft ze me niet verteld. Wilde ze me niet vertellen. Ik kom zelf uit Wensleydale, ben speciaal voor deze zaak hierheen gehaald. Misschien weet agent Weaver iets meer.'

'Ja, natuurlijk. Dank je wel, agent...?'

'Smithies, inspecteur.'

'Dank je wel, agent Smithies. Je hebt goed werk geleverd door haar zo te kalmeren en haar zover te krijgen dat ze je dat heeft verteld,' zei Banks en hij liet haar blozend in de verhoorkamer achter.

Toen Banks bij Weavers bureau kwam, was deze net in een telefoongesprek verwikkeld, maar hij hield het kort.

'Dat waren de weermensen van Reckston Moor, inspecteur,' vertelde hij. 'Ze zeggen dat het nog minstens 24 uur gekkenwerk blijft om zoekteams de heide op te sturen.'

'Dat verdomde weer hier in het noorden ook,' vloekte Banks. Hatchley, die had staan meeluisteren, grinnikte en knipoogde naar Weaver, die hem echter negeerde.

'Ze verwachten dat het voorlopig blijft regenen en de grond is drassig. Op de hellingen is het zicht verschrikkelijk slecht. Op die hoogte ligt in beide richtingen alleen maar heidelandschap, inspecteur, kilometers ver.'

'Ja, dat weet ik,' zei Banks. 'En daaraan kunnen we totaal niets doen. Zorg ervoor dat alles klaarstaat om te beginnen zodra de situatie verbetert. Heb je helikopters geregeld?'

'Jawel, inspecteur. Hoofdinspecteur Gristhorpe gaat daarover. Die kunnen er in dit weer echter ook niet op uit.'

'Nee, uiteraard niet. Hoor eens, ken je dat meisje dat hier een paar minuten geleden was?'

Weaver knikte. 'Hazel Kirk. Ja zeker.'

'Wat weet je over haar vader?'

'Robert Kirk. Zijn familie woont hier al enkele generaties. Kwamen oorspronkelijk uit Schotland.'

'Wat doet hij voor werk?'

'Hij werkt bij Noble's in Eastvale. U weet wel, die grote schoenwinkel in dat nieuwe winkelcentrum vlak bij het busstation.'

'Ja, die ken ik. En verder?'

'Hij is erg actief in de kerk,' vervolgde Weaver. 'Sommige mensen vinden hem een beetje een religieuze freak, als u snapt wat ik bedoel. Zeker iets te dicht bij het hellevuur gezeten. Sterk presbyteriaanse inslag, hebben zijn voorouders vast uit Schotland meegebracht. Hoe dan ook, hij bestookt de kranten momenteel met brieven, omdat hij vindt dat er te veel seks op televisie is. Zijn laatste tic is een campagne om rockvideo's in de ban te doen en de hele muziekindustrie aan censuur te onderwerpen. Daarvoor krijgt hij hier in de omgeving echter niet veel steun. Het kan niemand eigenlijk echt iets schelen.'

'Wat vind jij persoonlijk van hem?'

'Totaal geschift, maar ongevaarlijk.'

'Zeker weten?'

Weaver knikte. 'Wij hebben nooit problemen met hem gehad. Hij is ook erg gelovig en zo. Zou nooit een vlieg kwaad doen.'

'Gelovige mensen zijn vaak de gewelddadigste van allemaal. Iraniërs zijn toch ook gelovig? Goed, ga maar eens met hem praten als je wilt en vraag hem waarover hij ruzie had met Harold Steadman.'

'Dat was geen echte ruzie, inspecteur,' antwoordde Weaver. 'Kirk had een klacht ingediend bij de hoofdmeester van de middelbare school van Eastvale over het feit dat ze iemand met zulke losse zeden en gewoonten als Harold Steadman met tienermeisjes lieten omgaan.'

'Wat?'

'Het is echt waar,' ging Weaver met een brede grijns verder. 'Hij had Steadman een paar keer met Penny Cartwright samen gezien en voor Kirk was zij zo'n beetje vergelijkbaar met de hoer van Babylon. U moet wel bedenken dat hij hier ook al was toen Penny Helmthorpe verliet, eerst al die geruchten over incest, toen het Sodom en Gomorra van de muziekindustrie. Steadman gaf Hazel en de andere meisjes wel eens een lift van school naar huis, en hij nam hen mee op excursies en nodigde hen bij hem thuis uit. Kirk diende een klacht in. Natuurlijk nam niemand hem serieus. Ik heb Steadman er zelfs eens de draak mee horen steken met zijn vrienden in The Bridge.'

'Waarom heb je me dit niet eerder verteld?' vroeg Banks. Iets in de ijselijke kalmte in zijn stem zond een alarmsignaal uit naar Weaver.

'Ik... het leek me niet belangrijk, inspecteur.'

'Niet belangrijk?' herhaalde Banks. 'We onderzoeken hier wel een moord, knul. Besef je dat wel? Alles is belangrijk. Alles wat ook maar iets te maken heeft met het slachtoffer en de mensen om hem heen, hoe onbeduidend ook, is belangrijk. Begrepen?'

'Jawel, inspecteur,' zei Weaver geschrokken. 'Is dat alles, inspecteur?'

'Was er verder nog iets?'

'Sorry?'

'Is er verder nog iets wat je me moet vertellen?'

'Nee, inspecteur. Ik geloof het niet, inspecteur.'

'Dan is dit alles. Kom, Hatchley, we gaan maar eens terug naar de bewoonde wereld.'

'U hebt hem wel een beetje hard aangepakt, hè?' zei Hatchley toen ze met de kraag omhoog naar de auto liepen.

'Hij zal er heus niets van krijgen.'

'Denkt u dat er iets inzit, in dat gedoe met Kirk?'

'Nee. Net zomin als met de majoor. Tenzij Kirk echt een psychopaat is en Weaver heeft me verzekerd dat dit niet het geval is. Er wordt veel te veel geroddeld en dat geldt voor vrijwel alles in deze zaak. Daarom is het ook zo moeilijk om de leugens van de waarheid te onderscheiden. Kirk, majoor Cartwright: allemaal geruchten. Toch voor alle zekerheid maar even zijn achtergrond natrekken. Ik vermoed dat hij denkt dat Steadman bezig was zijn engelachtige jonge Hazel te corrumperen.'

'Ik kan het hem niet kwalijk nemen,' zei Hatchley. 'Die spijkerbroeken die de jongeren van tegenwoordig dragen... Er is verdorie een schoenlepel voor nodig om ze daarin te krijgen.'

Banks lachte. 'Zo kan hij wel weer met de ontuchtige gedachten over tieners, Hatchley.'

'*Aye*,' zei Hatchley. 'Het is verdomme maar goed dat we niet kunnen worden opgepakt voor onze gedachten. Kijk eens, inspecteur, hier is een sigarenzaak. En hij is nog open ook.'

Het hield pas aan het eind van de zondagmiddag helemaal op met regenen, maar de eerste zoekteams waren halverwege de ochtend al op pad gegaan. Tegen die tijd miezerde het alleen nog maar; het wolkendek was uitgedund, het beloofde een prachtige dag te worden en het zicht was uitstekend. Talloze bewoners uit het dorp en de omgeving waren ondanks de weersomstandigheden bereid geweest om er zaterdag al op uit te trekken, maar men had hen gewaarschuwd dat vooral niet te doen.

De zoektocht op zondag werd gecoördineerd door hoofdinspecteur Gristhorpe, die het gebied op topografische kaarten in stukken had opgedeeld en elk ervan aan een kleine groep had toegewezen. Hij voerde de leiding over de hele operatie vanuit de recherchecommandokamer op het hoofdbureau van politie in Eastvale en arceerde de delen die waren onderzocht zodra de melding binnenkwam.

Intussen werd het onderzoek in de grootste steden voortgezet. Naast hun reguliere taken keken alle agenten in surveillancewagens of te voet in Newcastle, Leeds, Londen, Liverpool, Manchester, Birmingham en andere grote steden uit naar het jonge, blonde meisje. Theaters, toneelgezelschappen en toneelopleidingen werden allemaal nauwkeurig nagetrokken en hoewel er ontelbaar veel meldingen binnenkwamen van mensen die meenden haar te hebben gezien, bleken deze allemaal tot niets te leiden. Dichter bij huis werd Robert Kirk nagetrokken, ondervraagd en weer weggestuurd. Hij had geen rijbewijs en het was gewoon onmogelijk dat iemand Harold Steadman helemaal van Helmthorpe naar Crow Scar had gedragen.

Sally's vader, die helemaal buiten zichzelf was van verdriet nadat er een brief was gearriveerd van de Marion Boyars Academy of Theatre Arts waarin werd meegedeeld dat ze Sally graag als student wilden verwelkomen, was op zaterdag in zijn eentje in de regen gaan zoeken. Naarmate de dag vorderde, had het weer zijn reumatiek en zijn geestkracht zo aangetast dat hij de volgende dag door dokter Barnes naar bed werd gestuurd. Charles Lumb wist dat Sally niet was weggelopen, ook al waren ze het vaak niet met elkaar eens geweest; zijn angst en woede maakten plaats voor berusting. Stel dat de zoekteams haar vonden, hoe zou ze er dan, na drie of meer nachten buiten in de wildernis te hebben doorgebracht, aan toe zijn?

Op zondag werd als eerste de brede strook heideland ten noorden van Helmthorpe even boven Crow Scar onderzocht. Gristhorpe besefte dat deze beslissing wellicht werd beïnvloed door het feit dat Steadmans lichaam op de noordelijke helling was aangetroffen, maar redeneerde dat dit tenslotte ook het meest verwilderde gedeelte van de regio was – twaalf kilometer ruige heide die helemaal tot aan de volgende Dale reikte – en dat hier veel plekken waren om iets te verbergen: oude mijnen, steile steengroeven, diepe putten.

Het enige wat de inspanningen van die zondag opleverden was een ongeluk waarbij een agent uit Askrigg in een zes meter diepe, ronde put viel. Gelukkig werd zijn val gebroken door het water en de modder die zich daarin hadden opgehoopt, maar het nam twee kostbare uren in beslag om touwen te regelen en hem eruit te hijsen. Op de heide kwamen twee groepjes zo vast te zitten in de modder dat ze met geen mogelijkheid verder konden en ook anderen kwamen slechts langzaam vooruit.

Op maandag brak de zon definitief door en waren de omstandigheden beduidend verbeterd. Gristhorpe, die al sinds vijf uur die ochtend in de weer was, zat met rode ogen in de recherchecommandokamer om de meldingen van de zoekteams te verwerken en de plattegrond voor hem had al snel iets weg van een schaakbord. Hij weigerde deze taak te delegeren.

Tegen drie uur nam de hoofdinspecteur eindelijk de raad van brigadier Rowe ter harte en kwam hij bij Banks langs in diens kantoor met het voorstel om even een stukje te gaan lopen.

Ze liepen Market Street in, waar het een drukte van jewelste was, omdat veel toeristen uit nabijgelegen steden er een middagje op uit trokken nu het niet meer regende. Bovendien was het marktdag en het met keitjes geplaveide plein voor de kerk was volgebouwd met kleurrijke kraampjes waarin letterlijk van alles werd aangeboden, van door Marks and Spencer's afgekeurde kleding tot complete serviezen en wc-borstels. Er stonden kramen met tweedehands boeken, vele meters stoffen, effen of met een motiefje – katoen, linnen, mousseline, kunstzijde, spijkerstof, kaasdoek – die tot bijna op de grond hingen en kramen vol serviesgoed en bestek. Ervaren kooplui trokken de aandacht van de menigte door hun waren luidkeels aan te prijzen en jongleerden intussen met borden en schoteltjes. De mensen dromden samen om naar hen te luisteren, foto's te maken en een enkele keer ook om iets te kopen. In de smalle, kronkelende zijstraatjes om het marktplein – oude steegjes waar de zon nooit doordrong en je vanuit de erkerramen op de derde verdieping de hand van de overburen kon drukken – deden de kleine souvenirwinkels en delicatessenzaakjes met hun uitnodigende etalages goede zaken. Alles, van toffees en thee tot lepeltjes en knuffelbeesten, droeg het label YORKSHIRE, of het nu daar of ergens anders was gemaakt. Gristhorpe nam Banks mee naar een kleine tearoom waar ze thee en taart bestelden.

Gristhorpe streek met een hand over zijn dikke, weerbarstige, grijze haardos en glimlachte bleekjes. 'Ik moest er even tussenuit,' zei hij en hij lepelde suiker in zijn mok. 'Het is af en toe zo benauwd in dat kleine kamertje.'

'U ziet er afgepeigerd uit,' zei Banks en hij stak een Benson & Hedges Special Mild op. 'Misschien moet u zo dadelijk even naar huis om wat te slapen.'

Gristhorpe bromde iets onverstaanbaars en wuifde de rook weg. 'Ik dacht dat je die smerige gewoonte had opgegeven,' mopperde hij. 'Ja, ik ben inderdaad moe. Ik ben ook de jongste niet meer. Het is echter niet alleen vermoeidheid, Alan. Heb je wel eens eerder aan een dergelijke operatie meegewerkt?'

'Nog nooit aan zo'n uitgebreide zoektocht op het platteland. Ik heb ooit in Soho naar vermiste tieners gezocht, maar dat is niets vergeleken met dit en in deze omstandigheden. Denkt u dat er nog hoop is?'

Gristhorpe schudde langzaam zijn hoofd. 'Nee. Ik denk dat het meisje is vermoord. Dwaas kind. Waarom heeft ze het ons niet verteld?'

Op die vraag had Banks geen antwoord. 'Hebt u al eens eerder zo'n soort zoektocht meegemaakt?' vroeg hij.

'Ja, meer dan twintig jaar geleden inmiddels alweer,' zei Gristhorpe en hij deed nog een schep suiker in zijn kopje thee. 'Hoewel het hierdoor net lijkt alsof het pas gisteren was.'

'Om wie ging het toen?'

'Een jong meisje dat Lesley Ann Downey heette. Tien was ze pas. En een jongen van twaalf, John Kilbride. Dat zegt je beslist wel iets: Brady en Hindley, de *Moors Murders*?'

'Was u daar ook bij betrokken?'

'Manchester had ons om hulp verzocht bij het zoeken. Het is hier niet zo ver vandaan. Toch was het toen anders.'

'In welk opzicht?'

'Brady en Hindley deden aan nazisme, martelen, fetisjisme, noem maar op. Deze keer is het veel berekenender, als we gelijk hebben, tenminste. Ik weet niet wat erger is.'

'Het resultaat is hetzelfde.'

'*Aye.*' Gristhorpe dronk wat thee en nam een hapje taart. 'Schiet het al op?'

Banks schudde zijn hoofd. 'Geen nieuws. Hackett gaat vrijuit. Barnes zo te zien ook. We zitten helemaal vast.'

'Dat gebeurt altijd wanneer het spoor afkoelt. Dat weet je net zo goed als ik,

Alan. Als je de oplossing niet binnen 24 uur hebt gevonden, beland je al snel op een dood punt. Wanneer je helemaal vastzit, moet je gewoon nog meer je best doen. Soms heb je geluk.'

'Ik heb eens zitten nadenken over het tijdstip van Sally's verdwijning,' zei Banks, terwijl hij zijn best deed de rook uit Gristhorpes buurt te houden. 'Ze is vrijdagavond om een uur of negen voor het laatst gezien toen ze in oostelijke richting door de High Street van Helmthorpe liep.'

'Dus?'

'Ik was op dat moment met Sandra en een paar vrienden van ons in Helmthorpe, in The Dog and Gun. We zijn daar naar een optreden van Penny Cartwright geweest. Jack Barker was er ook.'

'Dan gaan zij dus vrijuit.'

'Nee. Dat is het hem nu juist. Om even na negenen was haar eerste optreden afgelopen, en Barker en zij zijn toen ongeveer een uur lang weggeweest uit de pub.'

'Even nadat Sally in het dorp is gezien?'

'Ja.'

'Daar moet je dan maar even achteraan. Wat denk je?'

'Ik heb een paar keer met beiden gesproken. Ze zijn lastig, intelligent. Als ik me door mijn gevoelens zou laten leiden, zou ik zeggen: nee, onmogelijk. Penny Cartwright komt heel oprecht over en Barker is een bijdehante gozer, maar niet onaardig wanneer je de tijd neemt om even met hem te praten. Hij zweert bij alles wat los en vast zit dat hij niets met Steadmans dood te maken heeft. Ik heb echter al vaker met verdomd goede leugenaars gesproken. Hij heeft geen alibi en kan jaloers zijn geweest op Steadman en die Cartwright-dame.'

Gristhorpe at de laatste kruimels van zijn taart op en stelde voor om nog een stukje verder te lopen. Ze wandelden in oostelijke richting en keerden toen via de terrastuinen aan de rivier terug.

'De Swain staat hoog,' zei Gristhorpe. 'Ik hoop maar dat we straks niet ook nog met een overstroming te kampen krijgen.'

'Komt dat vaak voor?'

'Vaker dan me lief is. Meestal in de lente, wanneer de dooi inzet na een bijzonder sneeuwrijke winter. Als er te veel water vanuit de Dales hiernaartoe komt, storten de oevers in.'

Ze sloegen een vochtig steegje aan de waterkant in, waar de ruwe stenen bedekt werden door mos en korstmos, liepen om de voet van Castle Hill heen en kwamen zo weer op het marktplein uit. Gristhorpe liep direct door naar de recherchecommandokamer en Banks vergezelde hem. Er was geen nieuws.

Zelfs Purcells *Hail Bright Cecilia* kon Banks tijdens de rit naar Helmthorpe die avond niet opvrolijken. Toen hij in de High Street langs de souvenirwinkel kwam met de ronddraaiende kaartenrekken en de kleine sigarenhandel waar de avondkranten buiten in de zachte bries wapperden, voelde hij de stemming aan die in het dorp heerste. Het lag er niet dik bovenop; mensen deden wat ze altijd deden: winkeliers sloten hun winkel af aan het eind van de dag, anderen kwamen thuis uit hun werk, maar het was net alsof het dorp zich in zichzelf had teruggetrokken. Zelfs de lucht zag ondanks de wind er strakgespannen en dreigend uit. Zachte geluiden – voetstappen, deuren die opengingen, rinkelende telefoons in de verte – kregen iets onheilspellends en eenzaams tegen de achtergrond van de zwijgzame, groene heuvelhellingen en de enorme, overhellende rand van Crow Scar, die fel oplichtte in de avondzon.

Nog meer je best doen, had Gristhorpe gezegd, dus dat zou hij nu ook doen. Hij zou nog meer aandringen waar dat nodig was, dan leverde dat beslist wat op. Hij zou de mensen uit de naaste omgeving van Steadman – Penny, Ramsden, Emma, Barker – nog harder aanpakken; misschien had geen van hen het daadwerkelijk gedaan, maar Banks was ervan overtuigd dat een van hen wist wie het dan wel had gedaan. Waarschijnlijk moest hij ook nog een keer naar Darnley en Talbot. Een van hen had iets gezegd – een losse opmerking, tussen neus en lippen door – waarvan Banks nu vermoedde dat het belangrijk was, maar hij kon zich niet meer herinneren wat het was. Het zou hem mettertijd wel weer te binnen schieten, wist hij, maar hij kon het zich niet veroorloven om te gaan zitten afwachten; hij moest weer aan de slag.

Zou Sally Lumb een van hen met haar bewijs hebben geconfronteerd? vroeg hij zich af, terwijl hij via de kortste route over de begraafplaats liep en rechtsaf het pad naar Gratly insloeg. Heel waarschijnlijk was dat niet; ze was niet dom. Ze had echter iemand gebeld en was daarvoor naar een telefooncel gegaan waar ze meer privacy had. Het moest dus iemand zijn geweest die ze kende, iemand voor wie ze dacht niet bang te hoeven zijn.

De schapen rechts van hem vluchtten weg en gingen met hun kop naar de stapelmuur en hun rug naar hem toe staan; de schapen links van hem draafden over de met gras begroeide plateaus omlaag naar de beek en bleven blatend onder de wilgen staan. Grappige beesten, dacht Banks bij zichzelf. Wanneer ze bang zijn, rennen ze gewoon een stukje weg en keren ze je hun rug toe. Misschien heel effectief tegen mensen die geen kwaad in zin hadden, maar hij betwijfelde of een hongerige wolf zich daar ook door zou laten tegenhouden.

Emma Steadman zat televisie te kijken, maar zette het geluid uit toen ze met Banks terugkwam in de woonkamer. Het was er een stuk kaler nu de meeste boeken en platen waren weggehaald; het had meer weg van een lege schil dan van een thuis.

Banks wachtte tot Emma thee had gezet en nam toen tegenover haar plaats aan de lage tafel.

'Ik wil u al een tijdje een paar dingen vragen,' zei hij. 'Voornamelijk over het verleden.'

'Het verleden?'

'Ja. De heerlijke zomers die u hier hebt doorgebracht in het pension van de familie Ramsden.'

'Wat is daarmee? U hebt er toch geen bezwaar tegen, hoop ik?' vroeg ze en ze pakte een breiwerkje op. 'Het is ontspannend en zorgt voor wat afleiding. Sorry, gaat u verder.'

'Ga uw gang. Ik heb de indruk gekregen dat uw man voortdurend met Penny Cartwright door de Dales banjerde en Michael Ramsden telkens met zijn neus in de boeken zat.'

Emma glimlachte, maar zei niets.

'En u hebt er al die tijd niets achter gezocht.'

'Als u mijn man had gekend, inspecteur, zou u er waarschijnlijk ook niets achter zoeken.'

'Alleen ontbreekt er nog iets.'

'En dat is?'

'U. Wat deed u al die tijd?'

Emma zuchtte en liet haar breiwerk in haar schoot zakken. 'In tegenstelling tot wat u blijkbaar denkt, ben ik niet slechts een passief huisvrouwtje. Ik had en heb nog steeds zo mijn eigen hobby's. In Leeds ben ik bijvoorbeeld een tijdje lid geweest van een amateurtoneelgroep. Tijdens onze vakanties in Gratly breide en las ik veel. Ik heb zelfs een paar korte verhalen geschreven – niet echt succesvol, helaas – maar dat kan ik niet bewijzen, want ik heb ze weggegooid. Ik heb ook veel gewandeld.'

'In uw eentje?'

'Inderdaad. Is dat zo gek?'

Banks haalde zijn schouders op.

'Wat u blijkbaar vergeet is dat we hier nooit langer dan een maand waren. In die periode heb ik veel meer tijd met mijn man doorgebracht dan u denkt. Een enkele keer ging ik met hen mee, meestal wanneer ze met de auto ergens naartoe gingen. Ik ben alleen erg gevoelig voor de zon, dus op zonnige dagen ging ik nooit ver weg, tenzij ik in de schaduw kon zitten. Ik begrijp nog altijd niet waarom u dit allemaal zo fascinerend vindt.'

'Soms hebben gebeurtenissen in het heden wortels in het verleden. Vond u het prettig in Gratly?'

'Het vormde altijd een fijne adempauze. Leeds is nu niet bepaald de schoonste stad van de wereld, en ik vond de frisse lucht en het landschap hier heerlijk.'

'Nog één ding. Ik heb me laten vertellen dat iedereen uw man graag mocht. Zelfs Teddy Hackett, die toch een gegronde reden had om het niet met hem eens te zijn, beschouwde hem als een vriend. Sinds ik met het onderzoek naar zijn dood ben begonnen, heb ik echter minstens twee mensen gevonden die daar anders over dachten: majoor Cartwright en Robert Kirk. Nu kunnen we hen natuurlijk als chagrijnige excentriekelingen afdoen, maar ik vroeg me toch af of er nog iemand is. Iemand van wiens bestaan ik niet afweet. U vormde al die jaren geleden een hechte groep en toen uw man overleed, had hij nog steeds een uitstekende band met Michael Ramsden en Penny Cartwright. Was er nog iemand anders bij? Iemand die wellicht al die tijd wrok is blijven koesteren?'

Emma Steadman tuitte haar lippen en schudde langzaam haar hoofd.

'Denkt u alstublieft goed na.'

'Dat heb ik gedaan. Natuurlijk waren er indertijd ook andere mensen bij, maar ik kan me niet voorstellen dat een van hen een reden had om Harold iets aan te doen.'

'Het punt is dat iemand dat nu juist wel heeft gedaan, mevrouw Steadman. En jullie zijn de enigen die me kunnen helpen om erachter te komen wie dat is geweest. Is er een bepaalde reden waarom hij nu is vermoord en niet vorig jaar, bijvoorbeeld, of vijf jaar geleden?'

'Dat zou ik echt niet weten.'

'U moet toch op de hoogte zijn geweest van zijn plannen. Had hij zich voorgenomen om iets bijzonders te doen met zijn geld? Wilde hij misschien een testament laten maken en alles aan de National Trust nalaten of iets dergelijks? Was er een ander stuk land waar hij zijn zinnen op had gezet, iemand anders op wiens tenen hij was gaan staan?'

'Nee. Dat geldt voor al die vragen. En ik denk dat ik het inderdaad wel zou hebben geweten.'

'Tja, dan blijft er niet veel over.'

'U denkt dat een van ons het heeft gedaan, is het niet zo?'

Banks zweeg.

'Denkt u soms dat ik het heb gedaan? Vanwege zijn geld?'

'U kunt het toch niet hebben gedaan?'

'Misschien denkt u wel dat mevrouw Stanton heeft gelogen om me een alibi te verschaffen?'

'Nee.'

'Waarom valt u me dan steeds lastig? Ik heb mijn man pas een paar dagen geleden begraven.'

Aangezien Banks geen antwoord op haar vraag kon bedenken, slaakte hij een zucht en stond op om te vertrekken. Voordat Emma de deur achter hem kon dichtdoen, draaide hij zich om en hij zei: 'Denkt u alstublieft nog eens goed na over wat ik heb gezegd. Probeert u zich te herinneren of uw man misschien vijanden heeft gemaakt, hoe onbeduidend het indertijd misschien ook leek. Laat u het eens rustig bezinken. Ik kom nog wel eens terug.'

Penny Cartwright zat naar muziek te luisteren. Ze wierp Banks een 'u weer'-blik toe en liet hem met grote tegenzin binnen, maar nam niet de moeite om het geluid zachter te zetten.

'Ik zal u niet ophouden,' zei Banks, die had plaatsgenomen op een stoel met een rechte rugleuning bij het raam en een sigaret opstak. 'Het gaat over een paar avonden geleden.'

'Welke avond precies? Het zijn er nogal wat geweest,' zei Penny cynisch en ze schonk een borrel voor zichzelf in.

'Vrijdagavond.'

'Wat is daarmee?'

'Toen trad u op in The Dog and Gun, weet u nog?'

Penny keek hem nors aan. 'Ja, natuurlijk weet ik dat nog. U was er ook. Waar gaat dit over?'

'Even uw geheugen opfrissen. Tussen uw optredens door bent u met Jack

Barker weggegaan. Jullie zijn ongeveer een uur weggebleven. Waar zijn jullie naartoe geweest?'

'Wat heeft dat er nu weer mee te maken?'

'Hoor eens, het wordt tijd dat u doorkrijgt dat ik hier de vragen stel. U hoeft alleen maar te antwoorden. Begrepen?'

'Ach, arme inspecteur Banks,' kirde Penny. 'Heb ik uw autoriteit ondermijnd?' Er lag een uitdagende blik in haar ogen. 'Wat was de vraag ook alweer?'

'Vrijdagavond, tussen de twee optredens door. Waar bent u toen geweest?'

'We hebben een eindje gewandeld.'

'Waarheen?'

'O, overal en nergens.'

'Kunt u misschien iets specifieker zijn?'

'Niet echt. Ik wandel vaak zomaar een stukje. Er zijn in en om Helmthorpe heel veel plekjes waar je naartoe kunt wandelen. Daarom komen hier 's zomers ook zoveel toeristen.'

'Houdt u nu eens op met die spelletjes en vertelt u me gewoon waar u naartoe bent gegaan.'

'Want anders?'

Nadat ze elkaar een halve minuut zwijgend hadden aangestaard, sloeg Penny als eerste haar ogen neer en pakte een sigaret.

'Goed dan,' zei ze. 'We zijn hiernaartoe gegaan.'

'Waarom?'

'Wat denkt u zelf?'

'Seks?'

'Op dat soort vragen geeft een dame geen antwoord. Bovendien heeft het werkelijk niets te maken met uw onderzoek.'

Banks boog zich een stukje naar voren en zei zachtjes: 'Misschien vindt u het interessant om te weten dat ik een vrij goed idee heb van wat jullie hier hebben gedaan. En ik heb enkele collega's in Eastvale die met het grootste genoegen hiernaartoe komen om te bewijzen dat ik gelijk heb. Als u mij helpt, helpt u ook uzelf.'

'U krijgt echt niets uit me los.'

'Waar was u vrijdagmiddag om vier uur?'

'Toen zat ik hier te oefenen. Hoezo?'

'Was er iemand bij u?'

'Nee. Ik ben meestal alleen wanneer ik oefen.'

'Bent u in die tijd misschien gebeld?'

Penny keek hem niet-begrijpend aan. 'Gebeld? Nee. Waar wilt u eigenlijk naartoe?'

'U wilt me dus niet vertellen waar u vrijdagavond tijdens de pauze naartoe bent geweest en wat u daar hebt gedaan?'

'Het gaat u geen steek aan,' zei ze achterdochtig. 'Wacht eens even. Sally. Sally Lumb. Zij is vrijdag toch verdwenen? Jezus, wat bent u een schoft!' Ze staarde Banks woedend aan. In haar ogen glinsterden tranen van kwaad-heid. 'Wilt u soms beweren dat ik daar iets mee te maken heb gehad?'

'Waar was u?'

'Als u het allemaal zo goed weet, waarom wilt u dan dat ik het u vertel?'

'Ik wil het van uzelf horen.'

Penny hing nu als een slappe vaatdoek in haar stoel en keek hem niet aan. 'Goed dan. We zijn hiernaartoe gegaan en hebben een paar jointjes ge-rookt. Lekker belangrijk. Is dat wat u wilde horen? Wat gaat u nu doen, de honden erbij roepen en alles ondersteboven halen?'

Banks stond op om te vertrekken. 'Ik ga helemaal niets doen. Ik herinnerde me gewoon het verschil tussen het laatste optreden en het eerste; u was af-standelijker, afwezig. Het is misschien een schrale troost,' ging hij verder terwijl hij de deur opendeed, 'maar ik geloof u en ik ben blij dat ik gelijk had.'

Penny zei of deed niets om zijn vertrek te vergemakkelijken.

Toen Penny die avond in bed lag en niet kon slapen, drongen de beelden zich weer aan haar op, zoals ze dat sinds de dood van Harold Steadman voortdurend hadden gedaan: die zomers van vroeger, onschuldig, idyl-lisch. Dat had ze toen tenminste gedacht.

Het was een tijd geweest waarover ze de afgelopen tien jaar niet had hoe-ven of willen nadenken, een periode waarop men als op een geïdealiseerde jeugd terugkijkt wanneer men ouder wordt en het leven zijn scherpe rand-jes verliest. Het leven was te druk geweest, te opwindend, en toen ze ten slotte instortte, was ze in gedachten mijlenver van die idyllische zomers ver-wijderd geweest. In die tijd had het net geleken of haar eerdere leven door iemand anders was geleefd. Ze was naar Helmthorpe teruggekeerd, waar iedereen weer bij elkaar was. En nu was Harold vermoord en snuffelde die vervelende inspecteur hier rond, die allerlei vragen stelde en herinne-ringen bij haar bovenhaalde zoals de getijden zand opstuwen.

Dus beleefde ze het in gedachten allemaal opnieuw. Als in een oude film zag ze zichzelf langs de Pennine Way naar Wensleydale wandelen en in Harolds oude Morris 1100 naar Richmond of het Lake District rijden, en ze merkte nu dingen op die haar indertijd niet waren opgevallen, kleine dingen, vaag en onduidelijk, maar wel degelijk verontrustend. En hoe meer ze over vroeger nadacht, des te minder het haar beviel.

Ze draaide zich nog eens om en probeerde de beelden uit haar hoofd te verdrijven. Het waren net dromen, hield ze zichzelf voor. Ze had de pure waarheid genomen en die in haar verbeelding volledig vervormd. Dat was beslist wat er was gebeurd. Het probleem was dat deze dromen zo echt leken. Ze kon ze niet meer veranderen, maar zou niet rusten totdat ze wist wat fantasie was en wat werkelijkheid. Hoe kon het verleden, iets wat echt was gebeurd, zo anders zijn geworden, zo onduidelijk? Vlak voordat ze eindelijk in slaap viel, vroeg ze zich af wat ze eraan moest doen.

11

Langs de helling van Swainsdale liepen talloze beekjes, aangezwollen door het van hoger gelegen terrein afkomstige regenwater, omlaag naar de rivier. Toen de zon de met water verzadigde aarde verwarmde, steeg er vanaf de hellingen een nevel op, zo dun als het haar van een baby. De kleuren waren allemaal schoongeboend; frisse, heldere groentinten klommen langs de hellingen omhoog en de felle bloempjes van de paarse heide vormden, getemperd door de dunne mistsluiers, een krans om de heuveltoppen. Penny wandelde met Jack Barker door High Street en was de eerste die de kleine groep mensen opmerkte die zich bij de brug had verzameld, waaronder de bij elkaar gekomen beekjes, die tezamen haast een complete rivier vormden, vanaf de zuidelijke heuvels omlaag kolkten naar de Swain.

Een vrouw in een mouwloze, gele jurk wees naar boven en de anderen volgden leunend op de lage, stenen afscheiding haar blik. Penny en Barker hadden hen inmiddels ook bereikt en bleven even staan om te zien waardoor de opwinding werd veroorzaakt. Ze hadden over de beek en de verschillende tuinen vol felgekleurde bloemen die aan haar oevers grensden heen ongestoord uitzicht op de helling. In de verte zagen ze iets wat deed denken aan de lappenpop van een kind onbeheerst in de snelle, aangezwollen waterstroom omlaag tuimelen. Penny vond de aanblik van het rondtollende, wild zwaaiende ding dat zo nu en dan even aan de rotsen bleef hangen om zich vervolgens weer los te rukken wanneer het water eraan trok en het meesleepte, bijna hypnotiserend.

Toen sloeg de vrouw in de gele jurk een hand voor haar mond en ze snakte naar adem. De anderen, onder wie ook Penny, wier ogen nooit echt goed waren geweest, leunden nog iets verder naar voren en knepen hun ogen tot spleetjes om het beter te kunnen zien. Pas nadat de schok als een golf door de aanwezigen was getrokken, besefte Penny wat er aan de hand was. Het was geen lappenpop die door de beek naar beneden kwam zetten, maar een lichaam. Stukken kleding kleefden nog altijd aan het uiteengereten vlees. Het zag er rauw uit, als een lap biefstuk in de vitrine van de slager; flarden huid waren compleet weggerukt, haar was uit de schedel getrokken en gebroken botten staken bij de ellebogen en schenen door de huid omhoog.

Het gezicht was niet langer herkenbaar, maar Penny wist net als alle andere dorpsbewoners op de brug dat Sally Lumb was teruggekeerd naar het dorp waar ze was geboren.

Penny wendde geschokt haar blik af, maar Barker en de anderen bleven ongelovig naar boven staren. Iemand zei iets over een ambulance, een ander had het over de politie en de groep viel in chaos uiteen.

Penny en Barker liepen verdwaasd verder tot ze bij The Hare and Hounds aankwamen, waar ze naar binnen gingen en twee dubbele whisky's bestelden.

'Een spook gezien?' informeerde de barman.

'Dat kun je wel zeggen, ja,' zei Barker en hij vertelde onsamenhangend wat er was gebeurd. Al snel stroomden de klanten naar buiten om een kijkje te nemen, hun drankje vergeten op tafel achterlatend en vest of handtas hangend aan de leuning van hun stoel.

De barman gaf hun beiden een tweede dubbele whisky van het huis en vloog daarna zelf ook naar buiten om het spektakel te bekijken. De pub was nu leeg; iedereen had zo naar binnen kunnen lopen om alles wat los en vast zat te jatten, maar dat gebeurde niet. Penny gooide de bijtende whisky in één teug naar binnen; ze was zich ervan bewust dat haar hand die van Barker zo strak omklemde dat haar nagels ongetwijfeld diep in zijn vlees staken.

'Het is een ellendige zaak, Alan,' zei Gristhorpe en hij wreef in zijn ogen, die door slaapgebrek een groot deel van hun kinderlijke onschuld waren kwijtgeraakt. Hij zag er moe, bleek en gekwetst uit, alsof hij de hele kwestie, die zich vlak onder zijn eigen neus had afgespeeld, als een persoonlijke belediging opvatte. 'Een ellendige zaak...'

Ze zaten recht tegenover het politiebureau in de Queen's Arms en het was bijna middagsluitingstijd. Slechts een paar toegewijde drinkers en toeristen die nog snel even een sandwich met een glas shandy nuttigden zaten her en der door de pub verspreid.

'Tot dusver hebben we helemaal niets gevonden,' vervolgde de hoofdinspecteur en hij snoof even afkeurend toen Banks een sigaret opstak. 'Het stoffelijke overschot had verdomme zoveel water opgezogen en was zo gehavend, dat Glendenning ons werkelijk geen idee kon geven waaraan ze is overleden. Volgens hem kan het heel goed zijn dat ze per ongeluk in het water is gevallen en haar hoofd heeft gestoten of gewoon is verdronken.

Een volledige autopsie gaat wel even duren en zelfs dan kunnen ze niets beloven.'

'Wat doet Glendenning op dit moment?'

'Je kent hem, Alan, hij stond te popelen om aan de slag te gaan. Maaginhoud, organen, weefselmonsters. Ze moeten alles onderzoeken. Het zou zelfs vergif kunnen zijn geweest.'

'Wat denkt u zelf?' vroeg Banks en hij nam een slok Theakston's bitter.

Gristhorpe schudde zijn hoofd. 'Ik weet het niet. Het moet nu eenmaal worden gedaan. Maakt het op dit punt echt nog iets uit waaraan ze is overleden? Als we gelijk hebben en het inderdaad is wat we denken dat het is, dan is het waarschijnlijk een klap op haar hoofd geweest, net als bij Steadman. En zelfs dat kan Glendenning misschien niet eens bevestigen.'

'Wisten we maar iets meer over de reden,' zei Banks. 'Ik geloof wel degelijk dat er een verband bestaat met de zaak-Steadman – dat moet wel – ik weet alleen niet wat het is. Het meisje wist iets en in plaats van dat aan mij te vertellen heeft ze de moordenaar erop aangesproken. Ik vermoed dat ze het niet helemaal zeker wist en er simpelweg zelf achter wilde komen. Zelfs als je dat allemaal bij elkaar optelt, schieten we er nog steeds niets mee op. Ze wist dus iets. Maar wat? Ze heeft iemand gebeld. Maar wie? En waarom? Ze hebben elkaar ergens ontmoet. Maar waar?'

'Het antwoord op die laatste vraag krijgen we misschien binnenkort,' zei Gristhorpe. 'Onze mensen zijn langs alle beken op de helling op zoek naar sporen. Er moet een of andere gruwelijke plattegrond te vinden zijn van de weg die ze heeft afgelegd.'

'Werken zit er vandaag waarschijnlijk niet meer in,' grapte Jack Barker zwakjes toen hij zijn vierde glas van Penny aannam. Het was twee uur nadat ze het verminkte lichaam van Sally Lumb langs de helling omlaag hadden zien tuimelen. Penny was na haar tweede glas gestopt, maar Barker wist niet van opgeven.

'Misschien zou je niet meer moeten drinken,' waarschuwde Penny hem.

'Het is toch al te laat. Maar bedankt voor je bezorgdheid.'

Toen Penny op Barker neerkeek, voelde ze iets wat op liefde leek. Wat het ook precies was, het gevoel verwarde haar en ze was kwaad op zichzelf omdat ze niet wist wat ze moest doen. Toen ze net naar de cottage waren teruggekeerd en hij haar had vastgehouden, had het fijn aangevoeld, maar nu haatte ze het zwakke gevoel waarmee het vergezeld ging. Ze wist dat haar gevoelens voor hem niet platonisch waren, maar in plaats van zich voor hem open te stellen, trok ze zich in zichzelf terug en verstevigde ze de muur rondom haar.

Barker had blijkbaar iets van de emotionele chaos die in haar woedde gemerkt, dacht ze toen hij haar hand weer wilde vastpakken, wat ze toestond. 'Ik heb denk ik altijd al een zwakke maag gehad,' zei hij. 'Treurig eigenlijk, hè? Ik voorzie in mijn onderhoud door over bloederige lichaamsdelen te schrijven, maar zodra ik iets zie...' Hij maakte zijn zin niet af en begon te beven. Hij zette zijn glas op tafel en morste daarbij wat whisky. Penny ging naast hem zitten en sloeg haar armen om hem heen. Het duurde voor haar gevoel eeuwen voordat een van hen zich bewoog en ieder zou desgevraagd hebben gezegd dat de ander zich als eerste lostrok.

'Eigenlijk zou je even wat moeten slapen, Jack,' zei Penny zachtjes.

'Wat is er in godsnaam aan de hand, Penny?' vroeg hij. 'Wat gebeurt er hier toch allemaal?'

'Dat weet ik niet,' zei Penny en ze streelde zijn haar. 'Tenminste, ik...'

'Wat?'

'Niets,' zei ze. 'Misschien is het niets, ik weet het niet. Maar het moet ophouden.'

'Onder een brug,' zei Banks. 'Dat is wat de hoofdinspecteur me heeft verteld. Op de zuidelijke helling.'

'Wat houdt dat in?' vroeg Sandra. Ze zaten vroeg op de avond achter een drankje in de Queen's Arms. Sandra had net gewinkeld en omdat ze elkaar de afgelopen dagen amper hadden gezien, had Banks voorgesteld om daar af te spreken, zodat ze even konden bijkletsen. Brian en Tracy waren oud genoeg om zich een paar uurtjes alleen te redden.

'Het houdt in dat hij zijn mensen in eerste instantie op de verkeerde plek heeft laten zoeken en dat neemt hij zichzelf erg kwalijk.'

'Dat kon hij toch ook niet weten,' zei Sandra. 'Het was volkomen logisch om eerst aan de noordkant te zoeken.'

'Dat zegt iedereen, maar je weet hoe hij is.'

'Ja. Net als jij. Koppig. Voelt zich overal verantwoordelijk voor.'

'Hij komt er wel overheen,' zei Banks. 'Ze hebben dus kledingvezels op de stenen onder die brug aangetroffen. Waarschijnlijk heeft iemand haar daar neergelegd en met stenen bedekt. Toen het zo hard begon te regenen, zijn enkele stenen weggespoeld en is ze door het water mee naar beneden gesleurd. Ze hebben ten noorden van de brug geen sporen gevonden en het is een ideale plek, geïsoleerd, maar nog wel bereikbaar met een auto.'

'Schieten jullie er iets mee op dat het lichaam nu terecht is?'

'Niet echt. Niet in deze staat. Bovendien is er ook te veel tijd verstreken. We doen uiteraard navraag – iedereen die die kant uit is geweest – maar erg veel hoeven we daar niet van te verwachten. Degene met wie we van doen hebben, is erg slim en zal niet snel domme fouten maken.'

'Deze keer was er waarschijnlijk echter wel haast bij geboden,' merkte Sandra op. 'Hij kan nooit veel tijd hebben gehad om alles netjes uit te stippelen.'

'Toch zal het niet meevallen.'

'Wanneer valt het dan wel mee?'

Banks schokschouderde en stak een sigaret op.

'Trouwens,' zei Sandra, 'ik heb nog niet eerder kans gezien om het tegen je te zeggen, maar ik ben blij dat je die smerige pijp hebt weggedaan.'

'Hij paste niet bij me.'

'Nee.'

'Meer iets voor *Country Life*?'

Sandra lachte. 'Ja, dat durf ik nu wel te zeggen. Er zijn denk ik ook niet veel mensen ingetrapt. Jijzelf al helemaal niet.'

'Er zijn denk ik evenmin veel mensen die zouden zeggen dat ze blij zijn dat ze iemand een sigaret zien roken,' zei Banks en hij hield Sandra, die zo nu en dan rookte, het pakje voor. 'Ik ben echt van plan om te minderen en het bij deze milde dingen te houden.'

'Loze beloften!'

'Over dat meisje,' zei Banks na een korte stilte. 'Voorzover de technische recherche kon achterhalen, was ze nog maagd. Ze was niet neergeschoten, neergestoken, vergiftigd of seksueel misbruikt. Een maagd.'

'Ik vraag me af of dat iets positiefs is,' zei Sandra peinzend.

'Wat? Dat ze niet is misbruikt?'

'Nee. Dat ze als maagd is gestorven.'

'Voor haar maakt het nu toch niets meer uit. Arm ding,' zei Banks. 'Ik denk niet dat ze dit op haar grafsteen zullen vermelden. We weten nu tenminste wel zeker dat ze niet is gekweld of gemarteld. Waarschijnlijk is ze vrij snel gestorven, zonder te beseffen wat er gebeurde.'

'Denk je dat jullie de moordenaar snel zullen oppakken, Alan?' vroeg Sandra en ze liet de gladde stukjes ijs over de bodem van haar glas draaien. 'En nu niet net doen of ik een journalist ben. Eerlijk antwoord geven.'

'Ik zou graag ja willen zeggen, maar we hebben zo verdomd weinig om op af te gaan. We hebben kunnen achterhalen waar het meisje vrijdagavond tot ongeveer negen uur is geweest en dat is het.'

'Toen wij bij die folk-avond waren?'

'Ja.'

Sandra huiverde. 'We waren zo dichtbij.'

'Doet dat er iets toe?'

'Het is zo'n vreemd gevoel. En hoe staat het met die schrijver en zangeres?'

'Het kan zijn dat ze hem in bescherming neemt of anders spannen ze wellicht samen. Het is moeilijk om te weten wat we moeten geloven, omdat alles zo door roddels wordt vertroebeld. De anderen kennen elkaar ook al heel lang. Jaren. God weet wat voor ingewikkeld web aan gevoelens er door de jaren heen tussen hen is ontstaan. Ik heb de indruk dat emoties in een plaatsje als Helmthorpe veel dieper gaan en langer standhouden dan in een grote stad.'

'Onzin. Denk eens aan al die vetes en bendeoorlogen in Londen.'

'Dat heeft meer een zakelijke achtergrond. Ik bedoelde juist dingen die zich op dagelijkse basis tussen mensen afspelen.'

'Wie heeft het beste motief?' vroeg Sandra.

'Degene met de minste gelegenheid.' Banks glimlachte om de ironie ervan. 'Dat wil zeggen: als je een hoop geld een goed motief vindt. Er kunnen ook diverse vormen van jaloezie hebben meegespeeld. Dat is ook de reden waarom ik Barker en Penny Cartwright nog niet helemaal kan afstrepen als verdachten.'

'Erft zijn vrouw alles?'

'Ja.'

'Ze is gisteren bij ons geweest voor controle van de brug die was aangebracht.'

'Wat vind je van haar?'

'Ik heb haar amper gezien. Alleen even toen ze bij de balie kwam om haar afspraak te bevestigen. Ze leek me een erg aantrekkelijk vrouw.'

'Ik vond haar eigenlijk niets bijzonders.'

'Dat is typisch iets voor een man,' zei Sandra. 'Jullie zien alleen maar de buitenkant.'

'Je zult toch moeten toegeven dat ze zichzelf een beetje heeft verwaarloosd.'

'Daar lijkt het misschien wel op,' zei Sandra langzaam, 'maar ik geloof daar niet zo in. Het is allemaal nog aanwezig. Onder die afschuwelijke kleren heeft ze een goed figuur. En heel fraaie botten. Als je haar vroeger hebt gekend of haar een tijdje niet hebt gezien, kan ik me echter wel indenken dat het lijkt alsof ze een beetje is verslonsd.'

'Een knap jong ding.'

'Sorry?'

'O, niets,' zei Banks. 'Gewoon iets wat me te binnen schoot. Ga verder.'

'Wat ik wilde zeggen is dat alle ingrediënten om haar in een aantrekkelijke vrouw te veranderen nog steeds aanwezig zijn. Ze kan nooit veel ouder zijn dan ik.'

'Eind dertig.'

'Nou dan. Waarschijnlijk ziet ze er zo gewoontjes uit, omdat ze dat zelf wil, omdat het haar niets kan schelen. Niet alle vrouwen zijn geobsedeerd door hun uiterlijk, hoor. Misschien vindt ze andere zaken belangrijker.'

'Misschien wel. Wat je dus eigenlijk wilt zeggen,' ging Banks langzaam verder, 'is dat ze met een verzorgd kapsel, goede kleding en een beetje make-up...'

'... een heel mooie vrouw zou kunnen zijn. Inderdaad, ja.'

Toen Barker langs de smalle trap naar beneden kwam, stond Penny specerijen te roosteren voor een curryschotel.

'Zo, slaapkop, eindelijk weer in het land der levenden?' begroette ze hem.

'Hoe laat is het?'

'Zeven uur.'

''s Avonds?'

'Ja. Nog steeds dezelfde dag. Trek? Ik kan het me haast niet voorstellen, met de kater die je ongetwijfeld hebt. Maar goed, ik maak een curry. Graag of niet.'

'Je gulheid en gastvrijheid zijn overweldigend,' zei Barker. 'Eerlijk gezegd voel ik me niet eens echt beroerd. Ik heb alleen knallende koppijn.'

'Er ligt aspirine in het medicijnkastje in de badkamer.'

'Wat is er eigenlijk gebeurd?' vroeg Barker.

'Wil je beweren dat je je dat niet meer herinnert?'

'Na het derde glas weet ik niets meer. Of was het mijn vierde?' Hij wreef met zijn knokkels in zijn ogen.

'Weet je het echt niet meer?' vroeg Penny nogmaals en ze klonk geschokt.

'Nou, dat is dan een geweldig compliment, hoor.'

215

'Wil je soms zeggen dat we...?'

Penny lachte. 'Doe niet zo stom, Jack. Ik maak maar een grapje. Je was moe en toen heb ik je naar boven gebracht, zodat je even kon slapen. Dat is alles.'

'Alles?'

'Ja. Je denkt toch zeker niet dat ik met jou in die staat het bed induik, of wel?'

'Ik ga even wat aspirine halen,' zei Jack en hij zocht moeizaam zijn weg terug naar boven naar de badkamer.

'Zo, dat moet even een tijdje sudderen,' zei Penny toen hij terugkwam, 'dus kunnen wij even lekker zitten. Borrel?'

'Grote god, nee!' kreunde Barker. 'Aan de andere kant... misschien een glaasje tegen de nadorst. Alleen geen whisky.'

'Bier?'

'Ja.'

'Sam Smith's?'

'Uitstekend.'

'Mooi. Iets anders heb ik namelijk niet. Het is wel gekoeld.'

Penny haalde het bier. Barker ging op de bank zitten en nam een slok uit de fles.

'Wat je daarnet zei, Penny,' begon hij, 'over, nou ja, je weet wel, dat je met mij in die staat niet het bed zou induiken...'

'Ik denk niet dat je hem omhoog had gekregen, jij wel?' vroeg ze plagerig, met een ondeugende glimlach om haar mondhoeken gekruld.

'Ik ben misschien een beetje traag van begrip,' reageerde Barker, 'maar wil je daarmee soms zeggen dat als ik nuchter was geweest... ik bedoel, zou je dan werkelijk... je weet wel?'

Penny legde een vinger tegen zijn lippen en snoerde hem zo de mond. 'Dat is voor mij een weet en voor jou een vraag,' zei ze.

'Verdomme, Penny,' zei hij, 'je kunt het niet maken om me de ene keer volkomen te negeren en de andere keer uit te dagen. Dat is niet fair. Door dat meisje dat naar beneden is komen drijven en zo ben ik al genoeg van slag.'

'Het spijt me, Jack. Het komt er gewoon niet uit zoals ik het had bedoeld. Blijkbaar beëindig ik één spelletje en begin ik meteen met een ander, hè?'

'Daar lijkt het wel op. Waarom geef je me niet gewoon duidelijk antwoord?'

'Wat is de vraag?'

'Die heb ik je al gesteld.'

'O, dat. Ik ben blij dat je dronken was, Jack, want nee, ik geloof niet dat ik het anders had gedaan. Is dat duidelijk genoeg?'

'Dat moet dan maar,' zei Barker, die duidelijk teleurgesteld was.

Penny ging snel verder. 'Het is niet zo eenvoudig als je denkt. Wat ik eigenlijk bedoel is dat ik blij ben dat ik die keuze niet op stel en sprong hoefde te maken. Ik ben zwak, misschien had ik wel ja gezegd en er dan spijt van gekregen. Het zou op dat moment, nadat we net met de dood waren geconfronteerd, zo gemakkelijk zijn geweest om met je te vrijen, zo vanzelfsprekend. Alleen zou ik Sally de hele tijd voor me zijn blijven zien, dat gruwelijk verminkte lichaam...'

'Dat kan ik begrijpen. Maar waarom zou je er dan spijt van hebben gehad?'

Penny haalde haar schouders op. 'Redenen genoeg. Er is zoveel gebeurd. Het is gewoon te snel. Het zou heel gemakkelijk zijn om met jou in bed te duiken. Je bent een aantrekkelijke vent. Maar ik wil meer dan dat, Jack. Ik wil niet slechts een van die mokkels zijn met wie je naar bed gaat wanneer je in Londen bent om een van je boeken uit te geven.'

'Dat doe ik nooit en dat zou je ook nooit zijn.'

'Misschien niet. Hoe dan ook, ik heb in mijn leven wel genoeg teleurstellingen te verwerken gehad. Ik wil een beetje vastigheid. Ik weet dat het conventioneel en afgezaagd klinkt, maar ik wil me ergens settelen en ik geloof dat ik beter af ben wanneer ik dat in mijn eentje doe. Ik ben niet zo'n vrouw die afhankelijk is van een man.'

'Dat is maar goed ook. Ik ben niet bepaald iemand op wie je kunt bouwen.' Barker stak een sigaret op en kuchte. 'Hoor eens,' zei hij, 'het kan me niet schelen of dit er de juiste plek en tijd voor is of niet, maar ik hou van je, Penny. Dat is eigenlijk wat ik probeer te zeggen. Niet of je met me naar bed wilt of niet. Zo, dat is eruit. Misschien heb ik mezelf nu wel enorm belachelijk gemaakt.'

Penny keek hem een tijd lang peinzend aan en zei toen: 'Ik weet niet of ik het aankan om verliefd te zijn.'

'Probeer het eens,' zei Barker. Hij boog zich een stukje voorover en streelde haar haren. 'Je weet maar nooit, misschien bevalt het wel.'

Penny wendde haar blik af. Barker schoof iets dichter naar haar toe en nam haar in zijn armen. Ze verstrakte, maar duwde hem niet weg.

Uiteindelijk maakte ze zich zachtjes los uit zijn armen en ze keek hem met een ernstig gezicht aan. 'Verwacht niet al te veel van me,' zei ze. 'Ik ben eraan gewend om voor mezelf te zorgen en dat vind ik prettig.'

'Jij en ik,' zei Jack, 'wonen allebei al zo lang alleen dat het angstaanjagend is om te denken dat er iets zou veranderen. We moeten vooral niets overhaasten en het rustig aandoen.'

In de keuken klonk een belletje.

'De curry is klaar.' Penny stond op.

Barker liep achter haar aan naar de keuken en bleef tegen de deurpost geleund staan toekijken terwijl ze in de doordringend geurende saus roerde. 'Weet je dat ik door die vervelende politieman van jou pas ben gaan beseffen dat ik jaloers was op Harry en jou?' zei hij. 'Ik vroeg me af waarom je zoveel van jezelf aan hem geeft en zo weinig aan mij.'

'Dat is niet eerlijk, Jack.' Toen Penny zich omdraaide, lag er een sombere uitdrukking op haar gezicht. 'Zo moet je niet praten. Dan lijk je net op die Banks.'

'Sorry,' zei Barker verontschuldigend. 'Ik bedoelde er niets mee.'

'Laat maar zitten.'

'Het verleden gaat echt niet weg, Penny,' zei Barker. 'Er zijn een heleboel dingen die moeten worden opgehelderd.'

'Zoals?' vroeg Penny achterdochtig en ze haalde de pan van het vuur.

'Jij weet er meer van dan ik.'

'Waarvan?'

'Van alles wat er is gebeurd. Kom, Penny, ga me nu niet vertellen dat je geen vermoedens hebt. Je weet meer over deze kwestie dan je loslaat.'

'Waarom denk je dat in godsnaam?'

'Dat weet ik eigenlijk niet,' antwoordde Barker. 'Je doet de laatste dagen alleen zo vreselijk geheimzinnig en bent heel lichtgeraakt.'

Penny concentreerde zich zwijgend op de curry.

'Nou?' vroeg Barker.

'Nou wat?'

'Is het zo?'

'Is wat zo?'

'Ach, kom op zeg. Je weet best wat ik bedoel. Weet jij iets wat ik niet weet?'

'Hoe moet ik nu weten wat jij wel of niet weet?'

'Ik weet helemaal niets. En jij?'

'Natuurlijk niet,' zei Penny en ze schepte de curry in twee diepe borden. 'Je verbeelding gaat met je op de loop, Jack. Jullie schrijvers ook altijd! Dacht je niet dat ik het je zou vertellen als ik iets wist?'

'Eigenlijk niet, nee. Sally Lumb heeft het ook aan niemand verteld. Of anders heeft ze het aan de verkeerde verteld.'

'En jij denkt dat ik dat was?'

'Doe niet zo belachelijk.'

'Vooruit, je kunt het nu net zo goed toegeven,' schreeuwde Penny en ze zwaaide wild met de opscheplepel heen en weer. 'Net als Banks. Toe dan!'

'Ik heb geen flauw idee waarover je het hebt.'

'Vrijdagavond. De avond waarop ze is verdwenen.'

'Toen waren we in The Dog and Gun.'

'Niet de hele tijd.'

'Nu en? Jij bent naar huis gegaan om uit te rusten en ik heb een eindje gewandeld. Wat zou dat?'

'Weet je het echt niet?'

'Wat moet ik dan weten?'

'Heeft Banks jou niet uitgehoord?'

'Waarover?'

'Dat was het tijdstip waarop Sally voor het laatst is gezien. Toen wij weg waren. Iemand heeft haar om een uur of negen in High Street gezien.'

'En nu denkt Banks...?'

Penny schokschouderde. 'Hij heeft het me zelf gevraagd. Jou niet?'

'Nee. Ik heb hem al een paar dagen niet gezien.'

'Dan komt dat vast nog wel. Hij is de laatste tijd erg opdringerig.'

'Ik vermoed dat hij een beetje wanhopig aan het worden is. Je dacht toch zeker niet dat ik impliceerde dat jij er iets mee te maken hebt gehad?'

'Was dat dan niet wat je bedoelde?'

'Dacht je nu echt dat ik mijn eeuwige liefde zou verklaren aan iemand als ik dacht dat ze een moordenares was?'

Penny glimlachte.

'En jij?' vervolgde hij. 'Geloof je mij?'

'In welk opzicht?'

'Dat ik alleen maar een eindje heb gewandeld?'

'Ja. Ja, natuurlijk. Ik weet niet eens meer hoe we hierop zijn gekomen.'

'Ik vroeg alleen maar of jij iets wist wat je niet aan mij had verteld. Meer niet.'

'En ik dacht dat ik die vraag nu wel had beantwoord,' zei Penny en haar donkere ogen vernauwden zich. 'Ik doe er echt niet geheimzinniger over dan jij.'

'Ach, hou toch op, Penny. Zo gemakkelijk kom je er niet vanaf. Jij woont hier veel langer dan ik. Je bent veel beter op de hoogte van wat zich hier allemaal afspeelt.'

'Je doet net alsof ik een misdadiger ben, Jack. Is dit de manier waarop jij jouw liefde uit? Als we zo gaan beginnen wil ik wel eens weten hoe jaloers jij dan eigenlijk wel niet was.'

'Laat maar,' verzuchtte Barker. 'Vergeet alsjeblieft dat ik iets heb gezegd.'

'Ik zou niets liever willen, Jack, echt.'

Ze staarden elkaar uitgeput aan en Penny was degene die als eerste haar blik afwendde door met de borden naar de eettafel te lopen. Ze schoof een ervan naar Barker, die ging zitten om te eten.

'Ik ben door jou bepaald niet meer in de stemming voor een romantisch etentje bij kaarslicht,' klaagde ze. 'Ik heb helemaal geen trek meer.'

'Proef eerst eens,' zei Barker en hij hield haar een volle lepel voor. 'Het is echt heerlijk.'

'Ik hoef niet meer.' Penny pakte een sigaret, veranderde toen van gedachten en greep haar jasje. 'Ik ga naar buiten.'

'Dat meen je niet,' sputterde Barker tegen. 'We hebben zoveel te bespreken. En de kaarsen dan? Je hebt net gekookt.'

'Eet het zelf maar op,' zei Penny tegen hem en ze deed de deur open. 'Wat mij betreft vreet je kaarsen er ook bij op.'

Barker kwam half overeind uit zijn stoel. 'Waar ga je dan naartoe?'

'Dat gaat je geen fluit aan,' zei ze en ze sloeg de deur met een harde knal achter zich dicht.

Hoewel de zon nog laag boven de horizon stond, was het in de schaduw van de gebouwen aan de westkant van Market Street al donker en het plein was verlaten. Banks had na zijn terugkomst op kantoor, waar hij zijn aantekeningen nog eens wilde doornemen, niet de moeite genomen om het grote licht aan te doen. Sandra was naar huis gegaan, zodat Brian en Tracy niet zouden gaan denken dat ze sleutelkinderen waren. De deur was dicht en de schemerige kamer stond blauw van de rook. Af en toe hoorde hij voetstappen in de gang, maar blijkbaar besefte niemand dat hij er zat.

Zoals altijd wanneer hij het gevoel had dat een zaak op zijn einde liep, zat hij ook nu rokend bij het raam en rangschikte hij in gedachten de details een keer of vier, vijf. Na ongeveer een uur zag alles er nog steeds hetzelfde uit. Het patroon, het beeld, was compleet en hoe ongelooflijk het ook was, het moest kloppen. Elimineer het onmogelijke en wat overblijft, hoe onwaarschijnlijk ook, moet de waarheid zijn. Dat had Sherlock Holmes tenminste gezegd.

Hij moest maar eens actie ondernemen.

Tijdens de rit in de richting van de paarsrode zonsondergang aan de westkant van Swainsdale draaide Banks geen muziek; zijn geest was te actief om iets te kunnen opnemen. Hij reed de heuvel op richting Gratly, sloeg na de brug links af en hield stil voor het huis van de Steadmans. Er brandde geen licht. Banks vloekte en liep over het tuinpad naar het huis van mevrouw Stanton.

'O, hallo, inspecteur,' begroette ze hem. 'Ik had niet verwacht u weer te zien. Komt u toch binnen.'

'Dank u wel,' zei Banks, 'maar liever niet. Ik heb een beetje haast. Misschien kunt u even snel een paar vragen beantwoorden?'

Mevrouw Stanton fronste haar wenkbrauwen en knikte.

'Hebt u om te beginnen enig idee waar mevrouw Steadman is?'

'Nee. Ik dacht dat ik ongeveer een uur geleden haar auto hoorde, maar ik heb werkelijk geen idee waar ze naartoe is gegaan.'

'Hebt u haar gezien?'

'Nee, ik heb niet naar buiten gekeken. En zelfs als ik wel had gekeken, dan had dat nog niets uitgemaakt. Ze hebben een deur die vanuit de keuken direct naar de garage leidt. Geld,' zei ze. 'Ze hebben zelfs zo'n automatische deur. Gewoon even op de knop drukken.'

'In welke richting is ze gereden?'

'Tja, ze is niet hierlangs gekomen.'

'Dan is ze dus in oostelijke richting gereden?'

'*Aye.*'

'Herinnert u zich die zaterdag nog waarop u samen met haar televisie hebt zitten kijken?' Mevrouw Stanton knikte langzaam. 'Weet u of ze nog is weggegaan nadat ze naar huis ging?'

Mevrouw Stanton schudde haar hoofd. 'Ik heb haar in elk geval niet gehoord en ik ben na haar vertrek nog een uur opgebleven.'

'Is ze afgelopen vrijdagavond weggeweest?'

'Dat zou ik u niet kunnen vertellen, inspecteur. Dat was mijn bingoavond.'

'En uw man?'

'Pub. Zoals gewoonlijk.'

'Is dat vaste prik op de vrijdagavond?'

'Ha! Voor hem is dat elke avond vaste prik.'

'En u?'

'*Aye*, ik ga elke vrijdagavond naar de bingo. Net als half Swainsdale.'

'Mevrouw Steadman ook?'

'Nee. Zij niet. Niet dat ze een snob is of zo, hoor. Wat de een leuk vindt, vindt de ander maar niks. Smaken verschillen, zeg ik altijd maar.'

'Heel hartelijk bedankt, mevrouw Stanton,' zei Banks en hij liet haar verbijsterd achter, stapte in de Cortina en reed naar Helmthorpe.

Hij zette de auto aan het begin van Penny's straat in High Street bij de kerk, waar eigenlijk een parkeerverbod gold. In de woonkamer brandde licht. Banks liep snel over het pad naar de voordeur en klopte aan.

Tot zijn verbazing deed Jack Barker de deur open.

'Komt u binnen, inspecteur,' zei Barker. 'Penny is er helaas niet. Of bent u hier om mij te vragen waar ik vrijdagavond ben geweest?'

Banks negeerde de pesterige vraag; hij had geen tijd voor spelletjes. 'Heeft ze onlangs misschien iets vreemds gezegd over de zaak-Steadman?' vroeg hij.

Barker schudde niet-begrijpend zijn hoofd. 'Nee. Hoezo?'

'Ik had de indruk dat ze iets voor me achterhield. Iets waarover ze zelf misschien ook twijfels had. Ik hoopte eigenlijk dat ik haar kon overhalen om me te vertellen wat dat was.'

Barker stak een sigaret op. 'Om eerlijk te zijn,' zei hij, 'gedroeg Penny zich de laatste paar keer dat ik haar zag inderdaad een beetje vreemd. Geheimzinnig en lichtgeraakt. Ze heeft echter niets gezegd.'

Banks ging zitten en trommelde onrustig met zijn vingers op de versleten armleuning van zijn stoel. 'Jullie tweeën,' zei hij en hij liet zijn blik door de kamer glijden. 'Zijn jullie... eh...?'

'Een stel? Niet echt. Helaas niet. Ik heb hier gegeten. We hebben net een beetje ruzie gehad over de kwestie waarover u het zojuist had. Ze is ervandoor gegaan en ik zit nu te wachten tot ze terugkomt.'

'O?'

'Ik suggereerde dat ze meer wist dan ze losliet en zij beschuldigde mij ervan dat ik haar als een misdadiger behandelde, net als u.'

'Denkt ze dat echt?'

'Nu ja, u hebt het haar niet gemakkelijk gemaakt, dat kunt u niet ontkennen.'
Banks keek op zijn horloge. 'Komt ze zo terug?'
'Ik zou het echt niet weten.'
'Waar is ze dan naartoe?'
'Dat heb ik u net al gezegd,' zei Barker. 'Na de ruzie is ze naar buiten gestormd.'
'Waar naartoe?'
'Dat weet ik niet.'
'Heeft ze iets gezegd?'
'Ze zei dat het me geen fluit aanging.'
'Daar schieten we natuurlijk niets mee op.'
'Dat dacht ik ook.'
'U bent dus tegen haar tekeergegaan omdat u dacht dat ze iets wist?'
'Ja.'
'Is ze met de auto weggegaan?'
'Ja.'
'Juist.' Banks stond op. 'Kom mee.'
Barker sprong zonder na te denken overeind en gehoorzaamde het bevel. Banks gunde hem nog net genoeg tijd om de kaarsen uit te blazen en de deur op slot te doen.
'Zeg, wat is er eigenlijk aan de hand?' vroeg Barker toen ze in sneltreinvaart door de donker wordende Dale reden. 'U rijdt als een gek. Is er iets mis? Is Penny in gevaar?'
'Waarom denkt u dat?'
'Jezus, dat weet ik ook niet. U gedraagt zich zo vreemd. Wat gebeurt hier verdomme toch allemaal?'
Banks gaf geen antwoord. Hij concentreerde zich op het rijden en in het vallende duister was de stilte al snel om te snijden. Ten noorden van Eastvale sloeg hij de York Road in.
'Waar gaan we naartoe?' vroeg Barker een paar minuten later.
'We zijn er bijna,' antwoordde Banks. 'Ik wil dat u precies doet wat ik zeg. Onthou dat goed. Ik heb u alleen maar meegenomen omdat ik weet dat u Penny graag mag en u toevallig bij haar thuis zat. Ik heb geen tijd te verliezen en u komt me misschien nog van pas, maar doe wel wat ik zeg.' Hij zweeg en haalde een vrachtwagen in.
Barker klemde zich vast aan het dashboard. 'U hebt me dus niet meegenomen omdat ik zulk aangenaam gezelschap ben?'

'Doe me een lol, zeg.'

'Even serieus, inspecteur, loopt ze gevaar?'

'Dat weet ik niet. Ik weet niet wat we zo zullen aantreffen. Maakt u zich echter maar geen zorgen, het duurt niet lang meer,' zei hij en hij sloeg met gierende banden links af. Na ongeveer een halve kilometer over een hobbelig B-weggetje reed Banks een oprit op. Barker wees en zei: 'Dat is haar auto. Dat is Penny's auto.'

Toen ze uit de Cortina sprongen en snel naar de deur liepen, gluurde iemand door een kier tussen de gordijnen.

'Geen tijd voor beleefdheden,' zei Banks nadat hij tevergeefs de deurklink naar beneden had geduwd. Hij deed een stap achteruit en gaf een harde trap tegen de deur, waardoor het hout rondom het slot brak en de deur openvloog. Met Barker op zijn hielen rende hij naar de woonkamer, waar hij het vreemde schouwspel in één oogwenk in zich opnam.

Er waren drie mensen aanwezig. Michael Ramsden staarde met een bleek gezicht en open mond naar Banks. Penny lag roerloos op de bank. De vrouw stond met haar rug naar iedereen toe.

In een fractie van een seconde kwam het tableau tot leven. Barker snakte naar adem en rende naar Penny, en Ramsden begon hevig te trillen.

'Godsamme,' zei hij kreunend, 'ik wist dat dit zou gebeuren. Ik wist het.'

'Hou je kop!' snauwde de vrouw hem toe. Ze draaide zich om en keek Banks aan.

Ze had een nauwsluitende, rode jurk aan die haar rondingen accentueerde; haar haren waren strak naar achteren getrokken; zorgvuldig aangebrachte rouge benadrukte de jukbeenderen in haar hartvormige gezicht. Het opvallendste waren echter haar ogen. Tot dusver had Banks ze slechts waterig en vervormd achter dikke brillenglazen gezien, maar nu droeg ze contactlenzen met de kille, groene kleur van mos op vochtige stenen en de kracht die ze uitstraalden, was hard en doordringend. Het was Emma Steadman, vrijwel onherkenbaar veranderd.

Ramsden liet zich jammerend met zijn hoofd tussen zijn handen in een stoel zakken en Emma staarde woest naar Banks.

'Smerige schoft,' zei ze en ze spuugde naar hem. 'U hebt alles verpest.' Daarna verviel ze in een stilzwijgen dat ze in Banks' bijzijn niet meer zou doorbreken.

12

Ramsden praatte echter zonder enige terughoudendheid, als een zondaar in de biechtstoel, en wat hij in de twee uren direct na zijn arrestatie allemaal vertelde, leverde de politie voldoende bewijsmateriaal op om hen allebei in staat van beschuldiging te stellen. Banks was verbaasd over de dwangmatigheid waarmee Ramsden zich van de last op zijn schouders ontdeed en het drong toen pas tot hem door onder welke gruwelijke druk de man moest hebben geleefd, hoe enorm veel het hem had gekost om zijn zelfbeheersing te bewaren.

Penny vertelde dat ze de afgelopen dagen veel had nagedacht. Steadmans dood, Banks' vragen en Sally's verdwijning hadden haar gedwongen diep in het verleden te graven dat ze zo lang had verdrongen, en dan met name de gebeurtenissen van de zomer van tien jaar geleden.

Aanvankelijk had ze zich weinig herinnerd. Ze had niet gelogen; alles had haar heel onschuldig toegeschenen. Nadat ze de herinneringen om en om had gekeerd in haar hoofd, kregen allerlei kleine dingetjes die indertijd onbeduidend hadden geleken echter steeds meer gewicht. Aanvankelijk dacht ze dat alles in haar herinnering uit zijn proporties was gerukt: de blikken die Emma Steadman en Michael Ramsden hadden uitgewisseld, hadden die echt plaatsgevonden of was dat slechts haar verbeelding geweest? Ramsdens aanhoudende avances en het plotselinge gebrek aan belangstelling dat daarop volgde, was ook dat wel echt zo gegaan? Bestond er misschien een eenvoudige verklaring voor? Al deze zaken hadden haar nieuwsgierigheid aangewakkerd.

Na haar ruzie met Jack Barker besefte ze dat het niet allemaal uit zichzelf zou weggaan. Ze moest iets doen, want anders zouden haar twijfels omtrent het verleden al haar kansen op een toekomst verpesten. Dus was ze bij Ramsden langsgegaan om erachter te komen of er enige waarheid in haar vermoedens school.

Ja, ze wist wat Sally Lumb was overkomen en ze wist ook dat de politie een verband vermoedde tussen de dood van het meisje en die van Steadman, maar ze had echt gedacht dat ze van Michael Ramsden niets te vrezen had. Ze kenden elkaar tenslotte al sinds hun jeugd.

Ze had Ramsden uitgehoord en toen hij zenuwachtig en ontwijkend was geweest, had ze nog wat meer aangedrongen. Ze hadden thee gedronken en koekjes gegeten, en Ramsden had haar ervan willen overtuigen dat haar angstige vermoedens ongegrond waren. Na een tijdje kon ze zich niet meer concentreren; de kamer om haar heen werd donker en ze had het gevoel gehad alsof ze door het verkeerde uiteinde van een telescoop staarde. Toen was ze in slaap gevallen. Toen ze weer wakker werd, lag ze in Barkers armen en was alles achter de rug.

Banks had haar verteld dat Ramsden had gezworen dat hij haar nooit iets zou hebben aangedaan. Toegegeven, hij had haar gedrogeerd met op recept verkrijgbare Nembutal en was toen naar de telefooncel aan de doorgaande weg gereden om Emma te bellen, maar dat had hij alleen maar gedaan omdat hij in de war was en niet wist wat hij moest doen. Toen Emma erop stond dat ze Penny moesten doden omdat ze te veel wist, had Ramsden volgens eigen zeggen haar tegen willen houden. Ze had hem een zwakkeling genoemd en gezegd dat zij wel zou doen wat nodig was als hij niet mans genoeg was. Ze had beweerd dat het een fluitje van een cent zou zijn om een ongeluk te simuleren. Volgens Ramsden hadden ze daarover staan bekvechten toen Banks en Barker arriveerden.

Penny hoorde dit allemaal om een uur of een in de ochtend in Banks' rokerige kantoortje met een pot verse koffie naast zich. Toen hij was uitgesproken, kon ze alleen maar uitbrengen: 'Ik had gelijk, hè? Hij zou me nooit iets hebben aangedaan.'

Banks schudde zijn hoofd. 'Toch wel,' hield hij vol. 'Als Emma Steadman hem dat had opgedragen.'

Het duurde een paar dagen voordat alles was opgelost. Hatchley maakte aantekeningen en nam verklaringen op, zich intussen voortdurend beklagend over het feit dat Richmond lekker lag te zonnen in Surrey; Gristhorpe ontfermde zich over de details. Emma Steadman zweeg; ze verwaardigde zich zelfs niet om Ramsdens beschuldigingen tegen te spreken. Banks zag in haar een vrouw die alles op het spel had gezet en had verloren. Nu alles voorbij was, was er geen ruimte meer voor spijt of verwijten over en weer. Die week nam Banks Sandra mee naar Helmthorpe, waar Penny zou zingen tijdens een herdenkingsconcert voor Sally Lumb. Omdat het zo'n warme avond was en het concert vroeg was afgelopen, gingen ze na afloop met Penny en Jack Barker iets drinken in de tuin van The Dog and Gun. Crow Scar lag te glanzen in de ondergaande zon, terwijl de omringende heuvels door de schaduw waren opgeslokt. Het was net een licht gordijn dat vanuit de hemel op de Dale neerdaalde.

Sandra en de anderen vroegen Banks om de zaak-Steadman uit de doeken te doen en hoewel hij zich niet prettig voelde in de rol die ze hem opdrongen, vond hij wel dat hij met name Barker en Penny iets verschuldigd was; bovendien had hij na de arrestaties amper tijd gehad om met Sandra te praten en zij was degene die hem uiteindelijk op het juiste spoor had gezet. 'Wanneer is het allemaal begonnen?' was Sandra's eerste vraag.

'Ongeveer tien jaar geleden,' vertelde Banks. 'Penny was toen zestien, Michael Ramsden achttien, Steadman een jaar of drieëndertig en zijn vrouw net achtentwintig. Harold had een veelbelovende carrière voor de boeg als docent aan de universiteit. Hij was toen misschien niet rijk, maar arm was hij beslist ook niet en er lag een flinke erfenis in het verschiet. Emma vond het leven in die periode ongetwijfeld heerlijk, maar ik vermoed dat ze zich al snel begon te vervelen. Zoals de meeste echtgenotes van docenten raakte ze steeds meer op de achtergrond. Toen ik met Talbot en Darnley sprak, twee van Steadmans collega's aan de universiteit van Leeds, herinnerde een van hen zich dat Emma aanvankelijk "een knap jong ding" was geweest, maar dat ze daarna in een onopvallende verschijning was veranderd. Ik denk dat ze hun vakanties graag in het buitenland had doorgebracht. Maar nee, Steadman had Helmthorpe ontdekt – of liever gezegd: Gratly – en dat voldeed aan alle eisen die hij als wetenschapper stelde, dus daarmee was de kous af. Voor Emma ging het leven te snel voorbij, was het veel te saai, en ze vond zichzelf nog te jong om alles op te geven. Het was een prachtige zomer, net als nu.' Banks zweeg even en liet zijn blik over de andere gasten glijden, die hun jasjes en vesten over de rugleuning van hun stoel hadden gehangen. 'Hoe vaak kun je dit in Engeland nu doen?' vroeg hij toen en hij nam een slokje van het koele bier. 'En al helemaal in Yorkshire. Hoe dan ook, het hele dorp was trots op Penny en Michael, twee intelligente kinderen met hun hele leven nog voor zich. Michael was een magere, ernstige, romantische jonge knul en als hij zich al inbeeldde dat hij Penny kwijtraakte aan een oudere, wijzere man, kon hij met zijn melancholie altijd nog bij Keats en Shelley terecht. Penny vertoefde gewoon graag in Steadmans gezelschap, zoals ze me vaak genoeg heeft voorgehouden. Ze hadden veel met elkaar gemeen en er speelden bij geen van beiden amoureuze gevoelens mee. Of als dat wel zo was, dan werden die in elk geval keurig onderdrukt.'

Hij wierp een blik op Penny, die in haar glas bier staarde.

'Goed,' vervolgde Banks nadat hij even diep had ademgehaald, 'op een mooie, zonnige dag trekt Penny er met Steadman op uit om de Romeinse opgraving in Fortford of iets dergelijks te bekijken en ligt Michael smachtend in de tuin *Ode to a Nightingale* of iets in die geest te lezen. Zijn ouders zijn aan het winkelen in Leeds en komen pas tegen het avondeten terug. Emma zit waarschijnlijk een beetje chagrijnig ergens in de schaduw, waar ze zich stierlijk verveelt en zich enorm verwaarloosd voelt. Dit verzin ik overigens ter plekke, hoor. Zo gedetailleerd was Ramsdens bekentenis nu ook weer niet. Goed, Emma verleidt de jonge Michael dus. Wat niet zo moeilijk kan zijn geweest, wanneer je zijn leeftijd en obsessie met seks in aanmerking neemt. Uiteraard is dat iets waarvan iedere schooljongen droomt; de ervaren, oudere vrouw. Emma zag in hem ongetwijfeld een jongere, energiekere versie van haar man. Misschien schreef hij zelfs wel gedichten voor haar. Hij was in elk geval klungelig en verlegen, en zij was zijn eerste seksuele ervaring.

De meeste mensen zagen Emma Steadman waarschijnlijk als een getrouwde vrouw die haar uiterlijk begon te verwaarlozen, maar Michael gaf haar het gevoel dat ze nog steeds begeerlijk was en al snel zag ze er de voordelen van in dat men haar als niet bijzonder aantrekkelijk beschouwde. Op die manier zou niemand vermoeden dat ze een affaire had.' Banks zweeg weer even om wat bier te drinken en zag tot zijn grote genoegen dat zijn gehoor nog steeds aandachtig luisterde. 'Ze zetten de affaire jarenlang voort,' ging hij verder. 'Met de nodige onderbrekingen natuurlijk, maar Ramsden heeft ons verteld dat ze elkaar vaak in Londen ontmoetten, wanneer Emma daar naartoe ging om een weekendje "te winkelen" of wanneer ze zogenaamd naar Norwich ging om "haar familie te bezoeken". Ik geloof niet dat haar man veel aandacht aan haar schonk, hij had het veel te druk met het bestuderen van ruïnes.

Emma kreeg Michael steeds meer in haar greep. Als zijn eerste minnares was dat niet meer dan logisch. Ze had hem alles geleerd wat hij wist. Bovendien was hij in gezelschap nog altijd erg verlegen en hij vond het moeilijk om meisjes van zijn eigen leeftijd te benaderen. En waarom zou hij die moeite doen? Hij had Emma immers en zij gaf hem alles wat hij nodig had, veel meer dan de jonge, onervaren meisjes uit zijn omgeving hem hadden kunnen geven. Op zijn beurt gaf hij haar het gevoel dat ze jong, sexy en machtig was. Daarom hadden ze elkaar nodig, denk ik.

Door de jaren heen ontwikkelde Emma twee verschillende persoonlijkheden. Daarmee bedoel ik overigens niet dat ze geestesziek is – in medisch opzicht mankeert haar niets – alles wat ze deed, was bewust, gepland, berekenend. Ze had één gezicht voor de buitenwereld en een ander voor Ramsden. Als je er even over nadenkt, was het ook niet zo moeilijk voor haar om haar uiterlijk te veranderen. Dat was namelijk alleen maar nodig om Ramsden tevreden te houden en die stond toch al enorm onder haar invloed. Een bezoekje aan hem in Londen leverde uiteraard geen enkel probleem op. Zelfs toen zij naar Gratly was verhuisd en hij in York woonde, was dat heel eenvoudig. Ze kon zich op weg naar hem toe gemakkelijk even optutten in de auto, een beetje make-up, een borstel door haar haren. Als ze wilde, kon ze zich na aankomst zelfs omkleden. Toen Harold er niet meer was, werd het zelfs nog gemakkelijker. Haar buurvrouw vertelde me dat er een deur vanuit de keuken rechtstreeks naar de garage leidt en de weg over de heide naar Ramsdens huis is stil en verlaten. Het was echter niet alleen haar uiterlijk, maar ook haar hele houding. Bij Ramsden voelde ze haar seksuele kracht, iets wat normaal gesproken vrijwel was uitgeschakeld.

Met het verstrijken van de tijd kwamen al haar verwachtingen uit. Steadman stortte zich steeds meer op zijn werk en afgezien van Ramsden kwam zij in een steeds groter isolement terecht. Waarom ze dan bij haar man bleef? Hier moet ik een beetje gokken, maar ik kan daar twee goede redenen voor bedenken. Ten eerste zekerheid en ten tweede de erfenis die in het vooruitzicht lag, de mogelijkheid dat alles ten goede zou keren wanneer ze eenmaal rijk waren. Maar wat gebeurt er? Ze krijgen op een gegeven ogenblik inderdaad dat geld, maar er verandert helemaal niets. Het wordt juist allemaal alleen nog maar een graadje erger. Tot op zekere hoogte heb ik in dit opzicht wel enig begrip voor haar. Ze is een vrouw met dromen – reizen, een opwindend bestaan, rijkdom, een sociaal leven – maar het enige wat haar man doet, is het huis van de Ramsdens kopen. Haar leven wordt nog saaier en eenzamer, terwijl hij al het geld aan historisch onderzoek besteedt. Een toegewijd man. Hoewel ik haar daad niet kan goedkeuren, begrijp ik wel waarom ze ertoe werd gedreven. Steadman was bepaald niet gevoelig voor haar behoeften en wensen, in emotioneel noch materieel opzicht. Hij was egoïstisch en gierig. Daar zitten ze dan, zo rijk als Croesus, maar hij brengt al zijn vrije tijd door in The Bridge en spendeert al zijn geld aan zijn werk. Ik weet zeker dat Emma Steadmans voorkeur uitging naar de Country Club. In feite was ze een gevangene in eigen huis en de enige met wie haar man echt een nauwe band had, was Penny.'

'Dat is niet helemaal waar,' zei Penny. 'Hij had ook een goede band met Michael. Hij mocht hem graag.'

'Inderdaad,' zei Banks instemmend. 'Dat was echter vooral een zakelijke relatie. Hij kon Michael gebruiken. Ik denk dat ze eerder collega's of partners waren dan vrienden. Vergeet niet dat Michael hem heeft vermoord.'

'Omdat zij hem onder druk zette.'

'Jawel, maar híj heeft het gedaan.'

Er kwam een kelner langs en ze bestelden nog een rondje.

'Ga verder,' drong Penny aan nadat de drankjes waren gebracht.

'Michael Ramsden is ambitieus, maar ook zwak. Hij kan niet goed met mensen omgaan. Hij had inderdaad dezelfde interesses als Steadman, maar het was geen obsessie voor hem, een woord dat een van Steadmans collega's heel beledigend vond, maar wel toepasselijk, denk ik zo. Bovendien verfoeide hij Harold Steadman en dat had helemaal niets met jou te maken, Penny, ook al was hij vroeger wel jaloers. Nee, hij verfoeide Steadman zoals de meesten van ons iemand kunnen verachten die we in eerste instantie als voorbeeld hebben gezien, als rolmodel of hoe je het ook wilt noemen. Hij vond het vreselijk om altijd tweede viool te moeten spelen – uitgever, assistent – en nooit de creatieveling te zijn, de leider, ook al was hij zelf ook bezig met het schrijven van een roman. Daar heeft Emma volgens mij gebruik van gemaakt door bij Ramsden de slechte kanten van haar man te benadrukken en in te spelen op Michaels groeiende hekel aan zijn mentor. Zijn weerzin tegen Steadmans gierigheid en gebrek aan consideratie voor mensen met andere interesses dan hij nam snel toe. Ook denk ik dat hij zich diep vanbinnen altijd heeft geërgerd aan het gemak waarmee Harold met Penny omging en de diepe genegenheid die ze voor elkaar voelden. Hoe dan ook, zijn animositeit werd door de jaren heen steeds sterker, aangewakkerd door zijn seksuele honger naar Emma, en ten slotte deed zich de kans voor om rijk te worden, alles in te pikken. Emma Steadman heeft Ramsden zonder enige twijfel gebruikt en gemanipuleerd. Dat pleit hem echter niet vrij. Langzaam liet ze hem aan het idee van moord wennen en hielp ze hem zijn aanvankelijke verzet en zenuwen te overwinnen. Dat deed ze deels door in te spelen op zijn al bestaande gevoelens jegens haar man en deels door seks. Afwijzing, bevrediging. Hoe wreder de afwijzing, des te groter de bevrediging na afloop. Dat heeft hij mij tenminste verteld. Hij is niet dom; hij wist donders goed wat er gaande was en is erin meegegaan. Samen hebben ze Harold Steadman vermoord. Aangezien Emma alles zou erven, was het logisch dat zij als hoofdverdachte zou worden gezien, dus ze moest ervoor zorgen dat zij een waterdicht alibi had, wat ook lukte. Bovendien had Ramsden voorzover ik kon ontdekken geen motief of gelegenheid, totdat natuurlijk de link met Emma boven tafel kwam. Er waren ook andere mogelijkheden die ik moest onderzoeken.'

Barker en Penny keken hem beiden afkeurend aan toen hij dit zei.

'Inderdaad,' zei hij met een knikje in hun richting. 'Jullie tweeën. Hackett heel even. Barnes. Zelfs voor korte tijd de majoor en Robert Kirk. Geloof me, ik neem het mezelf enorm kwalijk dat ik het niet op tijd doorhad en niet heb kunnen voorkomen dat Sally Lumb werd gedood, maar ik kon de waarheid en de roddels, het belang van het verleden en heden, niet van elkaar onderscheiden.'

'Waarom moest Sally dood?' vroeg Barker. 'Zij kan toch onmogelijk een bedreiging voor hen hebben gevormd? Wat kon zij nu helemaal hebben geweten?'

'Sally was in veel opzichten haar leeftijd ver vooruit,' antwoordde Banks. 'Ze heeft de situatie verkeerd ingeschat. Ik kom zo op haar terug. Op de zaterdag waarop Steadman is vermoord, reed Ramsden naar Gratly. Hij parkeerde zijn auto in een vervallen, oude schuur aan het B-weggetje even ten oosten van het huis van de Steadmans, het weggetje waarlangs Emma altijd naar York reed. Je moet wel bedenken dat Ramsden in Gratly was opgegroeid; hij kende de Dale als zijn broekzak.'

'Hoe is hij dan naar huis teruggekeerd?' vroeg Penny. 'Het is een enorm eind lopen en de enige bus naar Eastvale rijdt 's ochtends vroeg.'

'Dat was gemakkelijk,' antwoordde Banks. 'Hij zou toch al nooit met de bus zijn gegaan, dan hadden te veel mensen hem kunnen zien. Emma Steadman bracht hem terug met de auto. Ze pikte hem op een van tevoren afgesproken tijdstip op dat weggetje op, een vrij geïsoleerde plek, dus was er weinig kans dat iemand hen zou zien. Vervolgens zette ze hem af aan het begin van het paadje naar zijn huis en is ze boodschappen gaan doen in York. We hebben dat inmiddels nagetrokken en haar buurvrouw herinnert zich dat nog omdat Emma wat stof voor haar had meegenomen waarom ze had gevraagd. Daar was niets ongewoons aan. Emma Steadman ging vaak 's middags in York winkelen. Ze had tenslotte weinig anders te doen. Ze moesten er alleen voor oppassen dat ze niet werden gezien. En zelfs wanneer iemand hen zou zien, leek Ramsden vanuit de verte door het portierraampje van de auto zoveel op Steadman, dat niemand er waarschijnlijk van had opgekeken als ze hen zagen.'

'En die avond?' vroeg Penny. 'Nadat Harry ruzie had gehad met mijn vader?'

'Dat is ook iets wat ik achteraf gezien had moeten beseffen,' antwoordde Banks. 'Er was maar één plek waar Steadman na die ruzie naartoe kon zijn gegaan en dat was de plek waar hij toch al naartoe zou gaan: naar Ramsden. Hij was immers een toegewijd man en stond alleen jou, Penny, toe in emotioneel opzicht inbreuk te maken op zijn waardevolle tijd. Dus deed hij precies wat hij van plan was geweest: hij reed naar York. Daar heeft Ramsden hem vermoord.

Alles was keurig van tevoren uitgedacht en wellicht zelfs geoefend. Ramsden had al plastic zeil op de vloer liggen, omdat hij zijn woonkamer aan het schilderen was. Hij sloeg Steadman van achteren met een hamer op zijn hoofd, wikkelde zijn lichaam in het zeil, gooide het in de kofferbak van Steadmans eigen auto, reed ermee naar Crow Scar en begroef hem daar. Hij kon hem niet in het plastic begraven, omdat hij daarmee zichzelf kon verraden, maar hij heeft ons verteld waar hij het zeil heeft verstopt en we hebben het opgegraven.'

Penny liet haar hoofd in haar handen zakken en Barker sloeg zijn armen om haar heen.

'Het spijt me, Penny,' zei Banks. 'Ik weet dat het hard klinkt, maar dat was het ook.'

Penny knikte, nam een slokje en pakte een sigaret. 'Ik begrijp het,' zei ze. 'U kunt er ook niets aan doen. Het spijt me dat ik zo'n huilebalk ben. Het is alleen zo'n enorme schok. Gaat u toch verder.'

'Het was ver na middernacht en het dorp was helemaal verlaten. Hij zette Steadmans auto terug op het parkeerterrein, liep via de begraafplaats en over de beek terug, en reed met zijn eigen auto terug naar huis. Hij hoefde er alleen nog maar voor te zorgen dat hij onderweg niet werd aangehouden, maar dat lag op de route die hij had uitgekozen niet voor de hand. Zoals ik al zei, is alles zorgvuldig uitgedacht, zodat de verdenking niet op Ramsden en Emma Steadman zou vallen, de twee personen die het beste motief hadden. Het kwam hen zelfs goed van pas dat Steadmans auto een beige Sierra was. Die komen hier in de omgeving heel veel voor. Ik heb gisteren zelf een kijkje genomen op het parkeerterrein en er alleen daar al drie zien staan. Bovendien zijn er verschillende auto's die er veel op lijken, vooral bij slecht licht, de Allegro bijvoorbeeld. Natuurlijk waren er kleine risico's aan verbonden, maar er stond dan ook verdomd veel op het spel. Het was het waard.'

'En Sally?' vroeg Sandra. 'Wat was haar rol hierin?'

'Ze speelde juist helemaal geen rol in het geheel,' zei Banks. 'Ze was gewoon een onschuldige toeschouwer met een te goed geheugen voor haar eigen bestwil. Net als Penny.'

'Datzelfde had mij dus net zo goed ook kunnen overkomen,' mompelde Penny.

'Inderdaad,' zei Banks. 'En in tegenstelling tot wat je denkt, had Emma Ramsden er echt wel van weten te overtuigen dat het noodzakelijk was om jou uit de weg te ruimen. Waarschijnlijk had ze het zelf moeten doen, maar hij zou haar niet hebben tegengehouden. Hij zat er al tot aan zijn oren in.'

'U zei dat hij bijna blij was toen u arriveerde,' zei Penny.

'Ja, op een bepaalde manier wel. Het was afgelopen; hij was vrij. Ik geloof echt dat hij opgelucht was. Goed, volgens Ramsden zei Sally dat ze Emma en hem samen had gezien in Leeds. Ze waren zo voorzichtig geweest. Ze waren bewust nooit in York of Eastvale uitgegaan, maar Leeds had zo veilig geleken. Steadmans voormalige collega's zouden Emma nooit hebben herkend en bovendien wist zij precies welke plekken ze moest vermijden om hen niet tegen het lijf te lopen. Sally was daar toevallig met haar vriendje. Ik heb hem nogmaals gesproken. Hij heeft me verteld dat ze één keer met een van een vriend geleende auto naar Leeds zijn geweest en dat Sally hem toen vrij ruw een pub − Whitelock's − uit sleurde, omdat ze iemand zag die ze kende. Het drong indertijd niet tot haar door wie het was. Ze vond het belangrijker dat Ramsden haar niet zag en schonk niet echt aandacht aan degene die hij bij zich had. Ik vermoed dat Kevin en zij regelmatig pubs bezochten. Sally kon weliswaar gemakkelijk voor achttien doorgaan, maar was wel degelijk minderjarig en kon zich dus niet veroorloven om te worden betrapt.

De meeste mensen zouden gewoon hebben gedacht dat Michael Ramsden een knappe vriendin had opgescharreld en ik ben ervan overtuigd dat Sally dat ook dacht, totdat de gebeurtenissen in Helmthorpe haar ertoe aanzetten om dergelijke kleine dingen opnieuw tegen het licht te houden. Ze was opmerkzaam en fantasierijk. Ik begreep echter pas hoe Sally in het geheel paste nadat ik erin was geslaagd om een verband te leggen tussen Emma en Ramsden. Toen ik haar sprak, was het me al opgevallen dat ze voor iemand van haar leeftijd erg behendig was met make-up; daarnaast was ze geïnteresseerd in acteren en toneel. Ze had Ramsden in Leeds met een knappe vrouw gezien en was dit volkomen vergeten, totdat het beeld weer opdook toen ze in gedachten de zaak-Steadman doornam, misschien wel bij de begrafenis, toen ze genoeg tijd had om te kijken wat iedereen aanhad en hoe ze eruitzagen. Ik was er ook bij en het viel me op dat ze ons allemaal aandachtig gadesloeg, ook al zei het me op dat moment allemaal niets. Op een of andere manier schoot het haar weer te binnen en ze raakte ervan overtuigd dat de vrouw met wie ze Ramsden had gezien Emma moest zijn geweest, zorgvuldig opgemaakt en al. Dus belde Sally haar op.

Daarmee beging ze een grote fout. Emma Steadman vertelde Ramsden later dat Sally aan de telefoon over *Woeste hoogten* had doorgerateld en blijkbaar dacht dat Ramsden Harold Steadman had vermoord, zodat hij met Emma kon trouwen en zo het huis en het geld in handen zou krijgen. Sally was ervan overtuigd dat Ramsden Emma ook zou vermoorden. Ze leek te denken dat de Ramsdens waren verpauperd en dat Ramsden Steadman ongetwijfeld enorm haatte, omdat deze het huis van zijn ouders had gekocht en de boel had overgenomen. Ze stelde voor dat ze elkaar in het geheim ergens zouden ontmoeten om alles te bespreken en te kijken of ze samen een oplossing konden bedenken voor de situatie. Ze dacht dat ze samen de zaak konden oplossen en de politie het nakijken geven. Emma was doodsbang voor alles wat op een verband tussen haar en Ramsden kon duiden, dus vermoordde ze het meisje.'

'Heeft Emma Sally Lumb vermoord?' vroeg Penny verdwaasd.

'Ja. Op vrijdagavond bij de brug. Ze verstopte het lichaam onder de brug – het water stond toen nog erg laag – en bedekte het met een laagje stenen.'

'Maar waarom is Sally in godsnaam naar die afspraak gegaan?' vroeg Barker. 'Ze moet toch hebben beseft dat het gevaarlijk kon zijn.'

'Totaal niet. Voorzover Sally wist, had ze Emma alleen maar gewaarschuwd en haar leven gered. Trouwens, zelfs als ze twijfelde, was ze nog gegaan; vraag maar aan Penny. Zij stond op het punt om vrijwel hetzelfde te doen en had nooit de mogelijkheid overwogen dat Ramsden haar iets zou aandoen.'

'Dat was iets heel anders,' wierp Penny tegen. 'Ik kende Michael al mijn hele leven. Ik wist dat hij me niets zou doen, zelfs niet als wat ik dacht waar was.'

'Iemand zou je iets hebben aangedaan,' antwoordde Banks. 'Aan de wetenschap dat je wat Michael betreft gelijk had, had je niets gehad wanneer je door Emma werd vermoord. Dan had het voor jou immers niets meer uitgemaakt wie het had gedaan, is het wel?'

'Dan zou het alleen voor de politie iets hebben uitgemaakt, neem ik aan.'

'Dat zie je verkeerd,' zei Banks. Hij boog zich een stukje voorover en staarde haar recht in de ogen. 'Het maakt voor iedereen iets uit, behalve voor het slachtoffer. Moord is een misdaad die nooit meer kan worden rechtgezet. Het verstoort het evenwicht. Doden kunnen niet worden teruggebracht, zoals dat met gestolen goederen wel kan; de dood herstelt zich niet, zoals fysieke of emotionele littekens die door een aanranding of verkrachting worden nagelaten. Het is definitief. Het einde. Sally Lumb maakte een fout en daarom is ze nu dood.'

'Ze was het verkeerde boek aan het lezen,' zei Barker. 'En interpreteerde het ook nog eens verkeerd. Ze had *Madame Bovary* moeten lezen. Dat gaat over een vrouw die overweegt om haar man te vermoorden.'

Banks had *Madame Bovary* niet gelezen, maar maakte in gedachten een aantekening om dat alsnog zo snel mogelijk te doen. Toen de kelner weer opdook, waren Banks en Penny de enigen die nog iets wilden drinken.

Banks stak weer een sigaret op. 'Toen Emma Sally had vermoord, werd Ramsden pas echt bang,' zei hij. 'Het leven ging echter verder en er kwam geen bliksemschicht uit de hemel om hem te straffen. Toen begon Penny langzaam het een en ander te dagen. De rest weten jullie.'

Penny huiverde en trok haar sjaal strak om haar schouders.

'Emma Steadman had veel meer macht dan iemand van ons had kunnen denken,' zei Banks. 'Ook had ze een gedegen alibi voor het tijdstip waarop haar man was vermoord. Het was totaal onmogelijk dat zij dat kon hebben gedaan en hoewel ik even heb gespeeld met het idee dat ze iemand kon hebben ingehuurd, was dat niet echt waarschijnlijk. Brigadier Hatchley had gelijk, ze zou niet hebben geweten hoe ze met een huurmoordenaar in contact moest komen. En bovendien, als ze dat wel had gedaan, dan hield dat alleen maar in dat er nog iemand was die ze moest vrezen, iemand die haar kende en wist wat ze had gedaan. Ramsden was ideaal; Emma had hem in haar macht en hij had er zelf ook bij te winnen. Sally wist dat mevrouw Steadman het lichaam nooit naar Tavistocks weiland had kunnen dragen – nog een reden om niet bang voor haar te zijn – maar ze wist niet dat Ramsdens alibi perfect leek. Ik heb het haar in elk geval niet verteld en ik geloof niet dat iemand anders dat wel had gedaan.

Ik heb allerlei verkeerde combinaties de revue laten passeren,' zei hij tegen Penny. 'Steadman en jij, Ramsden en jij, Barker en jij. Heel even heb ik zelfs gedacht dat Ramsden en Steadman mogelijk een homoseksuele relatie hadden. Net als iedereen heb ook ik me door Emma Steadmans verslonsde uiterlijk in de luren laten leggen. Ik kon in haar gewoon geen gepassioneerde, sterke vrouw zien. Ik heb het niet eens geprobeerd. Terwijl ze juist de gevaarlijkste combinatie bezat: een gepassioneerd en berekenend karakter.'

'Wat heeft u dan uiteindelijk op haar spoor gezet?' vroeg Barker. 'Ik zou er in nog geen miljoen jaar op zijn gekomen.'

'Dat is de reden waarom u alleen boeken schrijft,' grapte Banks, 'en ik het echte werk voor mijn rekening neem.'

'Touché. Maar wat was het nu? Ik ben heel nieuwsgierig.'

'Vertelt u me eens, is u nooit iets vreemds opgevallen aan Emma Steadman?'

Barker dacht even diep na. 'Nee,' antwoordde hij toen. 'Niet echt. Ik zag haar eigenlijk amper. En de keren dat ik haar heb gezien, voelde ik me nooit op mijn gemak.'

'Waarom niet?'

'Dat weet ik niet. Er zijn vrouwen bij wie je dat zo hebt.'

'Dat hebt u me niet verteld toen ik u naar haar vroeg.'

'Ik heb er nooit eerder bij stilgestaan, totdat u het zo-even vroeg,' zei Barker. 'Trouwens, wat voor verschil zou dat hebben uitgemaakt?'

'Geen enkel, vermoed ik,' gaf Banks toe. 'Alleen voelde ik me bij haar ook niet echt op mijn gemak. Claustrofobisch haast. Het was een instinctieve reactie en ik had beter moeten weten.'

'Wat betekende dat dan?' vroeg Barker.

'Dit is natuurlijk allemaal achteraf gesproken,' zei Banks, 'dus ik had er niets aan totdat het al te laat was, maar ik vermoed dat ik onbewust reageerde op haar seksuele aantrekkingskracht, terwijl haar uiterlijk me juist tegenstond. Ik kon niet accepteren dat ik me tot haar voelde aangetrokken, dus kampte ik met afkeer, walging. Het lijkt misschien dom, maar ik keek niet verder dan de buitenkant. Dat was echter pas het laatste stukje dat op zijn plaats viel. Eerst was er een opmerking van Darnley in Leeds, die ik me met de beste wil van de wereld niet kon herinneren. Het was zo'n losse, nonchalante opmerking die je gemakkelijk over het hoofd ziet.'

'Wat zei hij dan?' vroeg Penny.

'Hij zei dat Emma in Leeds aanvankelijk een knap jong ding was geweest. Uiteraard zei dat me op dat moment helemaal niets. Toen verdween Sally. Ik vermoedde dat het op een of andere manier verband hield met de zaak-Steadman, maar het hoe en waarom ontging me volledig. Ik wist dat ze geïnteresseerd was in toneel, maar het was onmogelijk om van die wetenschap de stap te zetten naar de gedachte dat Michael Ramsden de moordenaar van Steadman was. Bovendien zocht ik druk in alle richtingen, behalve de juiste. Ik heb me ook door Emma's alibi laten verblinden.

Uiteindelijk was het Sandra die me vertelde dat ze Emma had gezien en dat het haar was opgevallen dat ze nog altijd een prachtig figuur had. Toen vielen de stukjes langzaam op hun plek: een knap jong ding, Sally's behendigheid met make-up – waarbij het op de keeper beschouwd puur en alleen draait om het veranderen van het uiterlijk – en Emma Steadman die in wezen nog altijd een aantrekkelijke vrouw is. Bovendien had ze me verteld dat ze bij een amateurtoneelgezelschap had gespeeld. Toen ik nadacht over wat ik van anderen over Emma had gehoord, drong het tot me door dat niemand ooit had gezegd dat ze aantrekkelijk was. Penny zou dat natuurlijk nooit doen – ik denk dat jij Emma net als haar man nooit goed hebt bekeken – en Jack kende haar toen nog niet. Ramsden heeft evenmin ooit gezegd dat ze knap was en dat was natuurlijk wel vreemd. Ik dacht aan Ramsden die die zomer zo vaak alleen met haar was geweest en die zo plotseling zijn belangstelling voor Penny had verloren. Ik had hem de hele tijd al als een lusteloze jongeling gezien, maar het heeft heel lang geduurd voordat ik Emma Steadman als een *belle dame* ging zien. Mijn beeld van het verleden klopte niet, zoals dat bij Steadman volgens Teddy Hackett ook het geval was geweest, en verder zag iedereen die zomer door een roze bril. Eerlijk gezegd werd die hele periode gekenschetst door verlangen, hebzucht, bedrog, overspel, was het eigenlijk amper een idylle te noemen. Zelfs Sally had het verkeerd.

Toen ik al die vragen stelde, zag ik daarbij nooit Ramsden en Emma voor me, maar het was gemakkelijk om alles wat ik had gehoord in het licht van het nieuwe perspectief te bezien. Toen ik eenmaal zover was, deed zich een nieuwe mogelijkheid voor. Dat twee mensen hadden samengewerkt bij de moord op Steadman, terwijl ze allebei een waterdicht alibi leken te hebben.

Als Sally Ramsden samen had gezien met Emma in de gedaante van sexy verleidster in plaats van alledaagse huisvrouw, vormde het meisje een bedreiging voor haar. Eenmaal op dat punt aangekomen hoefde ik alleen maar door te zetten en iets harder aan te dringen. Ik wist dat ik eindelijk op de goede weg zat. Alleen pakte het anders uit.'

'U was er in elk geval volledig van overtuigd dat u het wat Harry en mij bij het juiste eind had,' zei Penny.

'Dat klopt,' zei Banks. 'Misschien had ik de combinatie Ramsden-Emma niet over het hoofd mogen zien. Dat is achteraf echter gemakkelijk praten. Telkens als ik aan die zomer dacht, wist ik zeker dat er iets ontbrak, dus ging ik ervan uit dat mensen tegen me hadden gelogen en dingen voor me hadden achtergehouden. Dat was niet zo. Wat jou betreft was alles precies gegaan zoals je het me had verteld. Bijna alles.'

'Je moet het jezelf maar niet kwalijk nemen,' zei Sandra tegen hem met een knipoog naar Penny. 'Je bent tenslotte een man.'

'Daar drink ik op,' zei Penny. Ze hief haar glas op en stootte Jack Barker plagend aan.

Hoewel Banks meedeed met de toast en het gesprek dat daarna voortkabbelde, werden zijn gedachten in beslag genomen door zijn schuldgevoel jegens Sally Lumb, die door de uiterlijke schijn had heen geprikt, maar daarachter slechts een andere romantische illusie had aangetroffen. Het laatste zonlicht was inmiddels verdwenen en boven hen lag Crow Scar te glanzen als een bot in het schijnsel van de rijzende maan.

Het Yorkshire van Peter Robinson, een interview

Door Ine Jacet

De in Canada woonachtige Britse auteur Peter Robinson debuteerde in 1987 met *Gallows View* (*Stille blik*, 2005) waarin de eigenzinnige inspecteur Alan Banks voor het eerst zijn opwachting maakte. Het was meteen een succes. Het boek belandde op de shortlists voor de Beste Debuutroman in Canada en de John Creasey Award in Engeland. Sindsdien levert Robinson bijna elk jaar een nieuw boek af in de populaire Inspecteur Banks-serie. Toch duurde het bijna vijftien jaar voordat wij in Nederland kennis konden maken met de eigenzinnige inspecteur. In 2002 verscheen *Nasleep*, eigenlijk het twaalfde deel in de serie. En niet zonder succes, want sindsdien volgden meer titels en nu is *Nachtlicht* verschenen, oorspronkelijk het tweede deel uit de serie.

Alle Inspecteur Banks-verhalen spelen zich af in Yorkshire, de geboortegrond van deze – al ruim dertig jaar – in Canada woonachtige Britse auteur.

De regio Yorkshire ligt in het noorden van Engeland. In het centrum bevindt zich de historische stad York. Andere bekende grote steden zijn Leeds en Sheffield. Yorkshire wordt geroemd om zijn uitgestrekte natuurgebieden zoals de Yorkshire Dales en de North York Moors. Twee dunbevolkte gebieden met weidse landschappen en idyllische stadjes en dorpjes. Dit is de geboortegrond van Peter Robinson, die in 1950 in Leeds werd geboren en er zijn jeugd doorbracht. Vanwege zijn studie en werk verhuisde hij naar Canada waar hij nu alweer ruim 30 jaar woont. Zijn boeken met inspecteur Alan Banks in de hoofdrol spelen zich nog steeds af in Yorkshire. Tijd voor een interview met Peter Robinson over zijn geliefde Yorkshire.

Hoewel *A Dedicated Man* (1988) (*Nachtlicht*, 2005) als tweede boek verscheen in de Banks-serie was het wel het eerste boek dat Peter Robinson schreef. 'Ik heb *Gallows View* (*Stille blik*) geschreven in de tijd dat ik in afwachting was van het besluit van de uitgever om *A Dedicated Man* te publiceren. Uiteindelijk kreeg ik voor beide boeken een contract. Men wilde *Gallows View* graag als eerste op de markt brengen omdat het verhaal sensationeler was en omdat er meer seks en geweld in voorkwam. Ik heb toegestemd omdat ik ontzettend blij was met het contract. Vervolgens moest ik de chronologie in de boeken een beetje veranderen, maar dat was vrij eenvoudig.'

Peter Robinson vindt Yorkshire de perfecte locatie voor zijn boeken.
'Ik ben er opgegroeid en deze jaren zijn de belangrijkste in een mensenleven. Ik was nog niet zo lang in Canada toen ik met de Inspecteur Banksserie begon en wist nog relatief weinig van het land. Dit in tegenstelling tot Yorkshire, mijn geboortegrond. Ik had het gevoel dat ik er nog niet genoeg thuis was om Canada als achtergrond voor mijn boeken te gebruiken. Toen de serie succesvol bleek, vond ik het vreemd om de hoofdpersoon naar een ander land te laten verhuizen.'
Aanvankelijk wilde Robinson graag schrijven in de Engelse traditie van auteurs als P.D. James, Ruth Rendell, Reginald Hill en Colin Dexter. Is dit misschien in de loop der jaren veranderd en zijn momenteel meer Canadese invloeden zichtbaar?
'Ik denk dat ik nog steeds schrijf in de Engelse traditie. Ik realiseer me dat het wonen in Toronto een bepaalde afstand geeft, waardoor een meer objectieve kijk ontstaat op Yorkshire en het gebied waar ik geboren ben. Veel Canadese schrijvers zijn immigranten en schrijven over hun geboortegrond, terwijl ze in Canada woonachtig zijn. Voor sommigen is dat India of een ander land, voor mij is dat Yorkshire.'
De schrijver doet zijn best om goed op de hoogte te blijven van wat er in Yorkshire gebeurt. 'Ik ga zeker twee tot drie keer per jaar terug, verder e-mail ik veel, lees ik kranten en kijk ik naar de Britse televisie. Daarnaast bestaat er tegenwoordig internet, dat is ook een uitkomst, maar je kunt niet alles geloven wat je daar leest. Dus blijven de bezoeken aan familie, de correspondentie met vrienden en het lezen van kranten een welkome aanvulling.'
Peter Robinson gelooft in een citaat van Graham Greene, één van zijn favoriete schrijvers, dat luidt: 'Van schrijvers wordt altijd gezegd dat de eerste twintig jaar van hun leven de ervaringen vormen. De rest is observatie.
Wezenlijke zaken in het leven zoals normen, waarden, belangrijke thema's of obsessies, worden al vroeg in een leven gevormd. We doen ze op in een bepaald geografisch gebied en dat noemen we dan onze "roots". Daarna verandert er nog wel het een en ander, maar dat is minder fundamenteel. De dagelijkse realiteit blijft zich natuurlijk aandienen. Je probeert bij te blij-

ven op het gebied van de techniek zoals bijvoorbeeld de mobiele telefoon. Dat krijgt een plek binnen het kader dat er al was. Daarnaast dienen zich allerlei andere maatschappelijke ontwikkelingen aan zoals vorderingen op het gebied van DNA-onderzoek of de opkomst van terrorisme. Uiteraard moet ook dat een plek krijgen. Graham Greene heeft de hele wereld als locatie voor zijn boeken gekozen. Sommige plaatsen heeft hij maar heel kort bezocht. Wat zijn boeken zo bijzonder maakt, is dat er eenheid van thematiek is binnen zijn verhalen.'

Robinson beschrijft in zijn boeken dorpen en stadjes zoals Eastvale, Swainsdale of Crow Star. In werkelijkheid bestaan ze niet. De Hableton Hills en de North York Moors daarentegen wel. Hoe vermengt de auteur de realiteit met zijn eigen fantasie?
'Alle stadjes en dorpen bestaan in mijn fantasie en zijn gebaseerd op de werkelijkheid. Ik verschuif ze op de landkaart en geef ze een andere naam. Hierdoor word ik geen slaaf van de geografische kaart en de realiteit. Ik kan iedere lezer meenemen naar de plekken die ik beschrijf. Ze bestaan, maar liggen in werkelijkheid elders.'
In het begin van de Inspecteur Banks-serie kreeg de auteur niet veel reacties van mensen uit Yorkshire. 'Na het verschijnen van *In a Dry Season* (1999) (*Verdronken verleden*, 2004) is dit veranderd. De reacties zijn overwegend positief. Incidenteel wijst een lezer mij op het feit dat een auto een bepaalde straat niet in kan rijden omdat het eenrichtingsverkeer is. Over het algemeen heb ik de indruk dat de lezers uit Yorkshire graag lezen over "mijn" Yorkshire.'
Peter Robinson waardeert het gevarieerde landschap. 'Met steden zoals Leeds, waar ik opgegroeid ben. Daarnaast zijn er The Dales. Ik geniet van beide. De inwoners hebben een bepaald soort aards, droog gevoel voor humor, deels verworven door het feit dat ze "underdogs" waren. Ze hebben een gezonde weerstand tegen hypes en een diep geworteld gevoel van eigenheid. Dit komt ook doordat ze nogal ver van Londen verwijderd zijn.'
'*Once a Yorkshire man, always a Yorkshire man*' is een uitspraak die de auteur van harte onderschrijft. 'Je kunt een jongen wel uit Yorkshire weghalen, maar je kunt Yorkshire nooit uit een jongen halen.'
De verhalen over Banks schrijft de auteur zowel in Canada als in Yorkshire.

'Ik ben onlangs vijf weken in Richmond geweest dat model staat voor East-vale en daar heb ik veel geschreven. Ik zou dat graag vaker willen doen en gedurende langere periodes.'

Peter Robinson heeft geen plannen om zich weer definitief in zijn geboor-testreek te vestigen. 'Je kunt niet terug gaan naar huis, wordt wel eens ge-zegd. Het zal nooit meer dezelfde plek zijn als waar je bent opgegroeid. Ik hoop wel dat ik daar steeds meer tijd kan doorbrengen.'

Een heel ander thema: The Yorkshire Ripper. Eind jaren '70 en begin jaren '80 leefden vrouwen in het noorden van Engeland jarenlang in grote angst voor een seriemoordenaar die bekendstond als 'The Yorkshire Rip-per' of 'Wearside Jack'. In 1982 werd hij uiteindelijk opgepakt en bleek het te gaan om Peter William Sutcliffe. Hij had dertien vrouwen vermoord en zeven bijna dood achtergelaten. Het was een gebeurtenis die in Yorkshire veel opschudding en angst veroorzaakte.

Peter Robinson kan zich deze tijd nog heel goed herinneren. 'Mijn moeder en zus waren erg bang om het huis uit te gaan. Een van Sutcliffe's slacht-offers werd in de buurt van de universiteit gevonden. Zelf had ik destijds een vriendin die daar woonde. Mijn vader is eens aangehouden toen hij mijn moeder wilde ophalen in Chapeltown. Daar had Sutcliffe eerder toe-geslagen. De politie kwam bij mensen aan huis en controleerde alibi's van mannen. Dit alles had uiteraard een grote impact. Later bleek ook dat de afstemming tussen de verschillende politiecorpsen niet goed was.'

Peter Robinson doet geen onderzoek naar criminaliteit in Yorkshire. 'Ik probeer wel te volgen wat er zoal gebeurt. Natuurlijk was ik ernstig ge-schokt door de gebeurtenissen in juli 2005 in Londen en de aanhouding van terroristen in Leeds. Mijn boeken gaan meestal meer over lokale en kleinere misdaden. Uiteraard is niemand immuun voor grote wereldge-beurtenissen en ik leg hiermee graag verbanden. Yorkshire heeft echter ook zijn eigen geschiedenis die voor mij interessant is. Zo vond ik het bij-voorbeeld heel leerzaam om me te verdiepen in de gebeurtenissen in Yorkshire tijdens de Tweede Wereldoorlog.' (*In a Dry* Season/ *Verdronken ver-leden*, 2004)

Banks gaat in *The Hanging Valley* (1989) (nog niet vertaald) een keer naar To-ronto. Dat gaat niet nogmaals gebeuren volgens de auteur. 'Dat moet je niet nog een keer willen. Ik vond het prettig om een keer over Canada te schrijven, maar ik ga dat niet weer doen omdat het niet geloofwaardig is.'

Peter Robinson schrijft ondertussen aan zijn zestiende boek over inspecteur Banks.

Aan het eind van het interview benadrukt hij dat *A Dedicated Man* (*Nachtlicht*, 2005) het eerste boek was dat hij over Banks schreef. Het is het minst gewelddadige, het meest 'kleine' en landelijke boek van de hele serie. 'Ik heb een zwak voor dit boek, ook voor de karakters, en Penny Cartwright komt terug in de vijftiende Banks, S*trange Affair* (*Drijfzand*, 2005).'

Lees nu ook alvast het eerste hoofdstuk van de literaire thriller Rozengif van Mirjam Pressler

Ik heb haar 's nachts van de straat opgeraapt, uit medelijden, zoals ik mezelf lang heb geprobeerd wijs te maken, zoals je misschien een uitgehongerde zwerfhond meeneemt en jezelf wijsmaakt dat je dat uit medelijden hebt gedaan, tot de hond in de hand bijt die hem wil aaien en dan pas merk je dat je liefde of aanhankelijkheid wilde, of op zijn minst dankbaarheid.

Het was een erg donkere nacht voor begin maart, grijs bewolkt, er was geen ster te zien, alleen de maan dook af en toe als een lichte vlek achter een wegdrijvende wolk tevoorschijn, wazig als achter een ruit van melkglas. Het had geregend, de straat lag als een zwart lint omzoomd met grijze trottoirtegels voor me, het plaveisel van de stoep glansde nat in het licht van mijn koplampen. Ik was bij een verkeerslicht een zijstraat ingeslagen die zelfs overdag vrij rustig is, een kleine omweg die echter, zo leek mij, het gevaar reduceerde om in een politiecontrole terecht te komen, die in die weken veel werden gehouden. Ik was op de terugweg van een feestelijke receptie die de uitgever ter ere van mij had gegeven, mijn nieuwe roman was net uit, er waren recensenten uitgenodigd, boekhandelaren, journalisten, je weet tenslotte wie er waren, het was de avond waarop ook wij elkaar voor het eerst hebben ontmoet, jij en ik, zonder dat ik had kunnen vermoeden welke rol jij ooit in mijn leven zou spelen. Een vrouw van de distributie-afdeling had je meegenomen en ik weet nog dat ik dacht: wat een leuke mengeling tussen latin lover en sint-bernard, we kletsten zelfs wat met elkaar, zoals je nu eenmaal doet bij dergelijke gelegenheden, en waarschijnlijk wisten we allebei een halfuur later al niet meer waarover, maar ik vond je toen al leuk, dat geef ik meteen toe.

Ik zat dus in mijn auto, ik was goedgehumeurd, had wat wijn gedronken, misschien zelfs een glaasje te veel – de wijn was uitstekend, de uitgeverij had flink uitgepakt – en ik voelde me goed, helemaal verzadigd van het eten, het drinken en de vele complimenteuze, ongetwijfeld al te complimenteuze woorden die bij dergelijke gelegenheden worden gesproken, en verheugde me op mijn bed, ik heb altijd al van mijn bed gehouden, en des te meer naarmate het weer kouder en guurder is. Ik had de verwarming iets hoger gezet en lette erop niet te snel te rijden, maar ook weer niet opvallend langzaam, omdat ik het me niet kon permitteren om op te vallen en gecontroleerd te worden, toen ik ineens aan het einde van de straat, midden in de bocht, twee figuren zag, plomp, met kleine kopjes en spillebenen, die zich voor een verlichte etalage, waarvan ik pas later zag dat die van een winkel in sanitair was, als schaduwfiguren bewogen, naar elkaar toe, van elkaar af, naar elkaar toe, niet eens erg snel, eerder vertraagd. Maar misschien lag die vertraging aan mij, want ik reed onwillekeurig langzamer, naderde hen stapvoets en dacht: bewegende silhouetten, wat een prachtig nachtelijk straattheater, een privé-voorstelling voor mij alleen, de enige toeschouwer. Toen, ik was misschien nog twintig, dertig meter bij hen vandaan, werden de silhouetten langzaam driedimensionaal, hun bewegingen verloren de vertraging en datgene wat mij aanvankelijk speels had geleken, fantastisch, bleek ineens grof geweld te zijn, het schimmenspel werd een gevecht tussen twee mensen, een man en een vrouw, bijna even groot, allebei gekleed in een dik winterjack op een strakke zwarte broek.

Mijn eerste impuls was door te rijden, snel voorbij, niet kijken, ieder normaal mens zou zo hebben gereageerd, want wat ging het mij aan, ze zouden wel een reden hebben elkaar af te ranselen, tuig onder elkaar. Niet mee bemoeien, zei ik tegen mezelf, daar in de auto, en ik wilde eigenlijk flink gas geven, maar zoals dat gaat met zinnen met 'eigenlijk', mijn rechtervoet gehoorzaamde niet, gleed onwillekeurig naar de rem en de auto stond al stil en ik stond buiten, schreeuwde: 'Stop, ophouden, nu meteen!' en zag dat de man verbaasd zijn hoofd in mijn richting draaide, een moment maar en zonder zijn opgeheven armen te laten zakken. 'Bemoei je er niet mee,' riep hij, 'dat gaat je niks aan!' en eigenlijk had hij daar gelijk in, het liefst was ik meteen weer teruggelopen naar mijn auto, want ik was gewoon bang, zoals altijd als ik geconfronteerd word met geweld, maar tegelijkertijd voelde ik een fascinatie waarvan ik zelf niet wist waar die vandaan kwam, het zal dezelfde fascinatie zijn geweest die automobilisten tot aapjeskijkers maakt wanneer ze langs een plaats rijden waar een ongeluk is gebeurd. Ophouden, wilde ik nogmaals roepen, maar het woord bleef in mijn keel steken, verwerd tot een kokhalzen toen zijn vuist met volle kracht tegen de vrouw knalde, die haar handen voor haar gezicht sloeg en geluidloos in elkaar zakte. Het tafereel kwam me zo onwerkelijk voor en tegelijkertijd zo vertrouwd, alsof ik het al vaker had meegemaakt, en toen wist ik ineens waar ik het van kende, uit misdaadfilms natuurlijk, waar ze er onvermijdelijk bij horen, meestal begeleid door theatrale muziek. Maar dit hier speelde zich geluidloos af en was echt, net zo echt als de misselijkheid die in mij opkwam en die ik nog maar net kon onderdrukken.

Ik strompelde op mijn hoge hakken naar de vrouw toe, langs de man heen, die achteruit was geweken, en de tijd die ik voor die paar stappen nodig had, kwam me langer voor dan hij in werkelijkheid kan zijn geweest. Ik knielde naast haar neer. Ze zag er jong uit, heel jong, zoals ze daar lag, bijna nog een kind, en haar gezicht, half opzij gedraaid en met gesloten ogen, contrasteerde licht en mat tegen de regenduistere stenen, omlijst door kortgeknipt, heel licht haar, nog lichter dan het mijne, en de enige gekleurde strepen waren het bloed dat opvallend snel uit haar neus liep en op het plaveisel druppelde. Ik woelde in mijn jaszak naar een papieren zakdoekje en wreef over haar gezicht, maar ik gaf het meteen op, het bloed was niet te stelpen. De kou drong door mijn dunne kousen heen, mijn knieën werden nat, ik voelde me hulpeloos en op de een of andere manier misplaatst, wat had ik hier te zoeken? Ik wilde al naar mijn auto lopen om met mijn mobieltje een ambulance te bellen, toen het meisje haar hoofd naar me toe draaide en haar ogen opendeed, grauw als de nachtelijke hemel boven ons, en zei, terwijl ze met haar hand het bloed uit haar gezicht veegde: 'Laat me met rust, wil je.'

Voor het eerst hoorde ik haar stem, die een beetje rauw klonk, maar het was niet de rauwe toon die een stem krijgt van onderdrukte emoties, ze luisterde volstrekt onverschillig naar zichzelf, onaangedaan, bijna verveeld, maar ze meende het, dat was mij duidelijk. Waarom heb ik dat genegeerd, waarom heb ik haar niet met rust gelaten, dat wilde ze toch zelf? Ik had toch kunnen opstaan en weggaan, maar ik deed het niet, ik bleef naast haar gehurkt op de koude stenen zitten, tot niets anders in staat, en hoewel ik gewoonlijk toeval en noodlot niet met elkaar verwar, had ik het gevoel dat ik een noodlottig moment beleefde, ook al is dat een formulering die me nu pas invalt en wellicht is het alleen maar een interpretatie achteraf van een gevoel van onbehagen dat ik destijds voelde, ik kan me althans niet voorstellen dat ik het niet gevoeld heb. Maar die avond, die nacht leek alles wat ik deed zo vanzelfsprekend als ademhalen en zo correct als een handdruk wanneer iemand zijn hand uitsteekt.

'Heb je ergens pijn?' vroeg ik. Het vertrouwelijke 'je' stond me tegen, wat had ik met haar te maken dat ik 'je' tegen haar zou zeggen, ik had liever 'u' tegen haar gezegd, hoewel ze er jong uitzag, 'u' schept een zekere afstand waar ik gewoonlijk de voorkeur aan geef, maar 'u' tegen haar zeggen nadat zij 'je' tegen mij had gezegd, dat leek me nog veel ongepaster. 'Heb je ergens pijn,' vroeg ik daarom, 'moet ik een ambulance bellen?' Ik schoof mijn arm onder haar rug om haar overeind te helpen.

Ze balde haar hand, een kleine witte hand met korte kindervingers, en duwde met haar vuist tegen mijn borst, en hoewel die beweging er zo zwak uitzag, zo onbeholpen en hulpeloos, de duw was wel zo krachtig dat ik opzij viel en me nog net op mijn hand kon steunen, anders was ik languit op de smerige stoep gevallen. Ze legde haar arm over haar gezicht, misschien om zichzelf tegen mijn blikken te beschermen, of anders om iets voor mij te verbergen, verlegenheid, schaamte of zoiets, haar arm in de dikke mouw vormde een donkere driehoek waarvan de spits haar haaraanzet bedekte. 'Rot op,' zei ze met een stem die gedempt werd door het gewicht van haar arm, maar nog net zo onverschillig als daarvoor, rot op, en toen ik niet reageerde zei ze nog een keer: 'Laat me met rust, wil je', maar deze keer zo zacht dat ik haar bijna niet verstond.

Later heb ik me vaak afgevraagd waarom ik toen naast haar ben blijven zitten, maar een echt bevredigende reden heb ik nooit gevonden. Zulke dingen gebeuren nu eenmaal, mensen doen soms iets onverklaarbaars, gedragen zich anders dan je zou verwachten. En dat is ook goed zo, in mijn beroep als misdaadschrijfster ben ik net zo afhankelijk van dergelijke onverklaarbare en onverwachte afwijkingen van het gebruikelijke gedrag als van het toeval. Hoe zou ik anders een fatsoenlijke plot kunnen ontwikkelen, een boek moet het per slot van rekening hebben van de mengeling van het voorspelbare en het toeval, het bekende en het onbekende, dat is wat de lezer prikkelt en bij de les houdt, en een deel van mijn succes is waarschijnlijk te danken aan het feit dat ik die mengeling beheers. Bij het schrijven althans, want in de realiteit heb ik een voorkeur voor het bekende, het voorspelbare, van tevoren doordachte, dat behoedt je voor irritaties, het leven zelf is per slot van rekening al chaotisch genoeg, chaotisch en onheilspellend, je hoeft maar een krant op te slaan of de televisie aan te zetten om je daarvan te overtuigen. Ik bleef dus zitten, daar op de stoep, in mijn dunne kousen en hoge hakken, en hoewel ik een wollen jas over mijn duivenhalskleurige zijden jurk droeg, voelde ik de vochtige kou langs mijn wervelkolom omhoogkruipen en mij inwendig verstarren.

Ik draaide me om naar de man, wilde hem vragen mij te helpen, de situatie was per slot van rekening zijn schuld, zei ik tegen mezelf, en verder was er niemand tot wie ik me had kunnen wenden, maar hij had zich uit de voeten gemaakt, ik zag alleen nog zijn rug terwijl hij de straat uit liep in de richting waar ik vandaan was gekomen. Onder de lantaarns lichtten zijn blonde haren op als een messinghelm die het volgende moment weer werd gedempt door de duisternis, en hoe verder hij zich van mij verwijderde, hoe meer hij zijn menselijke gestalte verloor, hij werd een soort buitensporig grote kever met spartelende ledematen. In mijn herinnering leefde die man, die ik voor mezelf de vechtjas noemde, als schaduw voort, eerst als silhouet en profil, zoals silhouetten nu eenmaal meestal zijn, en daarna, van achteren, als een plomp insect. Ik had geen idee hoe hij eruitzag, want toen hij mij zijn gezicht had toegekeerd, had ik het in het tegenlicht van de verlichte etalage niet kunnen onderscheiden, het was een oogloze, mondloze vlek geweest, alleen zijn stem was in mijn herinnering gebleven en zijn gelispelde s, zoals je soms bij kinderen hoort.

Ook nadat hij was verdwenen, bleef ik onbeweeglijk op het trottoir zitten. Ik had naar mijn warme auto kunnen gaan om de politie te bellen en te zeggen dat er daar en daar een gewonde persoon lag die zo te zien hulp nodig had, maar ik deed het niet. Ik draaide, zonder mijn hoofd te bewegen, mijn ogen naar rechts, bekeek een rolstoel en een toiletinstallatie voor gehandicapten en vroeg me af waarom in 's hemelsnaam een dergelijke etalage midden in de nacht verlicht was, zelfs overdag wilde ik zoiets niet zien, niemand wil dat, het wekt alleen maar angst op voor wat een mens allemaal kan overkomen en toen dacht ik aan mijn bed en kreeg het nog kouder. Op ons tweeën na, het meisje en mij, was de straat uitgestorven, en verbijsterd constateerde ik dat er al die tijd dat ik hier had gezeten niet één auto was langsgereden.

Ik bleef dus waar ik was en wachtte tot ze haar arm voor haar gezicht weghaalde en zei: 'Je bent er nog steeds.' Weer viel het me op hoe onverschillig haar stem klonk, de verbaasde toon die je eigenlijk zou verwachten bij die woorden, ontbrak. Ik gaf haar een zakdoekje, ze wreef ermee over haar neus, lippen en kin, scheurde, nog steeds liggend, twee stukjes van het bloederige papier af, verfrommelde ze tot kleine propjes en stopte die in haar neusgaten, net zoals mijn broer dat vroeger als kind altijd deed als hij was gevallen, en het zag er net zo onsmakelijk uit als bij hem. Ze kwam eindelijk overeind en toen, terwijl ze stond, bewoog ze eerst haar armen en daarna haar benen, alsof ze zich ervan wilde verzekeren dat haar ledematen nog intact waren en nog deden wat ze moesten doen. Nu stond ook ik op, stijf en half bevroren, en ik vroeg of ik haar ergens heen kon brengen. Ik weet nog precies dat ik 'ergens heen' zei, niet 'naar huis', alsof ik al wist dat ze geen thuis had, alsof het vanzelfsprekend was dat dit meisje zo ontheemd was als een zwerfkat.

Zonder te antwoorden pakte ze haar rugzak, donkerblauw, net als haar dikke, vormeloze jack, die onder de etalageruit op de grond lag en die ik nog niet had opgemerkt, en liep met me mee naar mijn auto, en pas toen ze al op de passagiersstoel zat en ik de motor had gestart en haar vragend aankeek, zei ze: 'Kan ik vannacht bij jou slapen?'

Daar was ik niet op bedacht, ik voelde me overrompeld. Als ze me dat eerder had gevraagd, nog op straat, had ik waarschijnlijk nee gezegd, zonder opgaaf van reden, ik zou de moeite nog niet hebben genomen om een smoes te verzinnen, maar nu zat ze al in mijn auto, zette als vanzelfsprekend de stoel een stukje achteruit, deed de veiligheidsgordel om, leunde achterover, zodat de proppen in haar neusgaten duidelijk te zien waren, de door de zakdoek versmeerde bloedsporen op haar wangen en kin, en deed haar ogen dicht zonder op mijn antwoord te wachten. Ze had mijn woning zogezegd al bezet en hield blijkbaar geen rekening met verzet van mijn kant, misschien wist ze ook wel dat het bijna onmogelijk is om verzet op te brengen tegenover gesloten ogen.

Ik nam haar mee naar huis, wat had ik anders moeten doen, want als je iemands leven redt, dan ben je voor altijd voor hem verantwoordelijk, zegt men, al zou dat eerder afschrikwekkend kunnen werken, persoonlijk zou ik althans, als die conclusie klopt, liever mijn hand afhakken dan hem uit te steken naar iemand die op het punt staat te verdrinken. Bovendien heb ik haar leven niet gered, natuurlijk niet, ik heb haar van de straat opgepikt, maar dat heeft natuurlijk ook wel iets van redden. Ik heb de bank in mijn werkkamer voor haar klaargemaakt, ze is de badkamer ingegaan en heeft gedoucht, en toen ze terugkwam, naakt op haar slipje na, zodat ik haar gepiercete navel zag, had ze de bloederige proppen uit haar neusgaten gehaald en rook ze naar mijn zeep.

Ik schrok toen ik haar zag. Zo had ze eruit kunnen zien, als het een meisje was geworden, zo lang en smal en licht, dat begreep ik meteen, al had ik altijd vermeden me haar anders voor te stellen dan als een vormeloos klompje, en ook nu schoof ik die gedachte meteen weg. Dit meisje was een vreemde. In het felle licht was duidelijk te zien hoe aangeslagen ze was, haar linkeroog was opgezwollen en zou ongetwijfeld blauw worden, ook op haar bovenarmen zag ik blauwe, zelfs al groengelig verkleurde plekken, maar ik zei niets, ik was te moe en ook te verward om een gesprek te beginnen. Ik pakte een pyjama voor haar van de bovenste plank in de kast, waar ze altijd nog lagen, ook al droeg ik zelf sinds een paar jaar alleen nog nachthemden, en toen ik hem haar aanreikte en zij hem aanpakte, kon ik de binnenkant van haar elleboog zien, waarin de huid zo zacht en wit was dat de aderen blauwig doorschemerden. Ze had geen naaldsporen. Voor mijn ogen trok ze de aardbeirode pyjama aan, waar ze er nog jonger in uitzag, en ik dacht: misschien is ze van huis weggelopen, eigenlijk had ik haar naar de politie moeten brengen, en toen dacht ik: morgen, dat kan wachten tot morgen, en ik keek toe terwijl ze op de bank ging liggen, tussen het slechts zelden gebruikte Zweeds blauwe logeerbeddenlinnen, en de deken half over haar gezicht trok, zodat alleen haar ogen, die er blauw en kinderlijk uitzagen, er nog onder vandaan kwamen en weer dacht ik: morgen, ze moet eerst maar eens slapen.

'Welterusten,' zei ik en ze mompelde iets wat je met een beetje goede wil als welterusten kon interpreteren. Ik bracht haar nog twee aspirines en een glas water, ze ging overeind zitten, slikte de tabletjes als een gehoorzaam kind door, dronk het glas leeg, liet zich weer achterovervallen en draaide zich naar de muur.

Ik deed zachtjes de deur dicht en ging naar mijn slaapkamer.

Hoewel ik, toen ik het feest verliet, heel moe was geweest, sliep ik die nacht bijna niet. Ik weet niet of dat kwam doordat voor het eerst in lange tijd er weer een vreemde in mijn woning was of omdat ik zo verbaasd was over mijn eigen gedrag. Het was zo volstrekt niets voor mij om een wildvreemde zomaar mee naar huis te nemen, ik ben geen Moeder Teresa, echt niet, andere mensen interesseren me niet bijzonder, in elk geval niet in die mate dat ik de behoefte heb om in hun leven in te grijpen. Ik ben gewend om voor mijn eigen welzijn te zorgen, daar heb ik veel routine, je zou bijna kunnen zeggen een zekere vaardigheid in verworven, en het paste zo volstrekt niet bij mijn karakter om blindelings in een of andere situatie verzeild te raken. Maar dat was precies wat me die avond was overkomen, en dat feit irriteerde me meer dan ik wilde toegeven. Ik geloof in elk geval niet dat ik me zorgen maakte of dat het een voorgevoel was dat mij uit de slaap hield, eerder angst om onverhoeds in een relatie terecht te zijn gekomen, en relaties zijn voor mij altijd problematisch geweest, vooral onverhoedse. In het begin kun je je nog wel van alles en nog wat inbeelden, maar hoe lang houdt dat stand, een paar weken, een paar maanden, hooguit een jaar, en met de illusie verdwijnt ook de hoop. Bij Robert, mijn eerste man, had het een jaar geduurd, alles wat daarna kwam was alleen nog maar een ondraaglijk lang uitgerekt heen en weer gezeur van verwijten en eisen en beloftes, waarbij je, zodra je ze uitsprak, al wist dat je je er niet aan zou houden, of beter gezegd, dat je niet eens van plan was je eraan te houden. De scheiding van Robert viel mij gemakkelijk, op een ochtend werd ik wakker en ik had het koud, hij had de deken van me afgetrokken, lag in de deken gerold met zijn rug naar me toe en ademde luidruchtig, en in de kamer hing, ondanks de kou, een duffe en onaangename geur. Waarom ben ik eigenlijk met hem getrouwd, dacht ik, en ik moest denken aan Madame Bovary, Anna Karenina, Effi Briest, die hadden dat ook gedacht, en ik dacht ook: zo kan het verder gaan, dag in dag uit, week in week uit, jaar in jaar uit. Misschien is dat wel wat men verstaat onder een normaal huwelijksleven, elke ochtend wakker worden met hetzelfde gevoel, en elke ochtend vechten tegen dit gevoel totdat het je is gelukt het te verdringen, en ineens wist ik dat ik dat niet wilde. Niet zo. Zo niet.

Daarna verliep het allemaal tamelijk probleemloos, we hadden geen kinderen, we waren financieel niet van elkaar afhankelijk – hij had zijn aanstelling als assistent aan de universiteit en ik had net mijn eerste misdaadroman gepubliceerd en droomde van een carrière (die nog kwam ook) – we sorteerden het gezamenlijk aangeschafte huisraad, hij nam de nieuwe televisie, ik de oude auto, hij de wasmachine, ik de stereo-installatie, hij de bank en de enige luie stoel die we bezaten, ik de keukentafel met de vier stoelen die ik niet veel later met het grofvuil meegaf. En ook alle andere kleine spullen deelden we op, ik wilde dit, hij wilde dat, dan ik weer en zo verder, en toen was het voorbij. Net twee kinderen die genoeg hebben van het samen spelen en dan hun spulletjes bij elkaar zoeken en uit elkaar gaan, zo was het, heel anders dan bij Thomas, mijn tweede man. Maar over hem kan ik nog niet praten, misschien vertel ik je dat een andere keer.

Na de scheiding van Robert leed ik in elk geval niet, mijn lijden bestond hooguit uit het gevoel dat ik niet leed, want dat verweet ik mezelf, het maakte mijn huwelijk achteraf bezien zo zinloos. Een paar doorhuilde nachten, een paar heftige gevoelsuitbarstingen zouden het geheel het cachet hebben gegeven van iets noodlottigs, groots, gepassioneerds, iets van drama, maar ik heb geen nacht huilend doorgebracht, ik was alleen maar opgelucht, ik had een last van me afgeworpen die nooit echt op me had gedrukt, en onze bruiloft, die we met wat vrienden – zijn vrienden, van mij was alleen Melanie erbij – in een Grieks restaurant hadden gevierd, werd in mijn herinnering een farce, een kindercarnaval, de uitgelaten vrolijkheid kreeg bruine vlekken, zoals een oude foto. Maar die gedachte kwam pas later bij me op, want ik was jong, en slechts sporadisch had ik het gevoel dat er iets bij mij niet klopte, dat niet ik het was die dit leven leidde, maar heel iemand anders – misschien mijn tweelingzus die vlak na onze geboorte was overleden, of een andere dochter die mijn ouders hadden kunnen hebben, verwant aan mij, maar niet ik – dat ik in werkelijkheid in een hoekje zat toe te kijken hoe ik leefde en wachtte tot er iets zou gebeuren, een ongeluk, een ramp, maar dat gevoel was slechts vluchtig en werd snel weer verdrongen door vleiende woorden, bewonderende blikken, gelach en luide muziek. En door het genoegen dat ik me veel comfort kon permitteren, niet alleen een nieuwe auto. Mijn boek werd verfilmd en mijn banksaldo nam toe, ik leefde met de dag, zoals dat heet, en dacht: zo is het dus, het leven. Ik vond het prima, en vooral gemakkelijk. Heel soms maar, totaal onverwacht, als een donderslag bij heldere hemel, overviel me het gevoel van een onontkoombare dreiging, misschien vergelijkbaar met een wesp in een wijnglas waar iemand een bierviltje op heeft gelegd, vlak voordat hij de uitzichtloosheid van zijn situatie inziet. Begrijp je, ik bedoel precies het moment waarop hij de zoetigheid opzuigt en nog niet weet dat het spoedig voorbij zal zijn met hem, voordat hij merkt dat er niet eens iemand is om te steken, om zijn vertwijfeling en wraakgevoelens op te kunnen botvieren.

Maar ik leerde deze plotselinge opwellingen te verdringen, ze af te doen als een idiote inval. Ik wist inmiddels allang dat je zo snel niet doodgaat, ik had geleerd om mijn leven als toeschouwer niet alleen te accepteren, maar het lief te hebben. Ik wilde geen grote emoties, ik aanschouwde ze liever bij andere mensen en maakte me geen zorgen. Geen opwinding, geen verwarring, geen geweld, geen onaangenaamheden, geen onbeheerste emoties, dat waren mijn principes, en eventuele neigingen in een andere richting kon ik moeiteloos uitleven in mijn boeken, daar werd ik nog voor betaald ook.

Daar heb ik toen, die nacht, over nagedacht, maar toen ik eindelijk in slaap viel, droomde ik, voor het eerst in jaren, weer van een foetus in een inmaakglas.